S0-BNJ-322

IAN FLEMING

Diamantes para la eternidad

punto de lectura

Título: Diamantes para la eternidad
Título original: *Diamonds Are Forever*

Barquillo, 21. 28004 Madrid (España) www.puntodelectura.com

ISBN: 84-663-0932-2
Depósito legal: B-5.850-2003
Impreso en España – Printed in Spain

Fotografía de cubierta: Michel Banks / Getty Images
Diseño de colección: Ignacio Ballesteros

Impreso por Litografía Rosés, S.A.

IAN FLEMING

Diamantes para la eternidad

Traducción de Ignacio Ribet López

1

La ruta de los diamantes

Con sus dos aguerridas pinzas proyectadas hacia delante, como los brazos de un luchador, el enorme escorpión *pandinus* surgió, con un seco crujido, del minúsculo agujero de debajo de la roca.

Afuera había una pequeña parcela de tierra firme y llana, y el escorpión se detuvo en el centro, apoyándose sobre las puntas de sus cuatro pares de patas; sus nervios y músculos estaban preparados para una rápida retirada, y todos sus sentidos buscaban las vibraciones que decidirían su próximo movimiento.

La luz de la luna, que resplandecía a través del gran matorral espinoso, despedía destellos de zafiro sobre el duro y negro cuerpo de seis pulgadas, y hacía relucir el húmedo aguijón blanco que salía del último segmento de la cola, encorvada ahora sobre el terso cuerpo del animal.

Lentamente, el aguijón volvió a replegarse y los nervios de la glándula venenosa se relajaron. El escorpión había escogido a su víctima. El hambre había vencido al miedo.

Medio metro más allá, al pie de un montículo de arena, un pequeño escarabajo se dirigía apresuradamente hacia mejores pastos que los que había encontrado bajo el espinoso matorral. El repentino ataque del escorpión en la pendiente no le dejó tiempo para abrir sus alas. Las patas del escarabajo se agitaron en señal de protesta cuando la afilada pinza atenazó su cuerpo; el escorpión lanzó el aguijón por encima de su cabeza para clavarlo en el cuerpo del coleóptero, que murió inmediatamente.

Después de haber matado al escarabajo, el escorpión permaneció inmóvil durante unos cinco minutos. Inspeccionaba la naturaleza de su presa y buscaba en la tierra y en el aire las vibraciones enemigas. Una vez tranquilizado, hizo que sus aguerridas pinzas soltaran el cuerpo ya medio deshecho del escarabajo, y con las dos más pequeñas trituró su carne. Luego, durante una hora, y con gran delicadeza, devoró a su víctima.

El gran matorral espinoso bajo el que había matado al escarabajo constituía un verdadero punto de partida en la vasta llanura desértica que se extendía a unos sesenta kilómetros al sur de Kissidougou, en la punta sudoeste de la Guinea Francesa.

En todos los puntos del horizonte se veían montañas y jungla, pero aquí, y en una extensión de treinta kilómetros cuadrados, el terreno era un desierto, llano y pedregoso, y entre la escasa vegetación tropical sólo había aquel matorral espinoso, que tal vez por encontrar agua bajo sus raíces había alcanzado la altura de una casa y era fácilmente visible desde gran distancia.

Estaba situado en la Guinea Francesa, pero casi en la unión de tres Estados africanos: a unos quince kilómetros al norte de la frontera septentrional de Liberia y a ocho kilómetros al este de Sierra Leona. Al otro lado de esta frontera se encuentran las grandes minas de diamantes de Sefadu. Son propiedad de la compañía Sierra Internacional, que forma parte del poderoso imperio de minas de la Afric International, la cual, a su vez, constituye una de las principales riquezas de la Commonwealth británica.

Una hora antes, en el fondo del agujero, entre las raíces del gran matorral, dos clases de vibraciones habían dado la alerta al escorpión. En primer lugar, las ligeras vibraciones del escarabajo, que el escorpión reconoció inmediatamente; después unos golpes incomprensibles junto al arbusto, seguidos de un estrepitoso ruido que hizo un socavón en el agujero. A continuación, un suave y rítmico temblor de tierra, tan regular que pronto se convirtió en una vibración sin importancia. Después de una pequeña pausa, se volvió a oír el ruido del escarabajo, y al percibirlo, el escorpión, que había pasado todo el día al abrigo del sol, su peor enemigo, sintió despertar su hambre, la cual le hizo olvidar todos los otros ruidos y salir de su cubil, hasta el claro iluminado por la luna.

Y entonces, mientras chupaba la carne del escarabajo con la punta de sus mandíbulas, se oyó la señal que anunciaba la muerte del propio escorpión. El sonido provenía del este, del lejano horizonte. Sólo el oído humano podría percibirlo, y estaba formado por unas vibraciones que sobrepasaban el sistema sensorial del escorpión.

Un poco más lejos, una mano gruesa y velluda, con uñas cortadas al ras, recogió silenciosamente una piedra.

No se oyó el menor ruido, pero el escorpión notó un ligero movimiento en el aire. Al momento, sus luchadoras pinzas se dispusieron para el ataque, sacó el aguijón de su rígida cola, mientras sus penetrantes ojos buscaban al enemigo.

La pesada piedra cayó sobre él.

—¡Negro bastardo!

El hombre observó las convulsiones del agonizante animal. Luego bostezó, se arrodilló sobre la arenosa depresión, apoyándose en el tronco del arbusto donde había estado sentado durante casi dos horas y, protegiendo su cabeza con las manos, salió arrastrándose hasta el aire libre.

El ruido del motor, que el hombre había estado esperando, y que había sido la señal de la muerte del escorpión, se hizo más estrepitoso. El hombre se puso de pie y su sombra se proyectó sobre el sendero iluminado por la luna; pudo distinguir una enorme silueta negra que avanzaba rápidamente hacia él desde el este. Durante un instante, la luz de la luna resplandeció sobre las palas del rotor.

El hombre se secó las manos en sus sucios pantalones cortos de color caqui y dio rápidamente la vuelta al matorral, tras el cual sobresalía la rueda trasera de una motocicleta. Debajo del sillín, y a ambos lados, había dos bolsas de herramientas. De una de ellas sacó un pequeño pero pesado paquete y se lo metió entre la camisa y la piel; de la otra tomó cuatro linternas eléctricas y se dirigió hacia un espacio descubierto y llano, de una extensión parecida a la de un campo de tenis. En cada una de las tres esquinas dejó una linterna encendida. Luego, con la última linterna encendida en la mano, se dirigió a la cuarta esquina y esperó.

El helicóptero se movía pausadamente, a poca distancia de tierra, girando con lentitud las grandes palas del rotor. El aparato, bastante mal construido, parecía un monstruoso insecto, y el hombre que esperaba pensó, como de costumbre, que hacía demasiado ruido.

El helicóptero se detuvo, ligeramente inclinado, justo sobre su cabeza. Salió un brazo de la cabina y le enfocó con una linterna, emitiendo una señal: un punto y una raya; la letra «A» en morse.

El hombre que estaba en tierra respondió con una «B» y una «O»; luego, dejó la cuarta linterna en el suelo y se apartó, protegiendo sus ojos contra el remolino de arena. Poco a poco las palas del rotor se aproximaron al terreno de aterrizaje y el helicóptero se posó suavemente entre los cuatro puntos de luz. El motor se detuvo con un último zumbido, la hélice de la cola dio una última vuelta, y las grandes palas quedaron inmóviles.

En el silencio que siguió, un grillo se puso a cantar en el matorral espinoso y, muy cerca de allí, un pájaro nocturno lanzó un ansioso gorjeo.

Después de esperar a que la polvareda se disipara, el piloto abrió con brusquedad la puerta de la cabina, dejó caer una corta escalera de aluminio, y descendió rápidamente a tierra. Allí, junto al aparato, esperó a que el otro hombre recogiera las linternas de las cuatro esquinas y las apagara. El piloto llegaba a la cita con media hora de retraso, y le molestaba tener que soportar las quejas del que le había estado esperando. El piloto sentía desprecio hacia todos los afrikáners en general y hacia aquél en particular. Para un Reichsdentscher y piloto de la Luftwaffe que había luchado bajo las órdenes de Galland en defensa del Reich, eran una raza de bastardos, astutos, estúpidos y groseros. Evidentemente, este imbécil hacía un trabajo peligroso, pero no era nada en comparación con el suyo, pilotando un helicóptero sobre ochocientos kilómetros de jungla en medio de la noche, para luego regresar en las mismas circunstancias.

El piloto levantó un poco la mano para saludar al que se le acercaba.

—¿Todo va bien?

—Eso espero. Pero también hoy vienes con retraso. Apenas tendré tiempo suficiente para pasar la frontera antes del alba.

—La magneto no funcionaba bien. Todos tenemos nuestros problemas. Gracias a Dios que sólo hay trece lunas llenas al año. Si tienes el paquete, dámelo. Luego llenaremos el depósito y me marcharé.

Sin decir palabra, el hombre de las minas de diamantes introdujo la mano en su camisa y le entregó el pesado paquete.

El piloto lo tomó, húmedo aún por el sudor del cuerpo del contrabandista, y lo metió en el bolsillo de su casaca. Luego, limpió sus manos en la parte trasera de sus pantalones cortos.

—Perfecto —dijo, dando media vuelta.

—Un momento —musitó el contrabandista de diamantes, con tono malhumorado.

El piloto se volvió y le observó mientras pensaba: «Parece la voz suplicante de un criado que no sabe cómo quejarse de su comida».

—*Ja*. ¿Qué ocurre?

—Las cosas van mal en las minas. No me gusta nada lo que pasa. Ha venido de Londres un inspector importante. Debes estar enterado. Se llama Sillitoe. Dicen que lo envía la Diamond Corporation. Ha traído nuevas leyes y se han doblado los castigos. Esta nueva situación ha asustado a alguno de mis hombres, por lo que he tenido que actuar con dureza. Por otra parte, uno de ellos cayó dentro de la trituradora, con lo que ha empeorado la situación. He tenido que aumentar en un diez por ciento su paga. Pero, incluso así, no están satisfechos. Cualquier día la policía puede detener a alguno de mis intermediarios. Además, ya sabes cómo se comportan estos negros. Una buena paliza basta para hacerles hablar. —Observó furtivamente la expresión de los ojos del piloto, y concluyó con estas palabras—: A propósito, no conozco a nadie que soporte el *sjambok* y no confiese al fin, incluido yo mismo.

—¡Ah!, ¿sí…? —dijo el piloto, y después de un silencio, preguntó—: ¿Quieres que transmita esta amenaza a ABC?

—Yo no amenazo a nadie —se apresuró a contestar el otro—. Sólo quiero que ellos sepan cómo van las cosas. Quizá estén ya al corriente. Se trata de Sillitoe. Además, ya sabéis que el presidente del Consejo dijo en su informe anual que nuestras minas pierden cada año más de dos millones de libras esterlinas a causa del contrabando de diamantes, y que el Gobierno pondría todo su empeño en solucionarlo. ¿Y qué significa todo esto? ¡Que me van a detener!

—Y a mí también —dijo tranquilamente el piloto—. ¿Qué quieres? ¿Más dinero?

—Sí —replicó con obstinación el contrabandista—. Quiero una mayor comisión. Un aumento del veinte por ciento, o dejo mi trabajo.

Miró al piloto, intentando encontrar un poco de comprensión en su rostro, pero éste le contestó con indiferencia:

—De acuerdo. Pasaré el mensaje a Dakar, y, si están de acuerdo, supongo que lo transmitirán a Londres. Es un asunto que no me incumbe, pero si yo estuviera en tu lugar —matizó demostrando por primera vez un poco de interés— no intentaría presionar demasiado a los jefes de Londres. Ellos pueden ser mucho más peligrosos que el mismo Sillitoe, la Compañía o cualquier gobierno que pueda existir. Precisamente en este lugar han muerto tres hombres durante los doce últimos meses. Uno, por cobarde; los otros dos, por haber robado del paquete. Conoces muy bien estos hechos. Tu predecesor sufrió un pequeño accidente, ¿no es cierto? ¡Qué idea tan original! ¡Poner nitroglicerina bajo su cama! Seguro que no la colocó él; era extremadamente prudente en todo lo que hacía.

Los dos hombres permanecieron inmóviles durante un momento, observándose mutuamente bajo el claro de luna. El contrabandista de diamantes se encogió de hombros.

—Está bien —dijo—. Diles simplemente que el trabajo es peligroso, y que para llevarlo a cabo necesito más dinero. Se harán cargo de la situación y, si tienen un poco de sentido común, aumentarán mi comisión en un diez por ciento. Si no...

Dejó la frase sin terminar y agregó:

—Vamos. Te ayudaré a llenar el depósito de gasolina.

Diez minutos más tarde el piloto subió a la cabina y recogió la escalera de aluminio. Antes de cerrar la puerta, levantó la mano para saludar.

—¡Adiós! —dijo—. Hasta el mes que viene.

El hombre que quedaba en tierra se sintió, de repente, completamente solo.

—*Tot ziens* —pronunció en voz alta, moviendo la mano en señal de afecto—. *Alles van die beste*. —Se volvió y se cubrió los ojos con la otra mano para protegerse de los remolinos de arena.

El piloto se instaló en su asiento y se puso el cinturón de seguridad, mientras apoyaba los pies en los pedales. Se aseguró de que los frenos de las ruedas estuvieran bien colocados, inclinó hacia abajo la palanca de control de posición, abrió la llave del combustible y pulsó el *starter*. Satisfecho con el sonido del motor, soltó el freno del rotor y giró suavemente el regulador del control de posición. Las largas palas del rotor empezaron a moverse despacio por encima de las ventanas de la cabina, y el piloto comprobó que el rotor de cola giraba con normalidad. Se acomodó mejor en su asiento, esperando que el indicador de velocidad llegara a las doscientas revoluciones por minuto. Cuando la aguja señaló el 200, soltó el freno de las ruedas y apretó suavemente, pero con firmeza, la palanca de inclinación. Las largas palas oscilaron, luego giraron cada vez con más velocidad, y poco a poco el helicóptero empezó a subir verticalmente hacia el cielo, hasta alcanzar los cien pies de altura. Entonces el piloto dirigió el aparato hacia el este y colocó entre sus rodillas la palanca de mando.

El aparato giró, con suavidad, ganó altura y velocidad, y siguió el camino de la luna.

El contrabandista contempló cómo se alejaba el helicóptero cargado con los diamantes, valorados en cien mil libras esterlinas, que sus hombres habían ido robando a las minas durante todo un mes, y que después los presentaban bajo la lengua, mientras él estaba de pie junto a su silla de dentista, preguntándoles, bruscamente, qué les dolía.

Sin dejar de hablarles sobre sus dientes, sacaba de su boca las piedras preciosas y las examinaba a la luz del proyector; luego les decía el precio en voz baja: cincuenta, setenta y cinco, cien. Siempre lo aceptaban con un ligero movimiento de cabeza, tomaban los billetes, los escondían en sus bolsillos y salían del consultorio con un par de aspirinas envueltas en un papel, para que les sirviera de coartada. Se veían obligados a aceptar su precio. Un indígena no tenía otra manera de poder vender los diamantes. Incluso cuando, una vez por año, un minero iba a visitar a los de su tribu o bien asistía al entierro de un familiar, tenía que someterse a la rutina de los rayos X y del aceite de ricino, con una terrible perspectiva si eran cogidos *in fraganti*. Resultaba mucho más fácil acudir al consultorio del dentista, cuando él estaba de guardia, pues los billetes de banco no eran visibles con los rayos X.

El hombre montó sobre la motocicleta y tomó la estrecha y pedregosa pista que se dirigía hacia las montañas fronterizas de Sierra Leona, que empezaban a distinguirse ya con la difusa luz del nuevo día. Apenas tendría tiempo para llegar a la cabaña de Susie antes del alba. Hizo una mueca al pensar que aún tenía que hacerle el amor después de aquella noche tan agotadora. Pero no había otra solución. El dinero no era suficiente para pagar la coartada que ella le proporcionaba. Susie deseaba su cuerpo de hombre blanco. Y luego todavía le quedaban otras diez millas para llegar al club, donde almorzaría, soportando las bromas groseras de sus amigos.

—¿Mucho trabajo… doctor?

—Dicen que ella tiene los más hermosos dientes de toda la colonia.

—¿Acaso es la luna llena la que os da tan buenos resultados?

Pero cada paquete de cien mil libras significaban mil para él en un banco seguro de Londres. Valía la pena sacrificarse por los hermosos billetes nuevos. Pero no deseaba que eso se prolongara demasiado. ¡No! Cuando hubiera alcanzado las veinte mil libras, abandonaría el contrabando. Y entonces…

Con la cabeza llena de ilusiones, el hombre de la motocicleta prosiguió su camino a través de la llanura, a la mayor velocidad posible, alejándose cada vez más del matorral espinoso donde comenzaba la más lucrativa operación de contrabando del mundo, el tráfico de los diamantes que, tras ocho mil kilómetros de tortuosos caminos, podrían relucir sobre las suaves formas femeninas.

2

Piedras preciosas de calidad

—No esconda usted la lente. Póngasela —dijo M con impaciencia.

James Bond, que estaba pensando cómo pasar al jefe de Estado Mayor la orden de M, recogió de nuevo la lente que se le había caído sobre la mesa, y esta vez procuró ajustarla bien en la órbita de su ojo derecho.

Aunque era a finales de julio y el sol iluminaba la estancia, M había encendido la luz de la lámpara que tenía sobre su mesa y la inclinó totalmente hacia Bond. Éste tomó la brillante piedra tallada y la puso bajo la luz. Mientras la hacía girar entre sus dedos, todos los colores del arco iris resplandecieron por todas sus facetas hasta deslumbrar su ojo.

Se quitó la lente y buscó algo interesante que decir.

M le miró con ironía, y exclamó:

—Una piedra preciosa, ¿no?

—Maravillosa —respondió Bond—. Debe valer una fortuna.

—Unas pocas libras para tallarla —replicó secamente M—. Es un trozo de cuarzo. Pruebe ahora otra vez.

Consultó una lista que tenía sobre su escritorio, escogió una bolsa de papel, comprobó el número que había escrito en ella, la desplegó y entregó su contenido a Bond.

Éste dejó el trozo de cuarzo y tomó la segunda muestra.

—A usted le resulta muy fácil saberlas distinguir, porque ya las tiene clasificadas —dijo sonriendo mientras volvía a colocarse la lente en el ojo y situaba la piedra preciosa bajo la luz.

Esta vez no podía haber ninguna duda. La piedra tenía también veintidós caras en la parte superior y veinticuatro en la inferior, y debería ser de unos veinte quilates; su corazón semejaba una llama de fuego azulada, y los infinitos colores que reflejaba y refractaba desde su interior parecían finas agujas que herían los ojos. Con su mano izquierda cogió el trozo de cuarzo, lo colocó junto al diamante y los examinó con su lente. Esta vez el trozo de cuarzo parecía una materia sin vida, casi opaca, en comparación con la deslumbrante transparencia del diamante, y los colores del arco iris que había visto antes eran ahora vulgares y apagados.

James Bond dejó de nuevo el cuarzo y observó otra vez el diamante. Ahora podía comprender la pasión que los diamantes habían inspirado a través de los siglos, el amor casi sexual que despertaban en quienes los manipulaban, los tallaban o comerciaban con ellos. Era un dominio ejercido por una hermosura tan pura que encerraba una especie de verdad, una autoridad maravillosa ante la que todas las demás cosas materiales se volvían turbias como el trozo de cuarzo. Entonces, Bond comprendió el mito de los diamantes y reconoció que nunca olvidaría lo que había descubierto inesperadamente en el corazón de aquella piedra.

Colocó de nuevo el diamante en la bolsa de papel y dejó caer la lente en la palma de su mano. Miró los ojos observadores de M, y dijo:

—Sí, lo comprendo.

M acomodó su cuerpo en el respaldo del sillón y dijo:

—Eso es lo que pensaba Jacoby el otro día, cuando almorcé con él en la Diamond Corporation. Me dijo que si tenía que implicarme en el negocio de los diamantes, debería intentar comprender qué había realmente en el fondo de todo ello. No sólo los millones que están en juego, ni el valor de los diamantes como freno contra la inflación, ni la costumbre sentimental de engarzar diamantes en los anillos de novia, etc. Me dijo que se debe comprender la pasión que despiertan los diamantes. Todo me lo explicó de la misma manera que yo lo hago con usted. Y si le puede servir de consuelo —añadió M sonriendo a Bond—, también yo me confundí con aquel trozo de cuarzo.

Bond no respondió.

—Ahora prosigamos —dijo M, señalando con un gesto el montón de bolsitas de papel que tenía enfrente suyo—. Dije que me gustaría pedir prestados algunos ejemplares, y no me pusieron ningún inconveniente. Esta mañana me han enviado este lote.

M consultó su lista, abrió un paquete y lo colocó delante de Bond.

—El que contemplaba hace un momento era el mejor, un Fino Azul-Blanco —señaló con un gesto el gran diamante que había delante de Bond—. Éste es un Top Crystal de diez quilates. Una piedra muy fina, pero vale la mitad que el Azul-Blanco. Puede ver que tiene un tenue matiz amarillento. El Cape que voy a mostrarle tiene un ligero matiz trigueño, como dice Jacoby, pero yo no lo he podido ver, ni creo que lo vea nadie si no es un experto.

Bond tomó dócilmente el Top Crystal y M le entretuvo durante un cuarto de hora enseñándole una completa escala de diamantes, maravillosas series de piedras preciosas de color carmín, azul, rosa, amarillo, verde y violeta. Finalmente, M abrió un paquete de piedras más pequeñas, defectuosas o pobres en color.

—Son diamantes industriales, pero no piedras preciosas de calidad. Se utilizan para maquinaria y demás. Pero no les quite valor. Sólo en América, durante el pasado año, se utilizaron diamantes industriales por un valor de cinco millones de libras. Me dijo Bronsteen que para abrir el túnel de San Gotardo se usaron piedras de este tipo. Y en el otro extremo de la escala, los dentistas se sirven también de ellas para trabajar los dientes. Son la materia más dura del mundo. Duran eternamente.

M sacó su pipa y empezó a llenarla.

—Ahora ya sabe tanto como yo sobre diamantes.

Bond se acomodó en su silla, contemplando vagamente los trozos de papel y las piedras brillantes extendidas sobre la superficie de piel roja que recubría la mesa de M. Mientras se preguntaba el motivo de todo ello, oyó el raspar de una cerilla y vio que M encendía la pipa, volvía a meter en su bolsillo la caja de cerillas, y ponía su sillón en la posición preferida para reflexionar.

Bond miró su reloj. Eran las once y media. Pensó con satisfacción en el montón de documentos secretos que había dejado gustosamente cuando le llamaron por el teléfono rojo una hora antes. Estaba completamente seguro de que ya no debería entretenerse más con ellos.

—Supongo que es un trabajo para ti —dijo el jefe de Estado Mayor contestando a la pregunta de Bond—. M no desea que se le llame antes de la comida y te espera en el Yard a las dos. Date prisa.

Entonces Bond cogió su abrigo y entró en el despacho contiguo donde vio complacido que su secretaria estaba archivando en una voluminosa carpeta el trabajo más inmediato.

—M y Bill dicen que se trata de un trabajo para mí —explicó Bond cuando ella le vio entrar—. Será mejor que lo envíes al *Daily Express* por correo. —La miró sonriendo—. ¿No es ese tipo, Selfton Delmer, uno de tus amigos, Lil? Pues mándaselo a él, entonces.

La chica le devolvió la mirada.

—Lleva usted la corbata torcida —le dijo fríamente—. Y de todas maneras, apenas conozco a Selfton.

Se inclinó de nuevo sobre el archivo y Bond echó a andar por el corredor, pensando que era una suerte tener una secretaria tan bonita.

Se oyó crujir el sillón donde estaba sentado M y Bond contempló por encima de su mesa de despacho a este hombre al que dedicaba toda su lealtad y obediencia, y por el que sentía un gran afecto.

Los ojos grises de M se posaron en él, pensativos, mientras se quitaba la pipa de la boca.

—¿Cuánto hace que volvió de sus vacaciones en Francia?

—Dos semanas, señor.

—¿Lo pasó bien?

—No del todo mal, señor. Pero al final me estaba aburriendo ya un poco.

M no hizo ningún comentario.

—He estado mirando su hoja de servicios. «Manejo de armas cortas» parece tener la puntuación más alta. «Combate cuerpo a cuerpo», satisfactorio, y de acuerdo con su última revisión médica parece ser que está en bastante buena forma —M hizo una pausa—. La cuestión es —prosiguió luego con voz impersonal— que tengo una misión bastante dura para usted. Quería estar seguro de que seguía usted siendo capaz de cuidar de sí mismo.

—Naturalmente, señor —Bond se sentía un poco molesto.

—No se lo tome a la ligera, 007 —dijo M, cortante—. Cuando le digo que puede ser peligroso, no estoy haciendo melodrama. Hay unos cuantos tipos muy duros que aún no ha tenido ocasión de conocer y que pueden estar mezclados en este asunto. Y algunos de ellos son de lo más eficiente. De modo que no se ofenda porque lo piense dos veces antes de encomendárselo.

—Disculpe, señor.

—Está bien —M dejó su pipa sobre la mesa y se apoyó en ella con los brazos cruzados—. Primero le pondré al corriente de lo que se trata y luego será usted mismo quien decida si quiere encargarse de ello o no. —Luego prosiguió—: Hace una semana vino a verme uno de los altos jefes de la Tesorería. Le acompañaba el secretario permanente de la Cámara de Comercio. Se trata, desde luego, de diamantes. Según parece, la mayoría de los que se conocen por el nombre de diamantes gemas en el mundo se extraen en territorio británico, y el noventa por ciento de todas las ventas de diamantes se efectúan en Londres. Por medio de la Diamond Corporation. —M se encogió de hombros—. No me pregunte por qué. Los ingleses se apoderaron de este negocio a principio de siglo y nos las hemos arreglado para conservarlo. En la actualidad representa un comercio gigantesco. Cincuenta millones de libras al año. La mayor fuente de divisas de que disponemos. De modo que cuando algo se tuerce en esta cuestión, el Gobierno se preocupa. Y eso es lo que ha sucedido.

M se quedó mirando a Bond con afabilidad.

—Cada año salen de África, de contrabando, diamantes por valor de dos millones de libras, por lo menos.

—Eso es un montón de dinero —dijo Bond—. ¿Adónde van a parar?

—Dicen que a América —respondió M—. Y ésta es también mi opinión. Allí es donde está el mercado negro más importante de diamantes. Y sus bandas son las únicas que podrían embarcarse en operaciones de esta envergadura.

—¿Por qué no lo impiden las compañías mineras?

—Ya han hecho todo lo que han podido en este sentido —dijo M—. Probablemente habrá leído en los periódicos que De Beers contrató a nuestro amigo Sillitoe, cuando éste dejó el MI5, y que está ahora allí, trabajando para la policía. Hizo un informe bastante duro y sugirió una serie de ideas brillantes encaminadas a estrangular el contrabando, pero ni en la Tesorería ni en la Cámara de Comercio parecen muy satisfechos. Dicen que la cosa tiene demasiado volumen para que puedan ocuparse de ella por separado las diversas compañías mineras, no importa el grado de eficacia con que actúen. Y tienen una razón muy poderosa para querer que se ponga en marcha una acción oficial.

—¿Qué razón es ésa, señor?

—En estos mismos momentos se encuentra en Londres un gran alijo de gemas de contrabando —dijo M, y los ojos le brillaban cuando miró a Bond—, que están a la espera de ser llevadas a América. Y el Servicio Secreto sabe quién va a encargarse de llevarlas, y quién va a ir con él para vigilarle. Tan pronto como Ronnie Vallace lo supo, por una confidencia que le hicieron a uno de sus chivatos en el Soho, a uno de los de su «escuadra fantasma» como él les llama, se fue directamente a la Tesorería. La Tesorería se puso en contacto con la Cámara de Comercio, y los dos ministros reunidos fueron a ver al primer ministro. Y el primer ministro les dio autorización para que se valiesen del Servicio.

—¿Por qué no dejar que se ocupe de ello la Brigada Especial del MI5, señor? —preguntó Bond, mientras pensaba que M parecía atravesar una mala racha al mezclarse en los asuntos de otros departamentos.

—Es evidente que podrían arrestar a los correos tan pronto como entreguen la mercancía y se dispongan a salir del país —dijo M con impaciencia—. Pero eso no serviría para poner fin al contrabando. Estos tipos no son de los que hablan. Y de todas formas, estos dos correos son gente sin importancia, sólo peones insignificantes. Probablemente se limitan a recibir el paquete que les entregan en un parque y a entregárselo a otra persona en otro parque, cuando llegan al otro lado. La única forma de tocar el fondo del asunto es seguir la línea de conducción hasta América, y ver adónde va a parar allí. Y me temo que tampoco el FBI va a prestarnos mucha ayuda. Para ellos sólo representa una parte muy pequeña de la batalla contra las grandes bandas. Y no significa, además, ningún perjuicio para Estados Unidos. Más bien todo lo contrario. Es Inglaterra la que pierde. Y América queda fuera de la jurisdicción de la policía y del MI5. Sólo el Servicio Secreto puede encargarse de ello.

—Sí, comprendo —dijo Bond—. Pero, ¿tenemos alguna otra pista en qué apoyarnos?

—¿Ha oído hablar alguna vez de la Casa de los Diamantes?

—Sí, naturalmente, señor —dijo Bond—. Los grandes joyeros americanos. En la Calle 46 en Nueva York, y en la calle Rivoli en París. Según he oído tienen actualmente tanta categoría como Cartier, Van Cleef y Boucheron. Han subido mucho y muy rápidamente durante la posguerra.

—Sí —dijo M—. De ellos se trata. También tienen una pequeña tienda en Londres, en Hatton Garden. Solían ser los mayores compradores en la exposición mensual de la Diamond Corporation. Pero estos últimos tres años han estado comprando cada vez menos. Aunque, como usted dice, parecen haber estado vendiendo más y más joyas cada año últimamente. Tienen que sacar sus diamantes de alguna parte. Fue la Tesorería la que mencionó sus nombres en la reunión que tuvimos el otro día. Pero no puedo encontrar nada contra ellos. Tienen uno de sus hombres más importantes representándoles aquí, en Londres. Resulta extraño, ya que hacen tan poco negocio. Es un hombre que se llama Rufus B. Saye. No sabemos mucho de él. Almuerza todos los días en el American Club, en Piccadilly. Juega al golf en Sunningdale. No bebe ni fuma. Y vive en el Savoy. Un ciudadano modelo —concluyó M, encogiéndose de hombros—. Pero el negocio de los diamantes funciona como un bonito y bien organizado negocio de familia, y se tiene la impresión de que la Casa de los Diamantes no cumple con todas las reglas. Nada más que eso.

Bond decidió que ya era tiempo de plantear la pregunta clave:

—¿Y dónde encajo yo en todo esto, señor? —preguntó, mirando a M fijamente por encima de la mesa.

—Tiene usted una cita con Vallace en la Jefatura dentro de... —consultó su reloj de pulsera—, poco más de una hora. Él le pondrá al corriente. Van a detener a ese correo esta misma noche, y a colocarle a usted en su lugar.

Los dedos de Bond se contrajeron imperceptiblemente sobre los brazos de su silla.

—¿Y después?

—Después —dijo M, como si no le diera importancia— llevará usted los diamantes de contrabando a América. Por lo menos ésa es la idea. ¿Qué le parece?

3

Hielo candente

James Bond cerró, al salir, la puerta del despacho de M. Sonrió directamente a los cálidos ojos oscuros de miss Moneypenny, y se dirigió a través de su oficina hacia el despacho del jefe de Estado Mayor.

Éste, un hombre tranquilo, de rostro enjuto y aproximadamente de la misma edad que Bond, dejó la pluma con la que estaba escribiendo, se repantingó en su sillón al verle entrar, y se quedó mirando cómo Bond sacaba del bolsillo posterior de su pantalón, con gesto casi automático, su pitillera plana de acero, y se dirigía a la ventana abierta de la habitación, que daba sobre Regent's Park.

Había una lentitud premeditada en los movimientos de Bond que respondía sin palabras a la muda pregunta del jefe de Estado Mayor.

—De manera que te lo ha endosado.

Bond se dio la vuelta.

—Sí —dijo. Luego, encendió un cigarrillo. A través de las volutas de humo se quedó mirando a su amigo—. Pero dime una cosa, Bill. ¿Por qué se muestra tan prudente M en lo que se refiere a este asunto? Ha estado mirando incluso los resultados de mi último reconocimiento médico. ¿Qué es lo que le preocupa? No se trata de una misión tras el Telón de Acero. América es un país civilizado. Más o menos. ¿Qué pulga le ha picado?

Era una de las obligaciones del jefe de Estado Mayor estar al corriente de lo que ocurría en la mente de M. Se le había apagado el cigarrillo, de modo que lo aplastó contra el cenicero, encendió otro y lanzó la cerilla apagada por encima del hombro izquierdo. Luego volvió la cabeza y miró hacia la papelera para ver si había ido a parar allí. En efecto. Satisfecho, se quedó mirando a Bond con una sonrisa.

—Requiere una práctica constante —dijo. Y luego añadió—: No hay muchas cosas que sean capaces de preocupar a M, James, y tú lo sabes tan bien como cualquiera que esté en el Servicio Secreto. La SMERSH, tal vez. Los descifradores alemanes de códigos en clave... La banda china del opio, o por lo menos el poder que tienen en el mundo entero. El poder de la Mafia. Y, si me apuras, las bandas americanos, por los que, entre paréntesis, siente un respeto muy saludable. Por los grandes, naturalmente. Creo que eso cierra la lista. No hay nada más que pueda preocuparle. Pero este asunto de los diamantes es casi seguro que va a ponerte a ti frente a las bandas. Son las últimas personas con las que quisiera enfrentarse. Ya tiene bastante sin ellos. Eso es todo. Y ésa es la razón por la que le ves moverse con pies de plomo en este asunto.

—No hay nada extraordinario, que yo sepa, en estos gánsteres americanos —protestó Bond—. Ni siquiera son americanos. En su mayoría no son sino un atajo de maleantes italianos, con monogramas en las camisas, que se pasan el día comiendo *spaguetti* y albóndigas de carne y echándose perfume sobre la ropa.

—Eso es lo que tú crees —dijo el jefe de Estado Mayor—. Lo que pasa es que ésos son los únicos que uno ve. Pero hay otros mejores detrás de ellos, y otros mejores todavía detrás de éstos. Mira el asunto de los estupefacientes. Diez millones de adictos. ¿De dónde consiguen las drogas? Mira las casas de juego, incluso de juego legal. Doscientos cincuenta millones de dólares al año es lo que ingresan en Las Vegas. Sin contar las otras casas subsidiarias que funcionan en Miami, en Chicago y en tantos otros lugares. Todas ellas propiedad de las bandas y de sus amigos. Hace tan sólo unos pocos años que a Buggsy Siegel le pegaron un tiro en la nuca porque quería una parte demasiado grande de lo que se recaudaba en Las Vegas. Y se trataba de un tipo realmente duro. Éstas son operaciones en gran escala. ¿Te das cuenta de que el juego es la mayor industria independiente en América? Mucho mayor que la del acero. Mucho mayor que la de los automóviles, y tienen buen cuidado de que siga funcionando sin fricciones. Busca un ejemplar del *Informe Kefauver* y léelo, si no me crees. Y ahora estos diamantes. Seis millones de dólares al año es una buena renta y, puedes apostar la cabeza, estará bien protegida.

El jefe de Estado Mayor hizo una pausa. Luego miró con cierta impaciencia a la alta figura apoyada en la ventana, con su traje azul marino oscuro, su rostro anguloso, tostado por el sol, y sus ojos obstinados, penetrantes.

—Tal vez no has leído aún el informe del FBI sobre el crimen en América, este año. Muy interesante. Unos treinta y cuatro asesinatos por día, como media. Casi ciento cincuenta mil americanos asesinados en los últimos veinte años.

Bond le miró, incrédulo.

—Son hechos, ¡maldita sea! Busca esos informes y cerciórate tú mismo. Por eso es por lo que M quería asegurarse de que estabas en plena forma antes de ponerte en primera línea. Vas a tener que enfrentarte con esas bandas . Y vas a tener que hacerlo solo. ¿Qué más quieres saber?

El rostro de Bond tomó un aire más relajado.

—Vamos, Bill —dijo—. Si eso es todo lo que ocurre, deja que te invite a almorzar. Hoy me toca a mí y me parece que debemos celebrarlo. No más papeleo este verano. Voy a llevarte a Scotts y vamos a tomarnos unos cangrejos aderezados como ellos los preparan y una pinta de cerveza negra. Me has quitado un gran peso de encima. Estaba empezando a temer que hubiese alguna complicación desagradable en este asunto.

—Está bien, ¡que el diablo te lleve!

El jefe de Estado Mayor dejó a un lado por el momento todas las preocupaciones que compartía con M y siguió a Bond fuera del despacho, cerrando la puerta tras de sí con un golpe más fuerte de lo necesario.

Más tarde, puntualmente a las dos, como estaba convenido, Bond estrechaba la mano del hombre elegante, aplomado, que salió a su encuentro en un despacho amueblado al viejo estilo y cuyas paredes escuchan más secretos que ninguno de los otros despachos de Scotland Yard.

Bond había hecho una gran amistad con el inspector adjunto Vallace durante el *affaire* Moonraker y ninguno de los dos sentía la necesidad de malgastar tiempo en preliminares.

Vallace puso sobre su mesa un par de fotografías de identificación del archivo del CID. En ellas se veía a un joven de aspecto bien parecido, de pelo oscuro, con un rostro de facciones recortadas y atrevidas en el que los ojos parecían sonreír con inocencia.

—Éste es el hombre —dijo Vallace—. Muy en tu línea esto de hacerte pasar por otro del que sólo conoces la descripción. El nombre es Peter Franks. Apuesto. De buena familia. Buenos estudios y todo eso. Luego dio un paso en falso, y muchos otros después. Los robos en las casas de campo son su especialidad. Puede que haya estado al servicio del duque de Windsor en Sunningdale, unos pocos años atrás. Le hemos echado el guante una o dos veces, pero nunca podemos encontrar prueba alguna. Ahora se ha ido de la lengua. Les ocurre a menudo cuando se meten en un nuevo terreno del que no saben nada. Tengo dos o tres chicas en el Soho que nos pasan información, y el hombre parece que se ha entusiasmado con una de ellas. Lo gracioso es que ella también se ha entusiasmado con él. Cree que le puede devolver al buen camino, y todo eso. Pero ella tiene su trabajo que cumplir y cuando él le habló de este asunto como si fuese la cosa más divertida del mundo, ella nos pasó el dato.

Bond asintió.

—Los delincuentes especializados nunca se toman en serio los trabajos de los otros. Apuesto a que no hubiese dicho ni una sola palabra si se tratase de uno de sus robos en casas de campo.

—Puedes estar seguro de ello —convino Vallace—. De lo contrario ya le habríamos cogido hace años. De cualquier forma, parece que se pusieron en contacto con él por medio del amigo de un amigo, y aceptó llevar el contrabando a América por cinco mil dólares. Pago contra entrega. Mi chica le preguntó si se trataba de drogas. Él se echó a reír y dijo: «No, mejor todavía: hielo candente». ¿Tenía ya los diamantes? No. Primero tenía que ponerse en contacto con su «escolta». Mañana por la noche en el Trafalgar Palace, en su habitación. Es una chica que se llama Case. Ella le dirá lo que tienen que hacer y le acompañará en el viaje.

Vallace se levantó de su asiento y comenzó a pasear arriba y abajo por delante de las falsificaciones de billetes de banco de cinco libras que, enmarcadas cuidadosamente, llenaban casi la pared que había frente a la ventana.

—Estos contrabandistas van generalmente por parejas, cuando se trata de un alijo importante. Primero, porque nunca se confía del todo en el correo, y segundo porque los que reciben la mercancía al otro extremo quieren tener un testigo de la operación, en caso de que algo vaya mal en la aduana. Además, de esta manera, los peces gordos no corren el riesgo de que los cojan durmiendo, si el correo se va de la lengua.

Alijo importante. Correos. Aduanas. Escoltas. Bond aplastó su cigarrillo en el cenicero que había sobre la mesa de Vallace. Con cuánta frecuencia, durante sus primeros tiempos de actuación en el Servicio Secreto, había formado parte de esta misma rutina: pasando por Estrasburgo a Alemania, pasando por Negoreloe a Rusia; viajando a través del Simplon, o a través de los Pirineos. La tensión, la boca seca. Las uñas que parecen incrustarse por sí solas en las palmas de las manos. Y ahora, después de que ya se había graduado en todo aquello, aquí estaba otra vez frente a la misma cadena de situaciones. Tenía que pasar por ellas de nuevo.

—Sí. Ya veo —dijo, tratando de apartar sus recuerdos—. Pero, ¿cuál es el cuadro completo? ¿Tienes alguna idea? ¿De qué clase de operación se trata, en líneas generales?

—Los diamantes, desde luego, proceden de África —dijo Vallace. Su mirada era opaca—. Probablemente no de las minas de la Unión, sino más bien de Sierra Leona, que es por donde nuestro amigo Sillitoe ha andado investigando. Desde allí, posiblemente, pasan las piedras a Liberia, o tal vez, con más seguridad, a la Guinea Francesa. De allí llegan a Francia, sin duda. Y puesto que este paquete ha aparecido en Londres, esta ciudad también forma parte del trayecto.

Vallace detuvo sus paseos y se quedó mirando a Bond.

—Ahora sabemos que este paquete va camino de América, pero nadie sabe lo que va a ocurrir con él. Los que están operando con ellos parece que no tratarán de ahorrarse dinero tallándolos, que es donde va la mitad del precio de un diamante, así que lo más probable es que las piedras en bruto estén destinadas a algún negocio legal, donde las cortarán para venderlas junto con otras.

Vallace hizo una nueva pausa.

—¿Te importa si te doy un consejo?

—Claro que no.

—Bien —dijo Vallace—. En todos estos trabajos el pago a los subordinados es el punto más débil de la cadena. ¿Cómo le pagarán estos cinco mil dólares a Peter Franks? ¿Y por intermedio de quién? ¿Van a contar con él de nuevo, si tiene éxito? Si yo estuviese en tu lugar examinaría minuciosamente todos estos detalles. Me concentraría en llegar hasta el intermediario que se encarga del pago, y desde allí trataría de seguir la línea ascendente hasta los peces gordos. Si les caes bien, no te va a ser difícil. Los correos de confianza no son fáciles de encontrar; incluso los jefazos van a sentir interés por conocer al nuevo recluta.

—Sí —dijo Bond, pensativo—. Eso tiene sentido. El problema principal consistirá en pasar el primer contacto en América. Esperemos que todo vaya bien en el puesto de aduanas de Idlewild. Voy a tener aire de imbécil si me registran. Supongo que esta chica, Case, tendrá algunas ideas brillantes para el transporte del paquete. Y ahora, ¿por dónde empezamos? ¿Cómo vas a sustituirme por Peter Franks?

Vallace empezó a pasear de nuevo, arriba y abajo.

—No creo que haya dificultades —dijo—. Vamos a arrestar a Franks esta noche y le mantendremos detenido por intento de evasión —sonrió ligeramente—. Va a ser el final de mi buena amistad con la chica de Soho, pero no queda otro remedio. Luego serás tú quien vaya en lugar de Franks a la cita con miss Case.

—¿Qué es lo que sabe ella de Franks?

—Sólo su descripción y su nombre —dijo Vallace—. Por lo menos, eso es lo que creemos. Dudo que conozca siquiera al hombre que le contactó a él. Intermediarios a lo largo de toda la línea. Cada uno hace su trabajo y nada más, como si estuviese dentro de un compartimento estanco. Así, aunque se rompa un punto de la media, no hay peligro de que se produzca una carrera.

—¿Qué es lo que sabes de esa chica?

—Los datos de su pasaporte. Ciudadana americana. Veintisiete años. Nacida en San Francisco. Rubia, ojos azules. Estatura, un metro sesenta y cinco. Profesión: sus labores. Ha estado por aquí una docena de veces en los últimos tres años. Quizá más, bajo distintos nombres. Siempre se aloja en el Trafalgar Palace. El detective del hotel dice que no parece salir mucho. Pocos visitantes, también. Y nunca se queda más de dos semanas. Nunca ha dado ningún escándalo. Eso es todo lo que sabemos. No te olvides de que cuando te encuentres con ella tienes que llevar preparada una buena historia. Por qué estás haciendo este trabajo, y todo eso.

—No te preocupes.

—¿Alguna otra cosa en que podamos serte útiles?

Bond pareció reflexionar. El resto de los detalles le correspondían a él. Una vez que entrase en la cadena, tendría que ir improvisando sobre la marcha. Se acordó de pronto de la firma de diamantes.

—¿Qué hay de esa pista de la Casa de los Diamantes de que hablaba la Tesorería? Me parece un tiro a ciegas. ¿Qué opinas tú?

—Sinceramente, no me he ocupado de ellos. —Había un cierto tono de excusa en la voz de Vallace—. Busqué algunos informes sobre ese hombre, Saye, pero no hay nada, excepto los datos de su pasaporte. Americano. Cuarenta y cinco años. Comerciante de diamantes. Nada. Va mucho a París. En realidad, ha estado yendo una vez al mes durante los últimos tres años. Probablemente tiene allí alguna chica. Escucha, ¿por qué no le haces una visita y echas un vistazo a su tienda? Quién sabe...

—¿Y cómo arreglamos eso? —preguntó Bond, no muy convencido.

En lugar de contestar, Vallace apretó uno de los botones del intercomunicador que había encima de su mesa.

—¿Diga, señor? —contestó una voz metálica al otro extremo.

—Envíeme a Dankwaerts en seguida, sargento. Y a Lobiniere. Y luego, comuníqueme por teléfono con la Casa de los Diamantes. Es una tienda de joyas que está en Hatton Garden. Pregunte por míster Saye.

Luego Vallace fue hasta la ventana y se quedó mirando hacia el río. Sacó un encendedor del bolsillo de su chaleco y se puso a jugar con él distraídamente. Se oyeron unos golpecitos suaves en la puerta y la secretaria de Vallace asomó la cabeza por la abertura.

—El sargento Dankwaerts, señor.

—Que pase —dijo Vallace—. Y dígale a Lobiniere que espere hasta que yo le llame.

La secretaria se apartó para dejar paso a un hombrecillo de aspecto insignificante, vestido de paisano. Era casi calvo, usaba gafas y tenía la piel muy pálida. Con su expresión bondadosa de ratón de biblioteca hubiera podido tomársele por el escribiente de una casa de negocios cualquiera.

—Buenas tardes, sargento —le saludó Vallace—. Le presento al comandante Bond, del Ministerio de Defensa.

El sargento sonrió cortésmente.

—Quiero que lleve usted al comandante Bond a la Casa de los Diamantes, en Hatton Garden. Será el «sargento James», de su brigada. Van a ver a esa gente porque creen que los diamantes procedentes del asunto Ascot están en camino hacia la Argentina, vía América. Le dirá esto a míster Saye, que es el gerente, y le preguntará si ha oído algo al respecto. Tal vez a su oficina de Nueva York haya llegado algún rumor. Ya sabe, todo amabilidad y cortesía. Pero mírele bien a los ojos. Y presione tanto como sea posible sin dar motivo para que presenten una queja. Luego, le presenta sus excusas al marcharse y se olvida por completo del asunto. ¿Entendido? ¿Alguna pregunta?

—No, señor —dijo el sargento Dankwaerts, con el tono de un buen subordinado.

Vallace habló de nuevo por el intercomunicador y pocos segundos después apareció por la puerta un hombre sencillo, de aspecto más bien simpático, vestido también de paisano, pero con muy buen gusto. En la mano traía un maletín.

—Buenas tardes, sargento —dijo Vallace—. Entre y échele una ojeada a este amigo mío.

El sargento se aproximó hasta donde estaba Bond, le hizo cortésmente dar la vuelta para examinarle mejor a la luz, y le estuvo observando durante casi un minuto con sus ojos oscuros y penetrantes. Luego retrocedió un poco.

—No puedo garantizar la cicatriz por más de seis horas, señor —dijo—. No con este calor. Pero todo lo demás está bien. ¿Quién va a ser?

—Será el sargento James, de la brigada del sargento Dankwaerts —Vallace miró su reloj—. Sólo por tres horas. ¿Está bien?

—Perfectamente, señor. ¿Empiezo?

Vallace asintió con la cabeza y el policía condujo a Bond hasta una silla cercana a la ventana, puso su maletín en el suelo junto a la silla y lo abrió, arrodillándose sobre la alfombra. Luego, durante diez minutos, estuvo completamente absorto en su trabajo, mientras sus dedos corrían por el rostro y el pelo de Bond.

Éste permaneció resignado, mientras escuchaba a Vallace hablar por teléfono con la Casa de los Diamantes.

—¿No antes de las 3:30? En ese caso, dígale usted a míster Saye, por favor, que dos de mis hombres irán a visitarle a las 3:30 en punto. Sí, me temo que es bastante importante. Se trata sólo de una formalidad, naturalmente. Información de rutina. No creo que les lleve más de diez minutos. No le quitarán más tiempo a míster Saye. Muchas gracias. Sí, el inspector adjunto Vallace. Eso es. Scotland Yard. Sí. Gracias. Adiós.

Colgó el auricular y se volvió hacia Bond.

—Su secretaria dice que Saye no estará de regreso hasta las 3:30. Será mejor que os presentéis allí a las 3:15. No está de más que echéis una ojeada primero. Y siempre conviene que cojáis a vuestro hombre un tanto por sorpresa. ¿Cómo va eso?

El sargento Lobiniere colocó un espejo de bolsillo a la altura del rostro de Bond, para que pudiera contemplarse en él.

Un toque de blanco en las sienes. La cicatriz había desaparecido. Un esbozo de aburrimiento en la comisura de los labios y en el borde de los ojos. Una ligera sombra para acentuar las mejillas. Nada demasiado notable, pero su conjunto hacía aparecer en el espejo un rostro que, ciertamente, no era el de James Bond.

4

¿Qué es lo que sucede?

El coche patrulla rodaba silenciosamente a lo largo de Strand, para tomar Chancery Lane y entrar luego en Holborn. El sargento Dankwaerts parecía completamente absorto en sus propios pensamientos. Al llegar a Gamages torcieron a la derecha y entraron en Hatton Garden. El coche se detuvo frente a los portales blancos del Diamond Club de Londres.

Bond siguió a su compañero a través de la acera hasta una puerta sumamente elegante en la que había una placa de bronce con la inscripción «Casa de los Diamantes», y debajo: «Rufus B. Saye, vicepresidente para Europa».

El sargento Dankwaerts tocó el timbre y salió a abrirles una muchacha muy linda, de aspecto judío, que les condujo hasta la elegante sala de espera. El suelo estaba cubierto con una espesa alfombra y las paredes adornadas con paneles de madera.

—Míster Saye estará de vuelta de un momento a otro —dijo la muchacha, y salió con aire de indiferencia, cerrando la puerta tras de sí.

La habitación en la que estaban era realmente lujosa, y gracias a los troncos que ardían en la chimenea se mantenía a la temperatura de los trópicos. En el centro de la alfombra roja había una mesita circular de madera de rosa, tipo Sheraton, y haciendo juego con ella seis sillones que Bond calculó que valdrían por lo menos un millar de libras esterlinas. Sobre la mesita estaban los últimos números de varias revistas y del *Diamond News* de Kimberley. A Dankwaerts se le iluminaron los ojos al verlas y se puso a hojear los números del mes de junio.

En cada una de las paredes había una pintura floral de gran tamaño con marco dorado. Algo casi tridimensional en ellas atrajo la atención de Bond, que se aproximó a observarlas más de cerca. No se trataba realmente de pinturas, sino de arreglos estilizados de flores naturales, colocadas detrás del cristal en hornacinas forradas con terciopelo de color cobre. Las cuatro eran iguales, y los jarrones en que estaban metidos los tallos de las flores eran también maravillosos.

La habitación estaba en silencio, excepto por el hipnótico latir de un reloj de péndulo, colocado junto a una de las paredes, y el murmullo de voces apagadas que llegaba a ellos desde el otro lado de una puerta que se abría en el muro opuesto al de la entrada.

Se oyó un ligero chasquido y la puerta se abrió unas pocas pulgadas. Una voz impregnada de fuerte acento extranjero dijo con volubilidad:

—Pero, míster Grunspan, no debería usted ser tan duro. Todos tenemos que ganarnos la vida, ¿no es así? Le digo que esta piedra maravillosa me costó diez mil libras. ¡Diez mil libras! ¿No me cree? Pues, ¡se lo juro! ¡Palabra de honor!

Siguió una pausa y luego la voz con acento extranjero hizo una nueva tentativa:

—Mejor aún. ¡Le apuesto cincuenta libras!

Se escuchó el sonido de una risa, y una voz americana dijo:

—Willy, te aseguro que eres único; pero no es posible. Yo estaría encantado de ayudarte, pero esa piedra no vale un penique más de las nueve mil, y un centenar más que añado para ti. Ahora, lárgate y piénsalo con calma. No vas a conseguir ninguna oferta mejor en todo Wall Street.

Se abrió la puerta completamente y apareció un imponente hombre de negocios americano, de boca firmemente apretada y lentes sobre el caballete de la nariz, empujando suavemente a un pequeño judío de aspecto un tanto nervioso que llevaba una enorme rosa roja en el ojal de la solapa.

Parecieron sorprenderse de encontrar gente en la sala de espera y con un «perdón» dirigido a nadie en particular, el americano empujó a su compañero a través de la estancia, y fuera, a través de la puerta del vestíbulo, que se cerró tras ellos.

Dankwaerts miró a Bond y le hizo un guiño.

—Ahí está el mundo entero de los diamantes en una sola viñeta —dijo—. Ése era Willy Behrens, uno de los vendedores independientes más conocidos en todo Wall Street. Supongo que el otro será uno de los agentes de compras de Saye.

Se enfrascó de nuevo en su revista y Bond, resistiendo el deseo de encender un cigarrillo, volvió a la contemplación de los cuadros de flores.

De pronto, el profundo y alfombrado silencio de la habitación se rompió como cuando suena un reloj de cuco. Un leño se desplomó en el hogar, simultáneamente el reloj de pared dio una campanada para marcar la media y la puerta se abrió de par en par dejando paso a un hombre grande y moreno que avanzó dos pasos sobre la rica alfombra y se quedó plantado allí, mirando alternativamente a sus dos visitantes.

—Mi nombre es Saye —dijo con brusquedad—. ¿Qué es lo que sucede? ¿Qué desean?

La puerta, a sus espaldas, había quedado abierta. El sargento Dankwaerts se levantó de su sillón, y cortés, pero firmemente, pasó por detrás del hombre para cerrarla. Luego volvió hasta el centro de la estancia.

—Soy el sargento Dankwaerts de la Brigada Especial de Scotland Yard —dijo con voz suave y amable—. Y éste —añadió señalando hacia Bond— es el sargento James. Estoy encargado de hacer una investigación rutinaria sobre unos diamantes que han sido robados. Fue idea del inspector adjunto —la voz era ya como de terciopelo—, que tal vez usted podría ayudarnos.

—¿Sí? —dijo el señor Saye. Y miró con altanería a los dos policías mal pagados que tenían el atrevimiento de venir a hacerle perder su tiempo—. Continúe.

Mientras el sargento Dankwaerts comenzaba su cantilena en tonos que a un abogado profesional le hubiesen parecido amenazadoramente tranquilos, consultando de cuando en cuando su libreta negra e intercalando en su relato un buen número de frases del tipo de «en el 16 del corriente» o «llegó a nuestro conocimiento», Bond se dedicó a observar detenidamente a míster Saye, sin emplear para ello disimulo alguno. Pero éste parecía tan impasible ante el examen descarado como ante los ocultos tonos que se insinuaban bajo el monótono recital del sargento.

Míster Saye era un hombre alto y macizo, con la dureza de un trozo de cuarzo. Tenía el rostro cuadrado, tallado en ángulos que aún se acentuaban más bajo su áspero cabello negro, como de alambre, cortado al cepillo, y sin patillas. También las cejas eran negras y rectas, y bajo ellas, profundamente incrustados en las órbitas, aparecían dos ojos del mismo color, de mirada intensa y penetrante. Iba perfectamente afeitado y los labios, sumamente finos, formaban una línea paralela con la de las cejas. La barbilla era prominente, con un hoyuelo en el centro, y se le marcaban, abultados, los músculos del cuello. Llevaba un traje de calle, oscuro, sin cruzar, una camisa blanca y una corbata tan estrecha que parecía una cinta, prendida con un alfiler de oro en forma de espada.

Los brazos le colgaban a los costados, terminando en grandes manos peludas que, ahora, llevaba ligeramente curvadas hacia atrás. Tenía los pies grandes, calzados con zapatos negros de lujo, probablemente de la talla 43.

Bond le catalogó como un hombre duro y capaz, que sin duda había triunfado en una gran variedad de duras disciplinas y que aún seguía dedicándose a una de ellas.

—...Y éstas son las piedras en las que estamos particularmente interesados —concluyó el sargento Dankwaerts, señalando su libreta negra—: Un Wesselton de veinte quilates. Dos Azul-Blancos finos, de unos diez quilates cada uno. Un Premier amarillo de treinta quilates. Un Cabo Alto de quince quilates, y dos Cape Unions de quince quilates. —Hizo una pausa. Luego alzó la vista de su libreta y miró fijamente a míster Saye a los ojos—. ¿Alguno de ellos ha pasado por sus manos, o por su oficina de Nueva York? —le preguntó, suavemente.

—No —respondió míster Saye sin ninguna inflexión en la voz—. No han pasado por nuestras manos. —Se volvió hacia la puerta que había a su espalda y la abrió—. Y ahora, buenas tardes, caballeros.

Sin prestarles más atención, salió de la estancia y oyeron cómo sus pasos se alejaban rápidamente subiendo un tramo de escalones. Luego el ruido de una puerta al abrirse y cerrarse de golpe, y todo quedó en silencio.

Sin afectarse lo más mínimo, el sargento Dankwaerts se guardó su libreta en el bolsillo, atravesó la puerta del vestíbulo y salió a la calle. Bond iba tras él.

Subieron al coche patrulla y Bond le dio al sargento la dirección de su piso en King's Road. Mientras el coche rodaba por las calles, el sargento abandonó su expresión de rigidez oficial, y se volvió hacia Bond con una sonrisa divertida.

—Me ha gustado esto —dijo, animadamente—. No se tropieza uno con un tipo tan duro de pelar como éste todos los días. ¿Consiguió lo que buscaba, señor?

Bond se encogió de hombros.

—A decir verdad, sargento, no sé exactamente lo que buscaba. Pero me alegro de haber visto de cerca a míster Rufus B. Saye. ¡Qué tipo! No se parece en nada a la idea que yo tenía de un comerciante de diamantes.

El sargento Dankwaerts se echó a reír suavemente.

—Me como mi sombrero si ese hombre es un comerciante de diamantes.

—¿Cómo lo sabe?

—Cuando le leí la lista de las piedras desaparecidas mencioné un Premier amarillo y dos Cape Unions.

—¿Y...?

—Pues que no existen esa clase de diamantes, señor.

5

Las hojas muertas

Bond tuvo la sensación de que el botones del ascensor se le quedaba mirando mientras caminaba a pasos largos hacia la habitación 350, que se encontraba al extremo del pasillo. No le sorprendió en absoluto. Sabía que se cometían más delitos en este hotel que en ningún otro mucho más importante, de Londres. Vallace le mostró una vez un gran mapa de la ciudad, donde un bosque de banderitas clavadas señalaban los crímenes mensuales que se cometían en torno al Trafalgar Palace.

—Este lugar pone de mal humor a los hombres de la sala de mapas —le había dicho—. Todos los meses esta esquina recibe tantos agujeritos de alfileres que hay que pegarle un trozo de mapa nuevo para poder poner los del mes siguiente.

Cuando Bond se acercó al final del corredor escuchó la melodía, más bien triste, que alguien tocaba en un piano. Al llegar a la puerta marcada con el 350 estuvo seguro de que la música procedía de su interior. Y reconoció, además, la melodía. Se trataba de *Las hojas muertas*. Llamó con los nudillos.

—Adelante. —El portero había telefoneado desde abajo, y la persona que contestó le estaba ya esperando.

Bond entró en el vestíbulo y cerró la puerta tras de sí.

—Eche el pestillo —dijo la voz desde la alcoba del fondo.

Bond hizo lo que le decían y avanzó por el saloncito hasta quedar frente a la puerta del dormitorio. Pasaba por el lado del tocadiscos, colocado sobre la mesita escritorio, cuando empezó a sonar *La ronde*.

La muchacha, casi desnuda, estaba sentada a horcajadas sobre una silla frente al mueble tocador, con la espalda ligeramente arqueada y la barbilla apoyada sobre los brazos desnudos, cruzados sobre el respaldo de la silla, mirándose en el espejo de tres lunas que tenía delante. Había un gesto de arrogancia en toda su actitud. La línea negra del sujetador sobre la carne de la espalda desnuda, las bragas negras con borde de encaje ciñéndosele a los muslos, y la misma posición que tenía, con las piernas abiertas sobre el asiento, aguijonearon los sentidos de Bond.

La muchacha apartó los ojos de su propio rostro en el espejo y los posó en el de Bond, con un esbozo de sonrisa fría y breve.

—Usted debe de ser el nuevo enlace —dijo, con voz profunda y un poco velada, en la que no había inflexión alguna—. Siéntese y goce de la música. Es el mejor disco de melodías ligeras que se ha grabado nunca.

Bond estaba pasando un buen rato. Se dirigió obedientemente hacia el sillón que había en el saloncito de la entrada y se sentó en él, después de hacerlo girar un poco para poder seguir observando a la muchacha a través del arco de la puerta.

—¿Le importa que fume? —dijo a la vez que sacaba su pitillera y se ponía un cigarrillo entre los labios.

—Cada uno elige su manera de morir.

Miss Case volvió a contemplar en silencio su rostro en el espejo, mientras el disco tocaba *J'attendrai*. Era la última pieza.

La muchacha flexionó sus caderas hacia atrás y se levantó con indolencia de su asiento. Luego volvió ligeramente la cabeza hacia Bond y la luz arrancó destellos dorados de su pelo, que le caía abundante sobre los hombros.

—Puede darle la vuelta si quiere —dijo, señalando el tocadiscos—. Estaré con usted dentro de un momento.

Y moviéndose desapareció de la vista Bond.

Éste se dirigió al aparato y levantó el disco. Era George Feyer con acompañamiento de ritmo. Miró el número y lo memorizó. Era el Vox 5.000. Luego miró lo que había en la otra cara, y pasando por alto *La vie en rose*, que guardaba recuerdos para él, puso de nuevo la aguja en el comienzo de *Abril en Portugal*.

Antes de alejarse del tocadiscos sacó con cuidado el papel secante en que se apoyaba el aparato y lo examinó a la luz de la lámpara. No se veía marca alguna. Se encogió de hombros y volvió a colocarlo en su sitio, tal como estaba. Luego regresó a su asiento.

Aquella clase de música iba muy bien con la chica. Todas las melodías parecían hechas a su medida. Era natural que fuese su disco favorito. Tenían su misma sensualidad atrevida, su mismo aire insolente y aquel algo penetrante que había en sus ojos cuando le miró a través del espejo.

Bond no se había hecho ninguna imagen de la muchacha encargada de escoltarle hasta América. Vagamente, pensó que se trataría de alguna buscona endurecida, de ojos cansados, que ya había «prestado su servicio» y cuyo cuerpo no tenía ya ningún interés para los tipos de la banda con quien trabajaba. La chica era dura, era evidente, al menos sus modales, pero cualquiera que fuese la historia de su cuerpo, aún resultaba muy apetecible.

¿Cuál era su nombre de pila? Bond se dirigió de nuevo hacia el tocadiscos, que tenía una etiqueta de la Pan American Airways atada a una de sus asas. La etiqueta decía: «Miss T. Case». ¿T.? Bond volvió a su sillón. ¿Teresa? ¿Tess? ¿Telma? ¿Truddy? ¿Tilly? Ninguno de ellos parecía encajar. Trixie, Tony... Tommy. No, menos aún.

Estaba todavía dándole vueltas a la cuestión cuando la vio aparecer tranquilamente por la puerta del dormitorio, y quedarse allí mirándole, con un codo apoyado en la jamba y la cabeza ligeramente inclinada a un lado.

Bond se levantó sin prisa y le devolvió la mirada.

Estaba ya vestida para salir, excepto por el sombrero, que aún colgaba de su mano. Traje sastre negro, encima de una camisa color verde aceituna abrochada hasta el cuello, medias de nailon color carne bronceada y zapatos de cocodrilo con tacones cuadrados. En la muñeca, un pequeño reloj de oro con correa negra, y en la otra un brazalete grueso de anillas de oro. Un brillante alargado lanzaba sus destellos desde el dedo anular de su mano derecha. De la oreja del mismo lado, descubierta por la melena rubia recogida hacia atrás, colgaba una perla plana, engarzada en su montura, también de oro.

La chica era hermosa a su manera, con aquellos aires altaneros que parecían querer guardarse para sí misma, y al diablo lo que pensasen los hombres; y había una cierta ironía en aquel modo de levantar las cejas sobre los burlones ojos grises, que parecían decir: «Ven y prueba, hermano. Pero tienes que ser de primera clase».

Los mismos ojos tenían una rara cualidad iridiscente. Cuando las joyas tienen esta cualidad, cambian de color al cambiar la luz. El color de los ojos de la muchacha pasaba del gris claro al gris azul intenso.

Tenía la piel ligeramente bronceada, sin maquillaje de ninguna clase excepto por el toque rojo profundo de los labios, que eran llenos y carnosos, con un mohín que le daba el aspecto de lo que se llama «una boca pecadora». Pero, pensó Bond, no una boca que pecaba a menudo, a juzgar por aquella mirada altiva y por la autoridad que podía leerse tras ella.

Ahora le miraban impersonales.

—De modo que usted es Peter Franks —susurró insinuanente, con un leve toque de condescendencia.

—Sí —dijo Bond—. Y he estado preguntándome lo que significa la «T».

Ella se quedó pensativa por un momento.

—Podría averiguarlo fácilmente en recepción. Significa Tiffany.

Se dirigió hacia el tocadiscos y lo paró a la mitad de *Je n'en connais pas la fin*. Luego se volvió a mirarle.

—Pero no es para todo el mundo —dijo con frialdad.

Bond se encogió de hombros y se acercó a la ventana. Se apoyó en ella, cruzando los tobillos.

Su despreocupación pareció irritar a la muchacha, que se sentó frente al escritorio.

—Bien, vamos a ver —dijo; su voz se había hecho dura de nuevo—. Hablemos de negocios. En primer lugar, ¿por qué aceptó este trabajo?

—Uno que murió.

—¡Ah! —dijo ella, y clavó sus pupilas en las suyas—. Me habían dicho que su especialidad eran los robos. —Hizo una pausa—. ¿En caliente o a sangre fría?

—En caliente. Una pelea.

—¿De modo que lo que quiere es marcharse?

—Más o menos. También quiero el dinero.

La muchacha cambió de tema:

—¿Tiene una pierna de palo? ¿Dentadura falsa?

—No. Todo es verdadero.

La chica arrugó el entrecejo.

—Siempre les estoy pidiendo que me envíen un hombre con una pata de palo. Bueno, ¿tiene usted algún *hobby*, o algo? ¿Alguna idea de cómo va a llevar las piedras?

—No —dijo Bond—. No tengo ninguna idea. Pero juego a las cartas y al golf. Pensé que las asas de los baúles y las maletas podrían ser un buen escondrijo.

—También lo piensan los agentes de aduanas —replicó ella con acritud. Luego, se quedó meditando, en silencio. Por fin, sacó una hoja de papel y un lápiz del cajón del escritorio. —¿Qué marca de pelotas usa? —dijo muy seria.

—Dunlop 65 —dijo Bond igualmente serio—. Tal vez puedan servir.

Ella se limitó a escribir el nombre, sin hacer ningún comentario. Luego dijo, levantando la vista:

—¿Tiene pasaporte?

—Pues, sí —admitió Bond—. Pero está a mi verdadero nombre.

—¡Oh! —de nuevo parecía desconfiada—. ¿Y qué nombre sería ése?

—James Bond.

Ella tuvo un gesto sarcástico.

—¿Y por qué no Joe Doe? —se encogió de hombros—. ¿Qué más da, de todas formas? ¿Podría conseguir un visado americano en dos días? ¿Y un certificado de vacunación?

—No veo por qué no —dijo Bond. (El negociado Q ya se encargaría de arreglar eso)—. No hay nada contra mí en América. Ni aquí tampoco estoy fichado. Bajo el nombre de Bond, al menos.

—*Okey* —dijo la muchacha—. Ahora, escuche. En Inmigración le pedirán estos datos. Va usted a Estados Unidos a ver a un hombre que se llama Tree. Michael Tree. Se alojará de momento en el hotel Astor de Nueva York. Este hombre es un americano amigo suyo. Se conocieron durante la guerra. —Pareció relajarse un poco, por un momento—. En realidad este hombre existe. Y apoyará su historia. Pero no le llaman Michael por lo general. Sus amigos le conocen por «Shady Tree»*. Suponiendo que tenga algún amigo —añadió con cierta dureza amarga.

Bond le dirigió una sonrisa.

—No es tan gracioso como parece —cortó ella. Acto seguido abrió el cajón del escritorio y sacó un rollo de billetes de cinco libras, sujetos con una goma. Los contó y separó unos cuantos, la mitad al parecer. Volvió a meter los que quedaban en el cajón y, después de enrollar los que había separado y asegurarlos con la goma, se los arrojó a Bond. Éste apenas tuvo tiempo de agacharse para recogerlos antes de que tocasen la alfombra.

—Hay unas quinientas libras ahí —dijo la muchacha—. Tome una habitación en el Ritz y deles esa dirección en Inmigración. Consígase una maleta usada, de buena clase, y ponga en ella lo que normalmente llevaría si fuese a pasar unas vacaciones jugando al golf. Naturalmente, sus palos. Manténgase fuera de circulación. El jueves por la noche tomará el avión de la BOAC para Nueva York. Compre un billete, de ida solamente, mañana por la mañana a primera hora. Un coche pasará a recogerle por el Ritz el jueves por la tarde, a las 6:30. El

* Juego de palabras: «Shady Tree» significa «árbol sombrío». (*N. del T.)*

chófer le entregará las pelotas de golf. Póngalas en su saco con las otras. Y —añadió mirándole fijamente— no piense en hacer negocio por su cuenta con esas piedras. El chófer permanecerá a su lado hasta que hayan puesto su equipaje en el avión. Yo estaré también en el aeropuerto. De modo que nada de bromas. *Okey?*

Bond se encogió de hombros.

—¿Y qué es lo que iba a hacer yo con este tipo de mercancía? —dijo con despreocupación—. Demasiado grande para mí. Y dígame: al otro lado, ¿qué?

—Habrá otro coche esperándole a la salida de la aduana. El chófer le dirá lo que tiene que hacer después. Ahora, otra cosa. Ocurra lo que ocurra en la aduana, en un lado o en otro, usted no sabe nada, ¿de acuerdo? Usted no sabe cómo esas pelotas vinieron a parar a su equipaje. Le pregunten lo que le pregunten, usted se limita a contestar: «Yo no las puse». Hágase el tonto. Yo le estaré vigilando. Y habrá otros que le vigilarán también, quizá. Eso no lo sé. Si le encierran en América, pida ver al cónsul británico, y si no le hacen caso siga pidiéndolo. De nosotros no espere ninguna ayuda. Pues para eso recibe el dinero. ¿De acuerdo?

—De acuerdo —dijo Bond—. La única persona que podría tener dificultades es usted. Y no quisiera que eso llegara a ocurrir —añadió, mirándola atentamente.

—Tonterías —dijo ella, desdeñosa—. No tiene nada que ver conmigo. No se preocupe por mí, amigo mío. Yo sé cuidar de mí misma. —Se levantó plantándose frente a él—. Y no intente tratarme como a una chiquilla —añadió con acento cortante—. Esto es un trabajo. Ya le he dicho que sé cómo cuidar de mí misma. Le sorprendería saber hasta qué punto.

Bond se enderezó en la ventana y se quedó sonriendo directamente a aquellos ojos grises, centelleantes, que se habían vuelto ahora oscuros, en su impaciencia.

—Puedo hacer cualquier cosa mucho mejor que usted —dijo—. No se preocupe. Va a estar orgullosa de mí. Pero relájese un poco y deje de comportándose como una mujer de negocios aunque sólo sea por un momento. Me gustaría volverla a ver. ¿No podemos encontramos en Nueva York, si todo va bien?

Bond se sintió avergonzado al pronunciar estas palabras. Le gustaba la muchacha. Hubiese querido que fuesen amigos. Pero tal y como estaban las cosas se trataba de utilizar esta posible amistad para seguir investigando.

Le miró pensativamente durante unos instantes y sus ojos perdieron parte de su dureza. Se hicieron más claros. Sus labios también se distendieron, abriéndose ligeramente. Había cierto tartamudeo en su voz cuando habló de nuevo:

—Yo... bueno, yo... —bruscamente, se apartó de él—. ¡Al diablo! —dijo, pero la exclamación sonó artificial—. En realidad no tengo nada que hacer el viernes por la noche. Podríamos cenar en el Club 21, en la Calle 52. Todos los taxistas lo conocen. A las ocho, si el trabajo sale bien. ¿Le conviene?

Se volvió hacia Bond y le miró a la boca, no a los ojos, como había hecho hasta entonces.

—Perfecto —respondió él. Pensó que ya era tiempo de irse, antes de cometer algún error grave. Así que añadió, con aire de eficiencia—: ¿Alguna otra cosa?

—No —repuso ella, y luego, con acento cortante, como si de pronto hubiese recordado algo, preguntó—: ¿Qué hora es?

Bond miró su reloj de pulsera.

—Las seis menos diez.

—Tengo que apurarme —dijo la muchacha. Con un movimiento de despedida echó a andar hacia la puerta. Bond la siguió. Cuando tenía ya una mano en el picaporte se volvió hacia él. Había casi confianza y hasta un cierto calor en el gris de sus ojos.

—No tendrá usted problemas —le dijo—. Pero manténgase alejado de mí en el avión. No pierda el control si algo va mal. Si realiza bien este trabajo —añadió, con cierto tono protector otra vez— ya procuraré que le encarguen otros parecidos.

—Gracias —dijo Bond—. Me gustaría. Porque me agrada trabajar con usted.

Con un ligero encogimiento de hombros la muchacha abrió la puerta y Bond se encontró en el corredor.

—La veré en ese Club 21 —dijo, volviéndose.

Hubiera querido añadir algo más, encontrar alguna excusa para no irse aún, para quedarse un poco más con esa chica solitaria que escuchaba discos sentimentales mientras se miraba en el espejo.

Pero ahora la expresión de ella era remota, distante, como si estuviera hablando con un desconocido.

—Claro —dijo con indiferencia.

Le miró una vez más y luego cerró la puerta en sus narices, despacio pero firmemente.

Mientras Bond avanzaba por el pasillo en dirección al ascensor, la muchacha le escuchó alejarse sus pasos desde el otro lado de la puerta. Cuando sus pasos se hubieron desvanecido por completo, volvió lentamente hasta el tocadiscos y lo puso en marcha. Cogió el disco de Feyer y buscó la melodía que quería. Lo colocó sobre el aparato y situó la aguja. Comenzaron a sonar las notas de *Je n'en connais pas la fin*. Se quedó escuchándolo mientras pensaba en el hombre que, como caído de la nada, acababa de aparecer en su vida. «Dios, se dijo con desesperado mal humor; seguro que es otro maldito sinvergüenza.» ¿Es que no iba a poder escapar de ellos nunca? Pero cuando terminó el disco, su rostro tenía una expresión feliz, y siguió tarareando la melodía mientras se empolvaba la nariz y se aprestaba a salir.

Una vez en la calle se detuvo para mirar el reloj. Las seis y diez. Aún le quedaban cinco minutos. Siguió andando a través de Trafalgar Square hacia la estación de Charing Cross mientras pensaba en lo que iba a decir. Entró en la estación y fue hacia una de las cabinas telefónicas que usaba siempre.

Eran exactamente las 6:15 cuando marcó el número de Welbeck. Después de los dos timbrazos habituales oyó el ruido del magnetófono registrando la llamada. Durante los primeros veinte segundos no se escuchó otra cosa que el ligero raspar de la aguja sobre la cinta encerada. Luego, una voz neutra, que era la de su desconocido jefe, dijo solamente una palabra: «Hablen». Y siguió otro silencio, perturbado sólo por el ruido casi imperceptible de la aguja.

Ya hacía tiempo que estaba acostumbrada a la brusquedad de aquella orden. Habló rápida pero claramente por el auricular de la cabina:

—Case a ABC. Repito. Case a ABC. —Hizo una pausa—. El correo parece satisfactorio. Dice que su verdadero nombre es James Bond y que es el que usará en el pasaporte. Juega al golf y llevará sus palos. He sugerido las pelotas de golf. Usa Dunlop 65. El resto como estaba proyectado. Llamaré para confirmación a las 19:15 y a las 20:15. Eso es todo.

Escuchó durante un momento, atenta al roce de la aguja. Luego colgó y se dirigió hacia el hotel. Una vez en su habitación llamó al camarero y ordenó un martini doble seco. Cuando se lo trajeron, se sentó a fumar y a escuchar música en espera de las 19:15.

A esa hora, o si no cuando repitiese la llamada a las 20:15, oiría de nuevo la voz apagada de la cinta grabadora en el auricular del teléfono. Primero la suya: «Case a ABC. Repito, Case a ABC...», y luego seguirían las instrucciones.

En alguna parte de Londres, en un cuartito alquilado, el roce de la aguja sobre la cinta se detendría al colgar ella el teléfono. Y luego, tal vez, se abriría una puerta y unos pasos sigilosos se perderían escaleras abajo, pasarían el portal y se adentrarían en una calle desconocida.

6

En camino

Eran las seis en punto de la tarde del jueves, y Bond estaba terminando de hacer su maleta en una habitación del hotel Ritz. Era una maleta de piel de cerdo, marca Revelation, usada pero cara. El contenido correspondía a la calidad de la maleta. Esmoquin; su traje ligero de *sport*, pata de gallo blanco y negro para el golf y el campo; zapatos Saxon de golf; un doble del completo tropical azul oscuro que llevaba puesto y varias camisas de popelina, blancas y azul oscuro, con cuello pegado y mangas cortas. Calcetines y corbatas, ropa interior de nailon y un par de sus chaquetas largas para dormir, en lugar del pijama completo.

Ninguna de estas piezas llevaba, ni había llevado nunca, iniciales ni marca de fábrica.

Bond terminó con la maleta y se puso a ordenar el resto de sus posesiones en un maletín de mano, también usado y también de piel de cerdo. Sus bártulos de aseo, la maquinilla de afeitar, un manual de Tommy Armour sobre *Cómo jugar siempre bien al golf*, sus billetes y su pasaporte. Este maletín había sido preparado especialmente por el departamento Q y tenía un compartimento secreto en el fondo, debajo del cuero, en el que se ocultaba un silenciador para la pistola y treinta balas del calibre 25.

Sonó el teléfono. Supuso que era el coche, que llegaba con un poco de adelanto, pero era el portero, diciendo que había allí un representante de Universal Export con una carta que tenía que ser entregada personalmente.

—Dígale que suba —respondió Bond, preguntándose de qué podía tratarse.

Pocos minutos más tarde se abrió la puerta y entró un hombre con traje de paisano, que Bond reconoció inmediatamente como uno de los mensajeros de la oficina en Jefatura.

—Buenas noches, señor —dijo el hombre. Sacó un sobre alargado del bolsillo interior de su americana y se lo entregó a Bond—. Tengo orden de esperar y volvérmelo a llevar cuando lo haya leído.

Bond rasgó el sobre blanco exterior y rompió el sello del otro sobre azul que contenía.

Dentro encontró una hoja de papel holandés escrito a máquina y sin firma. Bond reconoció el tipo largo de letra que M utilizaba para sus mensajes personales. Le indicó al mensajero que tomase asiento, con un movimiento de la mano, y se puso a leer lo que decía el memorándum, después de sentarse él mismo en el escritorio que había junto a la ventana.

«Washington informa que Rufus B. Saye es un alias para Jack Spang, supuesto gánster que fue mencionado en el asunto Kefauver, pero que no tiene ninguna ficha criminal. Es, sin embargo, hermano gemelo de Seraffimo Spang y juntos controlan la Spangled Mob* que opera a través de todos los Estados Unidos. Los hermanos Spang compraron la dirección de la firma Casa de los Diamantes hace cinco años, como "una buena inversión", pero no se tiene ninguna noticia desfavorable respecto a este negocio, que parece ser perfectamente legal.

»Los hermanos son también propietarios de un "servicio telegráfico", utilizado por algunos agentes de juego sin licencia en Las Vegas y en California y que es, por tanto, ilegal. El nombre de este servicio es "Servicio Telegráfico Éxito Seguro". También son propietarios del hotel Tiara en Las Vegas, que parece ser el cuartel general que utiliza Seraffimo, y además, con objeto de evadir las leyes de tasas del Estado de Nevada, el edificio donde tiene su sucursal la Casa de los Diamantes.

»Washington añade que la Spangled Mob está mezclada también en otras actividades ilegales, tales como estupefacientes y prostitución organizada, y que estas dos últimas actividades están dirigidas desde Nueva York por Michael (Shady) Tree que ha cumplido ya cinco condenas por delitos diversos. La banda tiene sucursales en Miami, Detroit y Chicago.

»Washington describe a la Spangled Mob como una de las más poderosas que actúan en Esta-

* Juego de palabras que quiere decir: «La Banda de los Spang» y también «La Banda Listada», haciendo alusión a la bandera de EE.UU. *(N. del T.)*

dos Unidos, con excelente protección en los Gobiernos federales y estatales e incluso en la policía. Está en cabeza de la lista de delincuencia, junto con "el equipo de Cleveland" y la "Banda de Púrpura" de Detroit.

»Nuestro interés en este asunto no ha sido comunicado a Washington, pero en el caso de que sus investigaciones le conduzcan a contactos peligrosos con esta banda, lo comunicará inmediatamente, y será entonces retirado del caso, que pasará a la jurisdicción del FBI.

»Esto es una orden.

»La devolución de este documento en sobre sellado servirá como acuse de recibo de esta orden.»

No había firma. Bond recorrió el pliego con la vista una vez más, y luego lo metió en uno de los sobres con el membrete del hotel.

Se levantó del escritorio y le entregó el sobre al mensajero.

—Muchas gracias —le dijo—. ¿Sabrá encontrar la salida?

—Sí, señor; muchas gracias —respondió el hombre. Fue hacia la puerta y la abrió—. Buenas noches, señor.

—Buenas noches.

La puerta volvió a cerrarse, sin ruido. Bond atravesó la habitación hasta la ventana y desde allí se quedó contemplando los árboles de Green Park.

Por un momento tuvo la clara visión de la descarnada figura de M arrellanándose en su sillón en la oficina silenciosa.

¿Pasar el caso al FBI? Bond sabía que M estaba dispuesto a cumplir lo que había escrito en su mensaje, pero sabía también la amargura que significaba para él tener que recurrir a Edgar Hoover para que le sacase las castañas del fuego al Servicio Secreto británico.

Las palabras clave del mensaje eran «contacto peligroso». Ahora bien, lo que constituía un «contacto peligroso» era Bond quien tenía que decidirlo. Comparados con algunos de los enemigos a los que había tenido que hacer frente en el pasado, estos malhechores no iban a contar mucho. ¿O sí iban a contar? Bond recordó la cara maciza, como de cuarzo en bruto, de Rufus B. Saye. Bien, de cualquier forma no perdía nada por intentar conocer a aquel hermano suyo, con el nombre exótico, Seraffimo. Parecía el nombre de un camarero de club nocturno o de un vendedor de helados. Pero estos tipos eran así. Teatrales y vulgares.

Bond se encogió de hombros y echó una mirada a su reloj. Las 6:25. Luego examinó la habitación echando una ojeada. Todo estaba listo. Obedeciendo a un impulso, sacó su Beretta 25 automática, con su culata de varilla desnuda, de la funda de piel de gamuza que colgaba de su axila izquierda, bajo la chaqueta. Era un nuevo modelo que M le había regalado como recuerdo después de su última misión, con una nota escrita en tinta verde, de puño y letra de M, que decía: «Puede necesitarla».

Bond se dirigió hacia la cama, hizo saltar el cargador y la bala de la recámara y los dejó sobre la colcha. Luego probó el resorte de acción de la recámara y la tensión del muelle del gatillo, disparando en vacío varias veces. Después la montó levantando el percutor para cerciorarse de que no había ni una mota de polvo en torno a la aguja, que había pasado tantas horas ajustando, y pasó los dedos sobre la superficie del cañón al que él mismo había limado el punto de mira. Una vez hecho esto, volvió a meter las balas en el cargador, lo introdujo en la culata de la pistola con un golpe seco, montó el arma y poniéndole el seguro la colocó de nuevo en su funda bajo la chaqueta.

En aquel momento sonó el teléfono.

—Su coche está aquí, señor.

Bond colgó el auricular. De modo que ya había llegado el momento. La señal de «despegue». Caminó pensativo hasta la ventana y miró una última vez por encima de las copas verdes de los árboles del parque.

Sentía un ligero vacío en el estómago, una leve sensación de tristeza por tener que abandonar estos árboles que eran la mejor imagen de Londres en pleno verano y una cierta nostalgia por el sólido edificio que se alzaba en Regent's Park, la fortaleza que ahora quedaría totalmente fuera de su alcance a no ser que les enviase una llamada de auxilio, cosa que, desde luego, no haría.

Llamaron a la puerta con los nudillos y entró un botones a recoger sus maletas. Bond le siguió a lo largo del corredor y, a partir de este instante, su mente quedó limpia de todo pensamiento, excepto de lo que le aguardaba en aquella cadena cuyo primer eslabón era el coche que estaba esperándole a la puerta del hotel.

Era un Armstrong Siddelie Sapphire, de color negro, con placa roja.

—Preferirá sentarse delante —dijo el chófer con uniforme que estaba al volante. No era una invitación. De modo que después de que sus dos maletas y su saco con los palos de golf quedaran instalados en el maletero, Bond se sentó confortablemente donde le indicaban.

Mientras daban la vuelta a Piccadilly se dedicó a observar la cara del conductor. Todo lo que podía ver era un perfil duro y anónimo bajo la visera de la gorra, con los ojos ocultos tras las oscuras gafas de sol. Las manos, que manejaban diestramente el volante y el cambio de velocidades, iban enfundadas en guantes de piel.

—Relájese y goce del paseo, míster —el acento era de Brooklyn—. No se moleste en hablar. La conversación me pone nervioso.

Bond sonrió y no dijo nada. Seguía obedeciendo. Cuarenta años, calculó. Un metro setenta y cinco. Unos ochenta kilos. Buen conductor. Bien familiarizado con el tráfico londinense. Zapatos caros. Buen sastre. Nada de olor a tabaco. Ni una sombra de barba a pesar de lo avanzado de la hora. Seguro que se daba dos pasadas al día con maquinilla eléctrica.

Después de dar un rodeo por Great West Road, aparcó el coche a un lado de la calle. Sacó seis pelotas de golf del compartimento delantero, junto al volante. Eran seis Dunlop 65, todavía envueltas en su papel negro, con los sellos intactos. Dejando el motor en punto muerto salió de la cabina y abrió el maletero. Bond vio cómo soltaba la correa de su saco de golf y cómo iba metiendo en él, cuidadosamente, una tras otra, las seis pelotas, mezclándolas con las otras que ya había allí. Luego, sin una palabra, volvió a su asiento y arrancó el coche otra vez.

En el aeropuerto de Londres, Bond pasó despreocupadamente por la rutina de chequear billetes y equipaje y luego se compró el *Evening Standard*, dándose el lujo de rozar con el brazo, mientras depositaba los dos peniques, a una rubia espléndida que estaba allí, pasando con aire aburrido las hojas de una revista. Luego, acompañado por el chófer, siguió a sus maletas a través de la aduana.

—¿Sólo sus efectos personales, señor?

—Sí.

—¿Y cuánto dinero inglés lleva consigo, señor?

—Unas tres libras y algunas monedas.

—Gracias, señor.

La tiza azul hizo una marca sobre los tres bultos, y un mozo cogió la maleta y la bolsa con los palos de golf y los cargó en un carrito.

—Por la luz amarilla hacia Inmigración, señor —dijo, y echó a andar con la carrito hacia la pasarela de carga.

El chófer dirigió a Bond un saludo irónico. Por un momento brillaron sus pupilas a través de las gafas y sus labios se contrajeron en una imperceptible sonrisa:

—Buenas noches, señor. Que tenga buen viaje.

—Gracias, muchacho —respondió Bond en voz alta, y tuvo la satisfacción de ver cómo la sonrisa desaparecía de la cara del otro, mientras se daba la vuelta y se alejaba andando rápidamente.

Bond recogió su maletín, enseñó su pasaporte a un joven de aspecto agradable que tachó su nombre de la lista de pasajeros, y entró en la sala de espera. Justo detrás de él oyó cómo la voz de Tiffany Case decía: «Gracias», al joven encargado de los pasaportes y, un momento después, la vio entrar también en la sala de espera y sentarse entre él y la puerta. Bond sonrió para sus adentros. Era lo que hubiera hecho él mismo si hubiese estado siguiendo a alguien que pudiese cambiar de idea.

Se repantingó en su asiento y se dedicó a observar a los otros pasajeros por encima del *Evening Standard.*

El avión iría casi lleno, pero le satisfizo ver que, entre las cuarenta personas que habría en la sala, no pudo encontrar ninguna cara conocida. Algunos ingleses, dos de las monjas que parecía uno encontrar siempre en estos vuelos trasatlánticos durante los meses de estío (volviendo de Lourdes, quizá), varios americanos indefinidos, la mayoría de ellos del tipo de hombre de negocios, dos niños de pocos meses que iban a mantener a los pasajeros en vela, y un puñado de europeos muy diversos. «Un cargamento típico de este género de travesías», decidió Bond, y no tuvo más remedio que admitir para sí mismo que si dos de estos pasajeros, como él y Tiffany Case, guardaban su secreto, no había ninguna razón para que otros entre el grupo aparentemente anodino, no fuesen también en misiones extrañas.

Bond sintió que le estaban mirando, pero era sólo la mirada inexpresiva de dos pasajeros que, a primera vista, clasificó como hombres de negocios americanos. Sus miradas se apartaron de él tan casualmente como se habían posado, y uno de ellos, el de aspecto más joven, pero prematuramente canoso, dijo algo en voz baja a su compañero. Los dos se levantaron y recogiendo sus maletines, que iban cubiertos por fundas impermeables de plástico a pesar de ser pleno verano, se dirigieron hacia el bar.

Bond escuchó cómo pedían dos coñacs dobles con agua, y el segundo de ellos, gordo y pálido, sacó un frasquito del bolsillo, se echó una píldora en la palma de la mano y se la tragó con un sorbo de coñac. «Dramamina», pensó Bond. El hombre no debía ser un buen viajero.

La azafata del vuelo BOAC se encontraba próxima a Bond. Descolgó el teléfono —llamando a la cabina de control de vuelo, supuso Bond— y dijo: «Tengo cuarenta pasajeros en la terminal de salida». Esperó confirmación, colgó de nuevo el aparato y seguidamente habló por el micrófono de los altavoces:

—¿Sala de espera…?

«Un buen comienzo de vuelo trasatlántico», pensó Bond mientras cruzaba la pista con los otros pasajeros y subía la escala del enorme Boeing. Uno tras otro, los motores se pusieron en movimiento, despidiendo un chorro de gases de la combustión. El auxiliar de vuelo anunció por los altavoces interiores que la próxima parada sería en Shannon, donde los pasajeros podrían cenar, y que estarían allí en una hora y cincuenta minutos.

El enorme avión de dos pisos empezó a deslizarse por la pista, tembló sobre sus patines de freno cuando el capitán aceleró sus cuatro motores, uno después de otro, y luego comenzó a rodar más deprisa. Bond observó a través de la ventanilla cómo la hierba rala se achataba bajo el viento y cómo funcionaban los alerones bajo la presión de los mandos. El avión giró con lentitud, se oyó el chasquido de los frenos al ser liberados y luego la enorme mole fue cobrando velocidad a lo largo de los tres kilómetros de la pista de despegue, hasta elevarse por fin en el aire en dirección al sol poniente, en ruta hacia su destino final, sobre aquella otra alfombra estrecha de cemento que le aguardaba al otro lado del océano.

Bond encendió un cigarrillo y se dispuso a abrir un libro cuando el asiento de delante, a su izquierda, se reclinó bruscamente hacia él. Iba en él uno de los dos hombres americanos de negocios que había observado en el bar del aeropuerto, el más gordo de ellos, hundido materialmente en su butaca con el cinturón de seguridad todavía fuertemente apretado en torno a su voluminoso estómago. Tenía la piel verdosa y estaba sudando. Con ambas manos sujetaba su maletín contra el pecho, y Bond pudo leer el nombre en la tarjeta de visita inserta en el portaetiquetas del maletín. Decía: «Míster W. Winter», y debajo, en cuidadosa caligrafía de imprenta, iba escrito en tinta roja: «Mi grupo sanguíneo es B».

«Pobre bruto —se dijo Bond—. Está aterrado. Da por seguro que el aparato va a estrellarse. Sólo confía en que los hombres que le saquen de los restos le den la transfusión de sangre apropiada. Para él este avión no es otra cosa que un tubo gigantesco, lleno de un peso muerto anónimo, que se mantiene en el aire por un puñado de válvulas que van echando chispas y que es dirigido por una cierta cantidad de electricidad. No tiene fe alguna en él ni en las estadísticas de seguridad. Se han apoderado de él los mismos terrores que tenía de pequeño, el terror al ruido y el terror a caer desde lo alto. No se atreverá siquiera a ir al lavabo por miedo a que se hunda el piso y se caiga por un agujero.»

Una silueta se interpuso entre los rayos del sol que aún entraban por las ventanillas y Bond apartó la mirada del hombre. La silueta era la de Tiffany Case, que pasó por su lado en dirección al bar situado en el puente inferior, y desapareció por las escalerillas. A Bond le hubiese gustado seguirla, pero se encogió de hombros y esperó a que pasase el camarero con la bandeja de cócteles y los canapés de caviar y de salmón ahumado. Mientras tanto, volvió a su libro y leyó una página entera sin enterarse de nada de lo que leía. Apartó a la muchacha de su mente y volvió a leer la página desde el principio.

Estaría en la cuarta parte del libro cuando sintió la presión en los oídos, al empezar el aparato su descenso de docientos cuarenta kilómetros hacia la costa occidental de Irlanda.

«Abróchense los cinturones. No fumen», y aparecieron allá abajo las luces del aeropuerto de Shannon, verdes y blancas; luego el reflejo rojo dorado de la pista, a medida que tomaban tierra y, por último, el azul deslumbrante de las luces de posición entre las cuales se deslizó el aparato hasta la plataforma de desembarque. *Steak* y champaña para la cena, seguido de un delicioso tazón de café caliente rociado con unas gotas de whisky irlandés y coronado por más de media pulgada de espesa crema. Una ojeada a las tiendas de curiosidades del aeropuerto, con sus inevitables «rosarios de cuerno irlandés», las «arpas de roble irlandés» y los «platillos de cobre», todo a un dólar cincuenta; las horribles cajitas de música en forma de «casa de campo irlandesa» a cuatro dólares, y las imposibles chaquetas irlandesas de mezclilla de lana y los mantelitos de colores para el cóctel. Y por fin aquel chorro ininteligible de palabras irlandesas que salía por los altavoces y en medio de las que sólo se podía entender «BOAC» y «Nueva York», hasta que siguió la traducción en inglés; la última mirada a Europa y el ascenso vertiginoso de quince mil pies en dirección al próximo punto de contacto con la superficie terrestre a través de las señales de radio de los dos barcos del servicio meteorológico que daban vueltas alrededor de sus coordenadas de posición en algún lugar en medio del Atlántico.

Bond durmió profundamente y abrió los ojos justo cuando estaban acercándose a la costa sur de Nueva Escocia. Fue al lavabo para afeitarse y enjuagarse la boca del mal gusto de una noche entera respirando aire presurizado en el interior de la cabina. Después volvió a su asiento pasando entre las hileras de pasajeros desaliñados que comenzaban a desperezarse y gozó de su habitual momento de distensión, mientras el disco del sol aparecía sobre el borde del mundo bañando la cabina en luces de sangre.

Lentamente, con el alba, el avión volvió a la vida. Veinte mil pies por debajo, las casas empezaron a tomar forma de granitos de azúcar espolvoreados sobre la tierra parda. Nada parecía moverse allá abajo, excepto el gusanillo de humo de un tren, la pluma blanca y recta de un barco de pesca en una bahía y el destello plateado de un coche que avanzaba por la carretera, bajo el sol.

Los bultos humanos empezaron, sin embargo, a rebullir bajo sus mantas de viaje y llegó hasta las narices de Bond el aroma del café que empezaban a preparar en la cocina, proyectando al exterior un ligero hilillo de humo que flotaba en el aire tranquilo de la mañana.

Llegó el desayuno, aquella mezcolanza extraña de platos diversos que aparecía anunciado en los folletos de la BOAC como un «típico desayuno inglés» y el auxiliar de vuelo pasó distribuyendo los impresos de la aduana de Estados Unidos, formulario número 6.063 del Departamento de Hacienda. Bond leyó la advertencia en letra minúscula: «... El no declarar cualquier artículo, o cualquier declaración falsa intencionada... multa o pena de cárcel, o ambas...». Cogió la pluma, escribió «efectos personales», y puso su firma, despreocupadamente, debajo de aquella mentira.

Luego, durante tres horas, el avión pareció como suspendido en punto muerto en medio del espacio; sólo los rayos del sol, oscilando unos pocos centímetros arriba o abajo del reborde de las ventanillas, contribuían a dar una cierta sensación de movimiento. Hasta que, al fin, apareció la inmensidad urbana de Boston y, luego, el enorme trazado de la Hoja de Trébol sobre la linde de Nueva Jersey, y a Bond comenzaron a zumbarle los oídos a medida que el aparato descendía lentamente sobre la cortina de niebla que ocultaba los suburbios de Nueva York.

Se escuchó un siseo penetrante y el desagradable olor de desinfectante se esparció por el interior de la cabina, seguido por el quejido hidráulico de los frenos neumáticos y el ruido del tren de aterrizaje al salir de su caja en la panza del aparato.

El avión se inclinó ligeramente hacia delante, las ruedas chirriaron contra la pista, los motores rugieron al ser puestos en marcha atrás, para disminuir la velocidad de entrada, se oyó el cambio de roce del cemento a la hierba rala y el gigante se detuvo por fin frente a los hangares de desembarque. Habían llegado.

7

«Shady Tree»

El agente de aduanas, un hombre panzudo, de aspecto bonachón, con marcas de sudor bajo los brazos en su camisa gris de uniforme, se acercó sin prisas al mostrador de inspección de equipajes, frente al que Bond esperaba de pie, con sus tres bultos en hilera en el espacio reservado a la letra B. En la cabina siguiente, la de la letra C, la muchacha sacó un paquete de Parliaments de su bolsa de mano y se puso un cigarrillo entre los labios. Bond escuchó los impacientes chasquidos del encendedor, su click metálico al ser cerrado de nuevo, y el ruido de la cremallera del bolso. Se dio cuenta de que ella le estaba mirando también, y por un momento deseó que su nombre empezase con Z, para no tener que estar tan próximo a ella. ¿Zaratustra? ¿Zacarías? ¿Zofany...?

—¿Señor Bond?

—Sí.

—¿Es ésta su firma?

—Sí.

—¿Solamente sus efectos personales?

—Sí, nada más.

—*Okey*, señor Bond. —El hombre arrancó una estampilla de aduanas de su bloc y la pegó en el lomo de la maleta. Luego hizo la misma operación con el maletín. Llegaba ahora al saco de golf. Se quedó mirándolo con su bloc de estampillas en la mano. Luego levantó los ojos hacia Bond.

—¿Qué es lo que tira, señor Bond?

Bond se le quedó mirando sin saber qué decir.

—Son palos de golf.

—Desde luego —dijo el hombre, pacientemente—. Pero ¿qué es lo que tira? ¿En cuántos golpes lo hace?

Bond se hubiera abofeteado por olvidar el americanismo.

—¡Oh!, en unos ochenta, más o menos.

—Nunca he bajado del centenar en mi vida —dijo el otro.

Pegó la etiqueta engomada sobre la lona del saco, apenas unos cuantos centímetros más arriba del más valioso alijo de contrabando que jamás pasó por Idlewild.

—Que tenga buenas vacaciones, señor Bond.

—Gracias —repuso Bond.

Luego llamó a un mozo y siguió el carrito con su equipaje hasta la puerta de salida, donde esperaba un inspector. No hubo pausa alguna. El inspector se inclinó sobre las estampillas, les puso su sello y le indicó con la mano que podía pasar.

—¿El señor Bond?

Era un hombre alto, con cara de hacha, el pelo color de barro y los ojos aviesos. Llevaba unos pantalones blandos, oscuros, y una camisa color café.

—Tengo un coche esperándole.

Se dio la vuelta y abrió la marcha bajo el claro sol de la mañana. Bond notó un bulto en el bolsillo posterior de sus pantalones. Era del tamaño de una automática de pequeño calibre. «Característico», pensó Bond. Justo con el estilo de Mike Hammer. Estos gánsteres americanos no tenían imaginación. Habían leído demasiados cómics y visto demasiadas películas.

El automóvil era un Oldsmobile Sedan, de color negro. Bond no esperó a que se lo dijeran esta vez. Subió al asiento delantero y dejó que su acompañante se ocupase de instalar el equipaje en el maletero y de pagar al mozo que lo había traído hasta allí.

Cuando ya habían dejado atrás la pradera incolora de Idlewild y se habían mezclado con el multitudinario tráfico en la avenida del Parque Van Wyck, pensó que era hora de decir algo.

—¿Qué tal está el tiempo por aquí?

El conductor no apartó los ojos de la carretera.

—Alrededor de los treinta.

—Eso es bastante calor —dijo Bond—. En Londres casi no hemos pasado de los veinticinco.

—¿De veras?

—¿Cuál es el programa para hoy? —preguntó Bond, después de una pausa.

El hombre miró por el retrovisor y se metió por la pista central. Durante medio kilómetro se ocupó únicamente en ir pasando a los coches que avanzaban a menos velocidad por las pistas interiores. Hasta que llegaron a un trecho de carretera que estaba vacía. Bond repitió su pregunta:

—Dije que cuál era el programa para hoy.

El conductor le dirigió una mirada rápida.

—Shady quiere verle.

—¿De veras? —dijo Bond.

Empezaba a perder la paciencia con esta gente. Se preguntó cuánto tiempo iba a transcurrir hasta que pudiese entrar en acción de alguna forma. Las perspectivas no parecían demasiado buenas. Su deber era continuar indagando hasta tan lejos como le fuese posible. Cualquier gesto de independencia o de falta de cooperación, y prescindirían de él inmediatamente. Tenía que hacerse tan insignificante como pudiera, y quedarse así. Era cuestión de irse acostumbrando a la idea.

Llegaron a la parte alta de Manhattan y siguieron el río hasta las calles comprendidas entre los números 40 y 49. Luego, cortaron por una transversal y entraron a media altura de la Calle 46 oeste, que es como el Hatton Garden de Nueva York. El hombre aparcó cuidadosamente frente a una puerta que no tenía nada de particular, pero que estaba como el queso en el sándwich, incrustada entre una modesta tienda de joyas y el escaparate de otra, muy lujosa, con la vidriera encuadrada en marco de mármol negro. Sobre el mármol había un rótulo en letras de plata, en cursiva y tan discretas que Bond no hubiese sido capaz de leerlas desde su asiento si no las hubiese llevado grabadas en la cabeza. El rótulo decía: «Casa de los Diamantes, Inc.».

Al detenerse el coche, un hombre vino a su encuentro desde la puerta de la casa.

—¿Todo en orden? —preguntó, dirigiéndose al conductor.

—Por supuesto. ¿Está el jefe?

—Sí. ¿Quieres que me ocupe de la chatarra?

—Me darás una alegría si lo haces —contestó el conductor. Luego se volvió hacia Bond—. Bueno, aquí estamos, amigo. Vamos a sacar las maletas.

Bond salió del coche y abrió el maletero. Cogió el maletín con una mano y se disponía a cargar los palos de golf con la otra cuando oyó la voz del hombre a su espalda:

—Yo llevaré eso —dijo. Obedientemente, Bond cargó con su maleta. El conductor recogió la bolsa de los palos y cerró el maletero con un golpe seco. El otro individuo estaba ya sentado al volante. Arrancó el coche y Bond lo vio perderse en el tráfico, mientras seguía al conductor hacia el interior de la casa.

Había un guardián sentado en una pequeña cabina en el vestíbulo de la entrada. Al verlos llegar levantó los ojos de la sección de deportes que estaba leyendo en el *The News*.

—Hola —le dijo al conductor a modo de saludo. Y miró con atención a Bond.

—Hola —contestó el conductor—. ¿Podemos dejar aquí el equipaje?

—Desde luego, aquí estará seguro —contestó el hombre—. Adelante.

Con la bolsa de los palos sobre el hombro, el conductor esperó a que Bond entrase en el ascensor que había al final del vestíbulo. Cerró la puerta, apretó el botón del cuarto piso y subieron en silencio. Salieron a otro pequeño vestíbulo, donde había dos sillas, una mesa, una enorme escupidera de latón y una atmósfera agobiante de calor mal ventilado.

Atravesaron la alfombra hasta una puerta de cristales que había al fondo; el conductor llamó con los nudillos y entró sin esperar respuesta. Bond siguió sus pasos y cerró la puerta tras de sí.

Un hombre con pelo rojo y cara de luna llena estaba sentado detrás de un escritorio. Había un vaso de leche frente a él. Se levantó al verlos entrar, y Bond se dio cuenta de que era jorobado. No recordaba haber visto nunca un jorobado pelirrojo. Pero pensó que era una buena combinación para impresionar a los peces menores que trabajasen para la banda.

El jorobado dio la vuelta al escritorio, lentamente, y vino hacia ellos. Luego caminó despacio en torno a Bond, haciendo toda una demostración de examinarle al detalle de la cabeza a los pies. Al fin, se detuvo frente a él y le miró a la cara. Bond devolvió impasible la mirada de aquellos ojos de porcelana que tenían un aspecto tan vacío y tan inmóvil que parecía como si los hubiesen comprado en la tienda de un taxidermista. Tenía la sensación de que estaba siendo sometido a alguna clase de prueba. Miró casualmente al jorobado y vio que tenía las orejas exageradamente grandes, como enormes lóbulos colgantes, los labios rojos y resecos, la boca entreabierta, la cabeza tan pegada a los hombros que casi no se apreciaba el cuello, y los brazos cortos y poderosos que resaltaban bajo la costosa camisa de seda amarilla, hecha sin duda a la medida para aquel pecho musculoso y la joroba que destacaba en su espalda.

—Me gusta echarle una ojeada detenida a la gente que trabaja para nosotros, míster Bond —dijo. Tenía la voz aguda y estridente, con un tono muy alto.

Bond sonrió cortésmente.

—Londres me dice que ha matado usted a un hombre. Les creo. Veo que es usted muy capaz de ello. ¿Quiere hacer algún otro trabajo para nosotros?

—Depende de lo que sea —dijo Bond—. O más bien —añadió, tratando de no parecer demasiado teatral—, de lo que me paguen.

El jorobado dejó escapar un sonido que podía tomarse por una risa. Luego se volvió bruscamente hacia el conductor.

—Rocky, saca esas pelotas de la bolsa y ábrelas. Toma. —Dio una sacudida a su brazo derecho y alargó su mano hacia el conductor. Sobre la palma extendida había una navaja de doble hoja, con el mango plano envuelto en cinta adhesiva. Bond la reconoció inmediatamente como uno de esos cuchillos que se utilizan para arrojarlos de lejos. Tuvo que admitir que el juguete estaba limpiamente preparado.

—Sí, jefe —dijo el conductor, y Bond pudo observar la rapidez con que tomaba el cuchillo, se arrodillaba junto a la bolsa y se disponía a abrir el compartimento de las pelotas.

El jorobado se apartó de Bond y volvió a su sillón detrás del escritorio. Cogió el vaso de leche, lo miró con repugnancia, y se lo bebió de un solo trago. Luego miró a Bond como si esperase un comentario.

—¿Úlcera? —inquirió Bond, con simpatía.

—¿Quién le ha preguntado? —dijo el hombre de la joroba, con voz colérica. Luego transfirió su cólera al conductor—. ¿Y tú, qué estás esperando, Rocky? Pon esas pelotas encima de la mesa donde pueda ver lo que estás haciendo. El número de cada pelota está en el centro del tapón. Sácalos.

—Ya voy, jefe —dijo el conductor.

Se levantó de donde estaba y trajo las seis pelotas hasta el escritorio. Cinco de ellas estaban aún en su envoltorio de papel negro. Cogió la sexta y comenzó a darle la vuelta en los dedos. Luego, valiéndose de la punta de la navaja como palanca, hizo saltar el tapón. Pasó la pelota al jorobado que volcó su contenido sobre el cuero con que estaba recubierto el tablero del escritorio. Eran tres piedras sin cortar, de diez a quince quilates.

El jorobado, con expresión pensativa, empezó a jugar con ellas con un dedo.

El conductor continuó abriendo las pelotas hasta que Bond pudo contar dieciocho piedras encima de la mesa. En su estado bruto no tenían un aire muy impresionante, pero si eran de calidad superior, una vez convenientemente talladas podrían valer fácilmente más de cien mil libras esterlinas.

—*Okey*, Rocky —dijo el jorobado—. Dieciocho. Están completas. Ahora saca esos malditos palos de aquí y envíalos al Astor junto con las maletas de este hombre. Tiene habitación reservada allí. Haz que las manden a su cuarto. *Okey?*

—*Okey*, jefe.

El conductor dejó el cuchillo y las pelotas vacías sobre la mesa, volvió a cerrar con su correa el compartimento de la bolsa de golf, y echándosela al hombro salió de la habitación.

Bond cogió una silla que había junto a la pared y la acercó al escritorio. Se sentó en ella, encendió un cigarrillo y se quedó mirando al jorobado. Al cabo de un momento, dijo:

—Y ahora, si está satisfecho, quisiera cobrar esos cinco mil dólares.

El jorobado, que le había estado observando con atención, bajó la vista hacia el montón de piedras que había frente a él. Las ordenó en un círculo con el dedo y dijo, mirando a Bond:

—Cobrará todo su dinero, no se preocupe. E incluso puede que sea más de los cinco mil dólares. Pero el sistema de pago tiene que ajustarse a una norma que le proteja a usted y, naturalmente, a nosotros. No puede ser un pago directo. Y usted comprenderá muy bien por qué, míster Bond, ya que sin duda habrá tenido que recibir otros pagos semejantes en algunas ocasiones tras sus múltiples robos. Es muy peligroso que un hombre ande por ahí con los bolsillos rebosando dinero. Lo gasta sin tino y no puede evitar hablar de ello. Y si los policías le echan el guante y le preguntan de dónde procede, se encuentra sin ninguna respuesta que darles. ¿Está de acuerdo?

—Sí —dijo Bond, sorprendido ante la prudencia y la sabiduría de lo que estaba diciendo el hombre—. Parece sensato.

—Así que mis amigos y yo —continuó diciendo el jorobado— rara vez, o nunca, pagamos en contante por los servicios prestados. En lugar de ello preparamos las cosas para que el individuo pueda cobrar el dinero por su propia cuenta. Usted, por ejemplo. ¿Cuánto lleva ahora encima?

—Unas tres libras y algunas monedas sueltas —dijo Bond.

—Muy Bien —continuó el jorobado—. Hoy se encontró con su viejo amigo, el señor Tree —señaló a su propio pecho con el dedo—. Es decir, conmigo. Un ciudadano perfectamente respetable, que había conocido en Inglaterra en 1945, cuando estaba trabajando en la liquidación de material de desecho del Ejército. ¿Recuerda?

—Sí.

—Su amigo, el señor Tree, le debía a usted quinientos dólares, que perdió mientras jugaban al *bridge* en el Savoy. ¿Recuerda?

Bond asintió con un movimiento de cabeza.

—Cuando volvimos a encontrarnos hoy, nos jugamos esta suma a doble o nada. Y usted ganó. *Okey?* De manera que ahora, tiene usted mil dólares; y yo, un ciudadano que paga todos sus impuestos, apoyaré su historia si es necesario. Aquí tiene el dinero.

Sacó la cartera del bolsillo posterior de su pantalón y puso diez billetes de cien sobre la mesa.

Bond los recogió y se los puso, sin darle importancia, en el bolsillo interior de su chaqueta.

—Luego —prosiguió el jorobado— usted dice que quiere asistir a alguna carrera de caballos mientras está aquí. Y yo le digo: «¿Por qué no va y echa una ojeada a la de Saratoga? Corren allí el lunes». Y usted dice: «*Okey*», y se marcha a Saratoga con sus mil dólares en el bolsillo. *Okey?*

—Muy bien —dijo Bond.

—Y allí apuesta a un caballo. Y este caballo paga por lo menos cinco a uno. De manera que usted tiene ya sus cinco mil dólares, y si alguien le pregunta cómo los consiguió, usted lo explica y puede probarlo.

—¿Y qué pasa si el caballo pierde?

—No perderá. No se preocupe.

Bond no hizo ningún comentario. Pensó para su interior que ya había conseguido algo: entrar en el mundo de los gánsteres por la puerta grande. Por la puerta de las carreras de caballos. Miró a aquellos ojos de porcelana que tenía delante. Era imposible decir si eran receptivos. En apariencia le estaban observando simplemente, con una mirada vacía. Ahora, el gran paso hacia delante, sin vacilaciones.

—Bien, eso es estupendo —dijo, confiando en que el halago fuese un buen sistema—. No hay duda de que usted y sus amigos piensan bien las cosas. Me gusta trabajar para gente prudente.

No hubo ninguna reacción en los ojos de porcelana.

—Me gustaría permanecer alejado de Inglaterra durante algún tiempo —continuó Bond—. Supongo que ustedes no necesitan a nadie más...

Los ojos de porcelana se apartaron de los suyos y descendieron lentamente por su rostro y sus hombros, como si el hombre estuviera examinando a una bestia en la feria de ganado. Luego se posaron en el círculo de diamantes que tenía delante y lenta, pensativamente, los dispuso en forma de cuadrado con el dedo.

Se hizo el silencio en la habitación. Bond se ensimismó contemplándose las uñas.

Al cabo de un rato, el jorobado levantó la vista hacia él, nuevamente.

—Quizá… —dijo, como si meditase—. Podría ser que hubiese algo más para usted. Hasta ahora no ha cometido ningún error. Continúe así y no se meta en líos. Llámeme después de las carreras y ya le diré lo que hay. Pero, se lo repito, tómese las cosas con calma y haga lo que le digan. *Okey?*

Bond sintió cómo sus músculos se relajaban. Se encogió de hombros y dijo en voz alta:

—¿Por qué habría de hacerlo de otra forma? Estoy buscando algún trabajo. Y puede decirle a su gente que no me importa lo que sea con tal de que paguen bien.

Por primera vez los ojos de porcelana dieron muestras de alguna emoción. Parecían enfadados y hasta un poco ofendidos y Bond se preguntó si no había ido demasiado lejos.

—¿Quién se cree usted que somos? —la voz del jorobado se elevó hasta su tono más agudo—. ¿Alguna partida de bandoleros de baja estofa? Bueno, demonios —su voz se calmó un tanto, mientras se encogía de hombros—. Al fin y al cabo no se puede esperar que un inglés comprenda la manera en que se trabaja aquí hoy día.

Los ojos recobraron su habitual mirada inexpresiva.

—Ahora, escuche bien lo que voy a decirle. Éste es mi número. Escríbalo: Wisconsin 7-3697. Y anote esto otro también. Pero manténgalo en secreto si no quiere que le corten la lengua. —La risita aguda que soltó era todo lo contrario de alegre—. La cuarta carrera el martes. En la Perpetuities Stakes. Recorrido de dos kilómetros para mayores de tres años. Apueste su dinero justo cuando vayan a cerrar las taquillas. Ese billete grande que lleva va a cambiar el balance de pagos. *Okey?*

—*Okey* —dijo Bond, que había estado escribiendo obedientemente en su agenda de notas.

—Está bien —dijo el jorobado—. El nombre es *Sonrisa Tímida*. Un gran caballo con una mancha blanca en la frente y cuatro manos blancas. Y apueste a ganador.

8

El ojo que nunca duerme

Eran las 12:30 cuando Bond descendió en el ascensor y salió al horno de la calle.

Torció hacia su derecha y siguió caminando hacia Times Square. Antes, se detuvo un momento frente al elegante escaparate de mármol negro de la tienda, y contempló las dos vitrinas forradas de terciopelo azul oscuro. En el centro de cada una de ellas había sólo una joya, un solo pendiente hecho con un diamante en forma de pera, suspendido de otra piedra perfecta, de forma circular y muy brillante. Debajo de cada pendiente se veía una pequeña placa de oro, en forma de tarjeta de visita, con una de las esquinas doblada. En cada una de las placas estaban grabadas las palabras: «Diamantes para la eternidad».

Bond sonrió para sus adentros, mientras se preguntaba quién debió ser, entre sus predecesores, el que había traído a América, de contrabando, estas cuatro piedras.

Siguió caminando mientras buscaba con la vista un bar con aire acondicionado donde poder dedicarse a poner en orden sus pensamientos, a cubierto de aquel calor abrasador. Estaba satisfecho de la entrevista. Por lo menos no había significado el desdeñoso «listo y adiós» que casi había llegado a temer. El jorobado le divertía. Había algo sumamente teatral en toda su persona, y su vanidad respecto a la Spangled Mob resultaba casi enternecedora. Pero el tipo en sí no era divertido; de eso estaba seguro.

Llevaba ya andando unos cuantos minutos cuando tuvo de pronto la sensación de que le seguían. No tenía ninguna evidencia de que fuese así, excepto por la súbita tensión que experimentó en la piel de la nuca y una mayor conciencia de la gente que pasaba por su lado. No era nada concreto, pero Bond tenía fe absoluta en su sexto sentido. Se detuvo bruscamente delante de un escaparate y echó una mirada casual al trozo de acera por el que había venido. No pudo ver nada que le llamase la atención, nadie que desapareciera súbitamente en el interior de un portal, ni que sacara precipitadamente el pañuelo para enjugarse el rostro, ni agachándose para atarse los cordones de los zapatos.

Echó una ojeada a los relojes suizos expuestos en el escaparate frente al que se había parado y, luego, continuó andando. Al cabo de unos cuantos metros se detuvo de nuevo y repitió la operación. Nada. Al llegar al cruce con la Avenida de las Américas torció por ella y se detuvo en el primer portal que encontró. Era el pórtico de unos almacenes de ropa interior de señora. Parado junto al cristal del escaparate había un hombre de espaldas, vestido con un traje claro y, al parecer, totalmente fascinado por la contemplación de uno de los maniquíes con bragas negras de encaje que había en la vitrina, en actitud sumamente realista. Bond se recostó con indolencia contra una de las columnas del porche y se quedó observando la calle, despreocupadamente al parecer, pero en realidad con gran atención.

Y luego, de pronto, algo sujetó con fuerza su brazo derecho y una voz burlona musitó en su oído, mientras sentía la presión de un objeto duro que se apoyaba en su espalda, justo por encima de los riñones:

—Bueno, inglés, tómatelo con calma, a menos que quieras un poco de plomo como almuerzo.

¿Qué es lo que había de familiar en aquella voz? ¿La ley? ¿La banda? Bond miró hacia abajo para ver qué es lo que sujetaba su brazo derecho. Era un gancho de acero. ¡El hombre tenía sólo un brazo...! Se dio la vuelta como un rayo, inclinándose al mismo tiempo y dirigiendo un golpe bajo y seco con el puño izquierdo, hacia atrás. La mano abierta de su contrincante detuvo el golpe y Bond se percató de que ningún revólver había estado apuntándole. Al instante, oyó aquella risa que conocía bien y la voz familiar que decía, con su acento perezoso:

—Es inútil, James. Te han cogido los ángeles.

Bond se enderezó lentamente y durante unos segundos no pudo hacer otra cosa que mirar con incredulidad el rostro aguileño y sonriente de Felix Leiter, mientras iba desapareciendo la tensión de sus músculos.

—De manera que me ibas siguiendo por delante, ¿eh?, condenado bastardo —dijo al fin.

Luego miró encantado a su viejo amigo, que había visto la última vez envuelto hasta la cabeza en vendajes sucios, como un gusano dentro de su capullo, tendido sobre una cama ensangrentada de aquel hotel en Florida. Era el agente del Servicio Secreto americano con el que había compartido tantas aventuras.

—¿Qué demonios estás haciendo aquí? ¿Y qué te propones jugando al escondite, con este calor? ¿Estás loco? —sacó el pañuelo y se enjugó el rostro—. Durante un momento casi me has puesto nervioso.

—¡Nervioso! —dijo Felix, y soltó una carcajada burlona—. Estabas ya diciendo tus oraciones. Tienes tan mala conciencia que no estabas seguro de quién te apuntaba si la policía o los de la banda. ¿No es así?

Bond se echó a reír también, esquivando la pregunta.

—Anda, condenado espía —dijo—. Lo mejor que puedes hacer es invitarme a un trago y contármelo todo. No creo en casualidades de este género. En realidad, lo que debes hacer es invitarme a almorzar. Vosotros los de Texas sois unos tacaños.

—Claro —dijo Leiter. Metió su gancho de acero en el bolsillo derecho de su chaqueta y cogió a Bond por el brazo con la mano izquierda. Echaron a andar por la calle y Bond se dio cuenta de que Leiter cojeaba bastante.

—En Texas hasta las pulgas son tan ricas que pueden alquilarse perros. Vamos. Sardi's está a la vuelta de la esquina.

Leiter evitó el salón elegante del piso bajo, donde solían reunirse a comer famosos actores y escritores, y condujo a Bond al piso superior. Su cojera se hizo aún más patente mientras subía las escaleras, apoyándose en la barandilla. Bond no hizo ningún comentario, pero cuando dejó solo a su amigo unos instantes para ir al lavabo, se dedicó a resumir sus impresiones. Leiter había perdido la mano derecha, y su pierna izquierda tampoco le respondía bien. Tenía varias cicatrices poco visibles en la frente, junto a la línea de crecimiento del cabello, y encima del ojo derecho, lo que indicaba una buena cantidad de suturas, pero aparte de esto parecía estar en bastante buenas condiciones. Los ojos grises conservaban su mirada tenaz, no había ninguna cana en la mata de pelo color trigo seco, ni se veía ningún rastro de la amargura del inválido en sus facciones. Sin embargo, durante el corto paseo que habían dado juntos, Bond pudo observar en las maneras de su amigo una cierta reticencia que, sin duda, tenía mucho menos que ver con sus heridas que con su trabajo en el presente y con Bond mismo, pensó mientras regresaba a la mesa, en un rincón de aquella bendita sala con aire acondicionado.

Encima de la mesa le estaba esperando un martini semiseco con un trocito de cascara de limón dentro del vaso. Bond sonrió complacido de la buena memoria de Leiter, y se llevó el vaso helado a los labios. Era excelente, pero no pudo reconocer la marca.

—Está hecho con Cresta Blanca —le dijo su amigo—. Un producto local de California. ¿Te gusta?

—El mejor vermú que he tomado en mi vida.

—Y me he arriesgado a pedir salmón ahumado y *brizzola* para ti. Aquí tienen la mejor carne que puede encontrarse en toda América, y el *brizzola* es el mejor trozo de todos. Está junto al hueso. Lo asan y lo dejan que se dore en su propio jugo. ¿Qué te parece?

—Lo que tú digas —contestó Bond—: ya hemos comido juntos bastantes veces como para que conozcas mis gustos.

—Les he dicho que no se den prisa —continuó Leiter, golpeando en la mesa con su gancho—. Antes tomaremos otro martini y, mientras, puedes desembuchar todo lo que tengas que contarme.

Su sonrisa era cálida, pero sus ojos no dejaban de observar atentamente a Bond.

—Dime sólo una cosa: ¿Qué clase de asuntos son los que te traes con mi viejo amigo Shady Tree? —luego pidió otra ronda al camarero, que llegaba en aquel momento, y se repantingó en su silla, en actitud de oyente.

Bond terminó de apurar su primer martini y encendió un cigarrillo mientras se revolvía en su asiento a un lado y a otro, como sin darle importancia. No había nadie en las mesas cercanas. Una vez que se hubo cerciorado de esto, se quedó mirando al americano.

—Primero eres tú quien vas a decirme algo, Felix. ¿Para quién trabajas ahora? ¿Para la CIA?

—No —dijo Leiter—. Sin mano derecha sólo podían ofrecerme un trabajo de oficina. Estuvieron muy amables y me pagaron una buena indemnización cuando les dije que prefería la vida al aire libre. Así que Pinkerton me hizo una buena oferta. Ya sabes, la gente de «el ojo que nunca duerme». Y aquí me tienes ahora, barriendo el asfalto como detective privado, «ponte un traje y empieza la rutina». Pero es divertido al fin y al cabo. Son buenos chicos, se trabaja bien con ellos, y un día podré retirarme con una pensión y un regalo de oro de despedida, de ésos que se ponen verdes cuando llega el verano. En realidad, ahora estoy al mando de su brigada de hipódromos, ya sabes: drogas para los animales, trampas en la carrera, guardias nocturnas en las cuadras, todo eso. Es un buen trabajo y te permite viajar por todo el país.

—No parece malo —dijo Bond—. Pero no sabía que fueras un entendido en caballos.

—No era capaz de reconocer a uno, a menos que llevase enganchado detrás el carro de la leche —admitió Leiter—. Pero se aprende pronto, y es sobre todo a la gente a quien tienes que conocer, más que a los caballos. Y de ti, ¿qué hay? —dijo, bajando la voz—. ¿Continúas con la vieja firma?

—Así es —respondió Bond.

—¿Estás ahora en una misión suya?

—Sí.

—¿Como si fueses otro tipo?

—Sí —dijo Bond.

Leiter dejó escapar un suspiro. Luego tomó un sorbo de su martini, despacio, como si estuviese reflexionando.

—Estás verdaderamente loco si trabajas solo y lo que haces tiene algo que ver con los muchachos de la Spangled. Te diré más: resultas tan peligroso que casi me arrepiento de estar almorzando contigo. Pero te diré por qué estaba merodeando esta mañana alrededor de la guarida de Shady, y quizá podamos ayudarnos mutuamente. Sin mezclar a nuestras organizaciones. *Okey?*

—Tú sabes que me gustaría trabajar contigo, Felix —dijo Bond seriamente—. Lo que ocurre es que yo trabajo aún para mi Gobierno, mientras que tú trabajas para una organización que quizá le hace la competencia al tuyo. Sin embargo, si nuestro objetivo resulta ser el mismo, no hay ninguna necesidad de cruzar los hilos. Si los dos corremos detrás de la misma liebre, estaré encantado de correr contigo. Ahora dime: ¿Tengo razón en pensar que estás interesado en alguien con una mancha en la frente y cuatro patas blancas? ¿Y que se llama *Sonrisa Tímida*?

—Es cierto. Y que corre en Saratoga el martes. Pero, ¿qué tiene que ver este caballo con la seguridad del Imperio británico?

—Me han dicho que apueste por él —dijo Bond—. Un millar de dólares a ganador. Como manera de pagarme por otro trabajo. —Se llevó el cigarrillo a los labios cubriéndose la boca con la mano—. Traje diamantes en bruto para míster Spang y sus amigos por valor de cien mil libras esterlinas esta misma mañana.

Leiter entornó los ojos mientras dejaba escapar un tenue silbido de sorpresa.

—¡Muchacho! —exclamó con respeto—. No hay duda de que estás en un asunto de mucha más categoría que yo. Yo sólo estoy interesado en esto porque *Sonrisa Tímida* no pasa de ser un impostor. El caballo que debe ganar el martes no será *Sonrisa Tímida*. El verdadero *Sonrisa Tímida* no se colocó siquiera las tres últimas veces que ha corrido. Y de todas formas, le han pegado ya un tiro. El que ganará es un animal rápido como el viento que se llama *Comepepinos*. Lo que ocurre es que tiene también una mancha en la frente y cuatro patas blancas. Es un alazán de buena talla y han hecho un buen trabajo con sus cascos y otros pequeños detalles para que la semejanza sea completa. Han estado entrenándolo durante más de un año, allá en el rancho que los hermanos Spang tienen en Nevada. ¡Y vaya que sí van a recoger dinero a espuertas! Es una carrera de primera clase, con premio de veinticinco mil dólares. Puedes estar seguro de que van a inundar el país con sus apuestas justo antes de la salida. La proporción va a ser mucho más de cinco. Probablemente diez o quince a uno. Van a llevarse un buen paquete.

—Creía que todos los caballos de carreras en América tenían que llevar un tatuaje en el hocico —dijo Bond—. ¿Cómo van a salvar ese detalle?

—Le han hecho un injerto de piel en la boca a *Comepepinos*. Copiando las marcas de *Sonrisa Tímida*. Este truco del tatuaje está ya anticuado. Se dice en Pinkerton que los clubs hípicos van a adoptar ahora la fotografía de los ojos de noche.

—¿Y qué demonios son los ojos de noche?

—Son esas callosidades que los caballos tienen en la parte posterior de la rodilla. Los ingleses las llaman «nueces». Y según parece, son distintas en cada animal. Como las huellas digitales en los hombres. Pero ocurrirá lo mismo. Fotografiarán los ojos de noche de cada caballo de carreras en América y, cuando la cosa esté en marcha, se encontrarán con que las bandas han ideado ya alguna manera de falsificarlas con ácido o con cualquier otra cosa. Los policías nunca alcanzan a ponerse a su nivel. Los ladrones les llevan siempre ventaja.

—A propósito, ¿cómo sabes todo esto de *Sonrisa Tímida*?

—Por medio del chantaje —dijo Leiter, alegremente—. Le tenía echado el ojo a todo un negocio de drogas en los establos de los Spang. A través de uno de los mozos de cuadra. De modo que le prometí olvidarle si me daba información sobre los detalles de este otro asunto.

—¿Y qué es lo que piensas hacer con esa información?

—Ya veremos. Por lo pronto, el domingo me voy a Saratoga. —Tras decir esto se le iluminó el rostro—. ¡Eh!, ¿por qué no te vienes conmigo? Iremos en coche y ya te encontraré algo en el lugar donde suelo alojarme. El Sagamore. Una especie de motel de carretera. En alguna parte tienes que dormir. Mejor que no nos vean mucho juntos y que nos encontremos sólo por las noches. ¿Qué dices?

—Espléndido —contestó Bond—. No podía ser un arreglo mejor. Y ahora, son casi las dos. Vamos a comer algo y te contaré mi parte.

El salmón ahumado procedía de Nueva Escocia y no podía compararse, ni de lejos, con el verdadero salmón escocés, pero el *brizzola* era todo lo que Leiter había dicho, y tan tierno que se podía cortar con el tenedor. Bond completó su almuerzo con medio aguacate coronado de crema francesa y luego comenzó a sorber su café lentamente, mientras le terminaba de contar a Leiter los pormenores de su propia historia.

—Eso es todo —dijo al concluir—. Mi hipótesis es que los Spang se ocupan del contrabando, y la Casa de los Diamantes, que también es suya, se encarga de la venta. ¿Qué opinas tú?

Leiter sacó un cigarrillo Lucky con su mano izquierda, lo golpeó suavemente sobre el mantel, se lo puso en los labios y lo encendió en la llama del Ronson que le tendía Bond.

—Es posible que sea como tú dices —respondió al cabo de una pausa—. No sé mucho de ese hermano de Seraffimo, Jack Spang. Y si Jack Spang es Saye, es la primera vez que he oído hablar de él en mucho tiempo. De todo el resto de la banda sí tenemos fichas, y he conocido también a Tiffany Case. Buena chica, pero ha estado rondando en torno a las bandas demasiado tiempo. Nunca tuvo mucha suerte, desde que nació hasta ahora. Su madre tenía una casa de putas en San Francisco. Le iba muy bien, hasta que cometió una equivocación grave. Un día decidió no pagar más a las bandas por su protección. Estaba ya dando tanto dinero a la policía que seguramente pensó que le bastaba con ellos para que le guardasen las espaldas. Una locura. Una noche, todos los tipos de la banda se presentaron y le hicieron añicos el local.

No tocaron a las chicas, pero se dieron una fiesta colectiva con Tiffany, que tenía entonces dieciséis años. No es raro que no quiera nada con los hombres desde entonces. Al día siguiente forzó la caja de su madre, cogió el dinero que había dentro y se echó al monte. Luego, la ronda habitual, como chica de guardarropía, bailarina por horas, figurante en los estudios, camarera... hasta que tuvo veinte años. Por aquellos días la vida no debía parecerle demasiado buena y se dio a la bebida. Tomó un cuarto en una casa de huéspedes en los cayos de Florida, y empezó a emborracharse como una cuba. Era como si quisiera ahogarse en alcohol. Tanto es así que llegaron a conocerla como «el bombón de licor». Luego, un niño se cayó al mar y ella se tiró detrás y le salvó. Su nombre apareció en los periódicos y una millonaria que lo leyó se entusiasmó con ella y fue a verla. Prácticamente puede decirse que la raptó. La hizo ingresar en Alcohólicos Anónimos y luego se la llevó consigo como señorita de compañía, en un viaje alrededor del mundo. Pero Tiffany se escapó cuando pasaron por San Francisco, y se fue a vivir con su madre, que ya se había retirado de los negocios y era muy viejecita. Sin embargo Tiffany no tenía un carácter sedentario, de modo que, al cabo de cierto tiempo, me imagino que se aburrió de aquella vida tan tranquila, se dedicó a vagar otra vez; y fue a parar a Reno. Allí trabajó en el Harold Club durante algunos meses, hasta que apareció en escena nuestro amigo Seraffimo, que se entusiasmó con ella. Pero ella no quería acostarse con él y quizá esto es lo que le mantenía a él tan encandilado. El caso es que le ofreció otro trabajo en La Tiara, en Las Vegas, y allí es donde ha estado Tiffany durante los últimos dos años más o menos, intercalando esos viajes a Europa que hace de vez en cuando, supongo. A pesar de todo, es una buena chica. Lo que le pasa es que no ha tenido suerte después de lo que le hicieron los tipos de la banda.

Bond vio de nuevo ante sí aquellos ojos que le contemplaban indolentes a través de la luna del espejo, y oyó *Las hojas muertas* sonando en el tocadiscos del cuarto solitario.

—Me gusta la muchacha —dijo, alejando aquel recuerdo. Y al decirlo, se dio cuenta de que los ojos de Leiter le estaban observando con atención. Miró su reloj de pulsera—. Bien, Felix; parece como si hubiésemos cogido los dos el mismo tigre. Pero por colas diferentes. Va a resultar divertido tirar cada uno por nuestro lado al mismo tiempo. Ahora me voy a dormir un rato. Tengo habitación en el Astor. ¿Dónde nos encontramos el domingo?

—Será mejor que dejemos tranquila esta parte de la ciudad —dijo Leiter—. Te estaré esperando fuera del Plaza. Más bien temprano, para evitar el tráfico más denso en Parkway. Digamos a las nueve, frente a la parada de los coches. Ya sabes, donde están los coches de caballos. Así, si me retraso un poco, puedes entretenerte aprendiendo a reconocer un caballo. Te será útil en Saratoga.

Pagó la cuenta y echaron a andar por el salón, y luego escaleras abajo hasta la calle abrasadora. Bond llamó un taxi. Leiter no quiso que le llevase a ningún sitio. Pero, cogiendo a Bond afectuosamente por el brazo, le dijo:

—Sólo una cosa, James —y su voz había cobrado un acento grave—. Puede que no tengas una opinión demasiado alta de los gánsteres americanos, si los comparas con la SMERSH, por ejemplo, o con alguna de las otras organizaciones con las que has tenido que enfrentarte en el pasado. Pero puedo asegurarte que esos tipos de la Spangled figuran en primera línea. Han montado una maquinaria muy bien engrasada, que funciona. Y aunque te parezca que los nombres que usan son graciosos, están bien protegidos. Así está la cosa en América en estos días. Pero no me interpretes mal. Verdaderamente, son peligrosos. Y este trabajo tuyo, apesta también.

Leiter dejó ir el brazo de Bond, mientras éste subía al taxi. Luego, añadió, con una sonrisa, metiendo la cabeza por la ventanilla:

—¿Y sabes a lo que apesta, estúpido cabezota? Apesta a flores y a formol. Como las funerarias.

9

Champaña amargo

—No voy a acostarme con usted —dijo Tiffany Case, con voz tranquila—. De modo que es inútil que se gaste su dinero en intentar emborracharme. Pero tomaré otro y, probablemente, otro más después. Lo único que pasa es que no quiero causarle una falsa impresión al aceptar sus martinis con vodka.

Bond se echó a reír. Dio la orden al camarero y se volvió hacia ella.

—No hemos elegido aún la cena —dijo—. Iba a proponer que tomásemos cangrejos y vino blanco. Eso podía haberle hecho cambiar de idea. Se dice que es una combinación que tiene efectos formidables.

—Escúcheme, Bond —dijo Tiffany—. Hace falta algo más que cangrejos a la *revignotte* para meterme en la cama con un hombre. De cualquier forma, ya que es a su cuenta, voy a tomar caviar, eso que ustedes los ingleses llaman «chuletas» y un poco de champaña rosado. No tengo cita con un inglés bien parecido todos los días, y la cena debe de estar a la altura de las circunstancias.

Súbitamente, se inclinó hacia delante y puso su mano sobre la de Bond.

—Perdone —dijo, con cierta brusquedad—. No quería decir eso de la cuenta. Soy yo la que invito. Pero mantengo lo de la ocasión.

Bond la miró a los ojos, sonriendo abiertamente.

—No sea tonta, Tiffany —dijo, llamándola por primera vez por su nombre—. He estado esperando que llegase esta noche. Y voy a tomar exactamente lo mismo que usted. Y tengo dinero más que suficiente en el bolsillo para pagar la cuenta. El señor Tree y yo jugamos a doble o nada esta mañana los quinientos dólares que me debía, y fui yo quien gané.

Al oír mencionar a Shady Tree, las maneras de la muchacha cambiaron.

—Eso debe bastar entonces —dijo con cierta brusquedad—. Aunque, ¿sabe lo que dicen de este lugar? «Todo lo que pueda comer por sólo trescientos dólares.»

El camarero trajo los martinis, agitados pero sin remover, como Bond los había pedido, y algunos trocitos de cascara de limón en un vaso. Bond dobló un par de ellos y los dejó hundir hasta el fondo de su copa. Luego la alzó, mirando a la muchacha por encima del borde.

—Aún no hemos brindado por el éxito de nuestra misión —dijo.

La boca de la muchacha esbozó un gesto apenas sarcástico. Tomó más de la mitad del martini de un solo trago y volvió a dejarlo sobre la mesa con gesto decidido.

—O por el síncope cardíaco al que no sé cómo sobreviví —dijo secamente—. Usted y su maldito golf. Por un momento temí que iba a contarle a aquel hombre con todo detalle el mal día en que cubrió el campo en ochenta y ocho golpes. Un poco más y hubiese sacado uno de los bastones y una pelota para enseñarle cómo debe hacerse.

—Es que me puso usted nervioso con aquel maldito encendedor suyo, que no funcionaba. Me apuesto a que se puso el cigarrillo al revés en la boca y encendió el filtro.

—Casi lo hice —confesó—. Debe usted tener ojos en sus oídos. *Okey*. Llamémosle empate. —Terminó de apurar su martini—. Vamos, no sea tacaño. Estoy esperando que pida otro de éstos. Me empiezo a sentir a gusto. ¿Y qué tal si pedimos la cena? ¿O no lo hace usted porque confía en que termine como una cuba?

Bond hizo una seña con la cabeza al *maître* del hotel. Cuando llegó le dio la orden, y el *sumiller*, que procedía indudablemente de Brooklyn, pero que llevaba una chaqueta rayada, un delantal verde y una cadena al cuello de la que colgaba una copa de catador, fue a buscar el Cliquot rosado a la bodega.

—Si tengo un hijo —dijo Bond—, voy a darle un buen consejo cuando sea mayor. Le diré: «Gástate tu dinero como quieras, pero no te compres nada que coma».

—¡Maldita sea! —exclamó la muchacha—. Estoy empezando a pensar que ésta es una gran noche pero con «n» pequeña. ¿No es capaz de decirme nada agradable sobre mi vestido, o lo que quiera, en lugar de estar ahí quejándose todo el tiempo a propósito de lo cara que soy? Ya sabe: Si no le gusta lo que ve, deje de marearme.

—No he empezado a hacerlo aún. No me deja usted.

Ella se echó a reír y miró a Bond con aprobación.

—Pero, po todo lo sielo, mite Bond. Seguro que es usté capá de desí la cosa má bonita a una chica…*

—Y en cuanto al vestido —continuó Bond—, es un verdadero sueño, y usted lo sabe. Me encanta el terciopelo negro, sobre todo encima de una piel bien dorada por el sol. Y me encanta también que no lleve usted demasiadas joyas y que no se pinte las uñas. En conjunto, me atrevería a decir que es usted la contrabandista más bonita que hay en todo Nueva York esta noche. ¿Con quién va usted a trabajar mañana?

Ella cogió su tercer martini y lo estuvo contemplando un instante. Luego, muy despacio, lo apuró en tres sorbos lentos. Puso la copa vacía sobre la mesa y sacó uno de sus Parliaments de la pitillera que había dejado junto a su plato. Al inclinarse para encenderlo en el Ronson de Bond, éste pudo ver el valle de sus senos abierto ante él, en el ángulo del escote. Ella le miró a través de la nube de humo del cigarrillo, franca, directamente, y luego entornó los ojos de nuevo.

—Me gusta usted —dijo—. Todo es posible entre nosotros. Pero no sea impaciente. Y sea amable. No quiero volver a sufrir.

* Con acento negro del Sur. *(N. del T.)*

Entonces llegó el camarero con el caviar y, repentinamente, el ruido de voces y pasos en el restaurante, interrumpió el silencio que existía en torno a su mesa.

—¿Que qué hago mañana? —repitió Tiffany Case con el tono de voz que uno utiliza cuando hay camareros delante—. Pues, en realidad, voy a ir hasta Las Vegas. Con el rápido *Siglo X* hasta Chicago y luego con el *Superjefe** hasta Los Ángeles. Es un rodeo bastante grande, pero ya he viajado demasiado en avión últimamente. ¿Y usted?

El camarero se había retirado. Durante un rato saborearon el caviar en silencio. No tenía necesidad de contestar a aquella pregunta inmediatamente. Bond tuvo la repentina sensación de que contaba con todo el tiempo del mundo. Y que los dos sabían la respuesta a la gran pregunta. En cuanto a las pequeñas, no había prisa ninguna.

Se echó hacia atrás en su silla. El *sumiller* apareció con el champaña. Bond lo probó. Estaba helado y tenía un ligero sabor a fresas. Era delicioso.

—Voy a Saratoga —dijo—. Tengo que apostar a un caballo que va a darme un montón de dinero.

—Supongo que es una fija —dijo Tiffany Case con cierta amargura. Había cambiado de nuevo su humor. Tomó un sorbo de champaña y se encogió de hombros—. Se diría que le causó usted una gran impresión a Shady esta mañana. Quiere ponerle a trabajar con la banda.

* Nombres, un tanto sofisticados, de dos trenes. *(N. del T.)*

Bond se quedó mirando las burbujas de su champaña. No podía evitar la repugnancia que sentía por tener que valerse de esta muchacha, que tanto le gustaba. Bien, lo mejor era apartar ese pensamiento de su mente. No había más remedio que seguir adelante con su plan y continuar engañándola.

—Eso está muy bien —respondió con soltura—. Me agrada. Pero, ¿quién es «la banda»? —De nuevo se concentró en encender un cigarrillo, tratando de conjurar en su interior al profesional para mantener callado al ser humano. Pudo darse cuenta de que ella le miraba fijamente. Esto acabó de hacerle reaccionar. El agente secreto tomó las riendas de la situación y su mente empezó a trabajar en frío, en busca de pistas, mentiras, vacilaciones.

Cuando levantó la vista, sus ojos parecían de lo más inocentes. Ella pareció contentarse con esto.

—Se llama la Spangled Mob. Por los dos hermanos Spang. Yo trabajo para uno de ellos en Las Vegas, pero nadie parece saber dónde está el otro. Algunos dicen que en Europa. Y luego hay alguien al que llaman ABC. Cuando estoy en esto de los diamantes, todas las órdenes me vienen de él. El hermano para el que yo trabajo, Seraffimo, está más interesado en caballos y en apuestas. También dirige un servicio de telegramas, y el hotel Tiara en Las Vegas.

—¿Qué es lo que hace usted allí?

—Trabajo allí —dijo ella, cerrando el tema.

—¿Le gusta?

La muchacha pareció pasar por alto la pregunta, como si fuese tan estúpida que no valiese la pena ni contestarla.

—Luego está Shady —continuó diciendo—. No es una mala persona realmente, excepto que es tan sinvergüenza que cuando uno le da la mano es mejor que cuente los dedos después, para ver si aún los tiene todos. Es él quien se ocupa de las casas de prostitución y de las drogas y todo eso. —Se detuvo y se le quedó mirando—. Son gente dura. Ya llegará a conocerlos. —Hizo una mueca—. Y hasta puede que le gusten. Justo su tipo.

—Diablos —dijo Bond—. Es sólo un trabajo más. De alguna manera tengo que ganar algo de dinero.

—Hay muchas otras formas.

—Bueno, ésta es la gente con la que usted trabaja también.

—Ahora ha dicho algo —contestó ella, y se echó a reír con una risa amarga. De nuevo se había roto el hielo—. Pero, puede usted creerme, se meterá en una liga de primera categoría cuando firme para los Spangled. Si yo estuviera en su lugar, lo pensaría mucho antes de decidirme a entrar en nuestro pequeño círculo familiar. Y no piense en hacerles ninguna clase de jugada. Si está planeando algo de ese estilo, será mejor que empiece ya a tomar lecciones de arpa. Para tener en qué ocuparse cuando le envíen al cielo.

Les interrumpió la llegada de las «chuletas», que venían guarnecidas con espárragos y salsa de *mousseline*, y seguidas por uno de los famosos hermanos Kriendler, propietarios del Club 21 desde los viejos tiempos en que empezó a darse a conocer como uno de los mejores restaurantes íntimos de todo Nueva York.

—*Aló*, señorita Tiffany —dijo el hombre—. Mucho tiempo sin vernos. ¿Cómo van las cosas en Las Vegas?

—*Aló*, Mac —respondió la muchacha, sonriéndole—. El Tiara continúa bien, como siempre. —Luego dirigió una mirada circular a toda la sala, que estaba completamente llena—. Parece que su pequeño puesto de salchichas calientes no marcha mal del todo, tampoco.

—No podemos quejarnos —dijo el hombre, que era joven y alto—. Pero demasiados aristócratas gastándose sus rentas. Lo que nos faltan son más chicas bonitas. Tendría usted que venir más a menudo. —Luego sonrió a Bond—. ¿Está todo bien, señor?

—No podía estar mejor.

—Pues vuelvan cuando lo deseen —dijo, y chasqueó los dedos ligeramente para llamar al *sumiller*—. Sam, pregunta a mis amigos qué es lo que desean tomar con el café.

Con una sonrisa final dirigida a los dos, continuó hacia otra mesa.

Tiffany ordenó un Stinger hecho con crema de menta blanca, y Bond pidió lo mismo.

Una vez que les hubieron traído el café y los licores, Bond recobró el hilo de la conversación donde la habían dejado.

—Pero, Tiffany —dijo—, este negocio de los diamantes parece sumamente sencillo. ¿Por qué no continuar haciéndolo juntos? Dos o tres viajes al año nos darían el dinero suficiente, y dos o tres veces no es demasiado frecuente como para que las aduanas o Inmigración empiecen a hacer preguntas difíciles.

Tiffany Case no se mostró impresionada por estas palabras.

—Propóngaselo a ABC —dijo—. Le he estado ya explicando que esa gente no es tonta. Están haciendo unas operaciones gigantescas con esos diamantes. Nunca he tenido el mismo correo dos veces y no soy la única escolta que hace el recorrido. Es más, estoy completamente segura de que no viajábamos solos en aquel avión. Apuesto a que había alguien encargado de vigilarnos a ambos. Toman siempre seguridades dobles para cada cosa que hacen.

De pronto pareció molesta por su propia falta de respeto hacia sus jefes.

—Personalmente, nunca he visto a ABC —dijo—. Me limito a llamar a un número en Londres y recibo mis instrucciones de una cinta magnetofónica conectada al teléfono. Si tengo que decir algo, envío mi mensaje a ABC de la misma manera. Puedo asegurarle que todo esto está muy por encima de su inteligencia. Usted y sus mezquinos asaltos a las casas de campo —su tono se hizo aplastante—. ¡Hermano, aún no ha visto nada del mundo!

—Ya veo —dijo Bond, respetuoso, al mismo tiempo que se devanaba los sesos pensando cómo podría conseguir de la muchacha el número de teléfono de ABC—. No hay duda de que parecen pensar en todo.

—Puede apostarse el cuello —dijo la muchacha, con acento neutro. Luego se quedó mirando a su Stinger, abstraída, y se lo bebió de un trago.

Bond empezó a percibir los efectos característicos de lo que los franceses llaman *un vin triste*.

—¿Le gustaría ir a alguna otra parte? —propuso, consciente de que había sido él quien había arruinado la velada.

—¡Diablos, no! —contestó ella—. Lléveme a casa, simplemente. Estoy casi borracha. ¿Por qué demonios no pudo usted pensar en otro tema de conversación que no fuesen esos malditos granujas?

Bond pagó la cuenta y dejaron la confortable sala refrigerada del restaurante para salir al bochorno húmedo de la calle, que olía a petróleo y a emanaciones de asfalto caliente.

—También me hospedo en el Astor —dijo ella cuando se metieron en el taxi. Luego se enroscó en el rincón más lejano del asiento, con la barbilla apoyada en la mano, mientras sus ojos miraban vagamente hacia el exterior, hacia el horrible manto luminoso de las luces fluorescentes.

Bond no dijo nada. Miró también por la ventanilla y maldijo interiormente su oficio. Todo lo que hubiese querido decirle era: «Escucha. Ven conmigo y no tengas miedo. Me gustas. No puede ser peor que estar sola». Pero en el caso de que ella dijese que sí, en buen lío se habría metido. Y no quería meterse en un lío con esa chica. Su trabajo le obligaba a valerse de ella, pero aunque éste se lo exigiese no utilizaría a aquella chica valiéndose del corazón.

Cuando llegaron frente al Astor, le ayudó a bajar del taxi y ella se quedó vuelta de espaldas mientras él pagaba al chófer. Luego subieron los escalones de la entrada en silencio, como marido y mujer después de una mala velada que ha terminado en pelea.

Recogieron sus llaves respectivas en recepción y ella dijo «quinto piso» al botones. Entraron en el ascensor y durante toda la subida la muchacha permaneció con el rostro vuelto hacia la puerta. Bond pudo observar que tenía los nudillos blancos, por la fuerza con que sus dedos apretaban el bolso. Al llegar al piso, salió rápidamente y echó a andar por el pasillo, sin protestar porque Bond la siguiera. Así doblaron varios corredores hasta llegar frente a su habitación. Se inclinó para meter la llave en la cerradura y abrió la puerta. Sólo entonces se dio la vuelta para mirarle.

—¡Escúcheme, Bond...!

Comenzó a hablar con un tono irascible que desapareció al instante. Tenía los ojos clavados en los suyos, y Bond pudo ver sus pestañas húmedas. Súbitamente la muchacha le echó los brazos al cuello, y con el rostro a pocos centímetros del suyo murmuró en voz baja:

—Tenga cuidado, James. No me gustaría perderle.

Luego, sin darle tiempo a contestar, le atrajo hacia ella y le besó en la boca, con un beso largo y duro, en el que había más ternura que sexo.

Pero cuando los brazos de Bond la rodearon y empezó a devolverle el beso, sintió que ella se ponía rígida y luchaba por liberarse. La dejó ir. Había pasado el momento.

La muchacha empujó la puerta para entrar en su habitación, pero con la mano todavía en el picaporte se volvió de nuevo. Sus ojos brillaban otra vez con aquel destello sombrío que Bond ya conocía.

—Ahora déjeme en paz —dijo la muchacha. Cerró con un portazo y Bond pudo oír cómo echaba el pestillo.

10

«Studillac» a Saratoga

James Bond pasó la mayor parte del sábado en su cuarto con aire acondicionado en el Astor, para escapar del calor, repartiendo el tiempo entre dormir y componer un telegrama de cien palabras dirigido al presidente de la Universal Export, en Londres. Para ello utilizó un simple código de transposición basado en el hecho de que era el sexto día de la semana y que la fecha correspondía al día cuatro del octavo mes.

El informe daba cuenta de que el sendero de los diamantes comenzaba en Jack Spang —nombre ficticio de Rufus B. Saye— y finalizaba en Seraffimo Spang, y que la intersección de dicho sendero se encontraba en la oficina de Shady Tree, desde la cual las piedras pasaban probablemente a los talleres de la Casa de los Diamantes para su talla y venta en el mercado.

Bond solicitaba de Londres que pusieran a Rufus B. Saye bajo estrecha vigilancia, pero advertía que un individuo anónimo, conocido bajo las siglas de ABC, parecía ser en realidad el jefe supremo de la organización de contrabando para la Spangled

Mob, y que Bond no tenía hasta el momento la más remota idea de cuál podía ser la verdadera identidad de ese individuo, excepto que podía localizársele en Londres, al parecer. Podía conjeturarse que era él, sin embargo, el único que podía proporcionar una pista que condujese a la fuente original en África, donde tenía su punto de partida el contrabando.

Informaba también que era su intención continuar trabajando hasta llegar a Seraffimo Spang, utilizando para esto como agente de conducción, sin que ella lo supiera, a miss Tiffany Case, de cuyo pasado daba también cuenta somera en su informe.

Bond envió el cable, contrarrembolso, a través de la Western Union, se dio la ducha número cuatro del día, y se fue paseando hasta Voisin, donde se tomó, uno tras otro, dos martinis con vodka, unos huevos *a la benedictina* y un plato de fresas como postre. Después de la cena se entretuvo leyendo los pronósticos hípicos para las próximas carreras de Saratoga, de los que anotó como dato de interés que los dos favoritos para la Serie de Perpetuidades eran los caballos *Vuelve otra vez*, de míster C. V. Whitney, y *Acción por favor*, de míster William Woodward junior. *Sonrisa Tímida* no aparecía mencionado siquiera.

Después de esto, Bond volvió a su hotel andando y se metió en la cama.

A las nueve en punto de la mañana del domingo, un Studebaker convertible, negro, se detuvo junto a la acera donde Bond esperaba con su maleta.

Cuando la hubo echado en el asiento trasero, subió delante, junto a Leiter. Éste levantó una mano hasta el techo del coche, liberó allí una palanca, y luego apretó un botón en el panel de mandos. Se oyó un ligero chirrido y el techo de lona empezó a levantarse, para acabar plegado en un espacio de la parte trasera, entre el asiento posterior y el portaequipajes. Luego, manipulando con habilidad su gancho sobre el cambio de velocidades situado en el volante, condujo el coche rápidamente a través de Central Park.

—Son unas doscientas millas —anunció Leiter una vez que estuvieron ya en la Avenida Parkway, a lo largo del río Hudson—. Casi en línea recta hacia el norte, siguiendo el río a través del estado de Nueva York. Queda justo al sur de los montes Adirondacks y muy cerca de la frontera canadiense. Iremos por la Taconic Parkway. No hay prisa, de modo que será mejor que nos lo tomemos tranquilamente. No quiero que me pongan una multa. Hay una velocidad límite de ochenta kilómetros en casi todo el estado de Nueva York, y los policías de tráfico no gastan bromas por aquí. Pero, por lo general, puedo darles esquinazo, si llevo prisa. No pueden darte la papeleta si no te alcanzan. Les daría demasiada vergüenza presentarse ante el juez y tener que admitir que hay vehículos más rápidos que sus motocicletas Indians.

—Yo creía que esas Indians eran capaces de llegar a más de noventa —dijo Bond, pensando que su amigo se había vuelto un poco jactancioso desde que no se habían visto—. No pensé que estos Studebaker pudieran superarlas.

Había un buen trozo de carretera desierta frente a ellos. Leiter echó una ojeada rápida por su retrovisor, metió la segunda con un movimiento brusco y pisó fuerte sobre el acelerador. Bond sintió cómo la cabeza le brincaba hacia atrás en los hombros mientras la espalda parecía incrustársele materialmente en el respaldo del asiento. Todavía incrédulo, miró el cuentakilómetros. Iban a ochenta. Leiter metió tercera. El coche continuó ganando velocidad: noventa, noventa y cinco, noventa y seis, noventa y siete... hasta que apareció un puente y un cruce, y Leiter pisó el freno, convirtiendo el profundo rugido del motor en un suave bordoneo, hasta bajar a setenta por hora para abordar fácilmente una serie de curvas.

Miró de reojo a Bond y murmuró con una sonrisa:

—Aún podría subir treinta más —y añadió con orgullo—: No hace mucho que pagué cinco dólares para probarlo en la pista que hay en Daytona. Cronometró ciento veintisiete, aunque no creas que aquella playa es de las mejores.

—Bueno, nunca lo hubiese pensado —dijo Bond, incrédulo—. Pero, ¿qué clase de coche es éste, de todas formas? ¿No es un Studebaker?

—Es un Studillac —dijo Leiter—. Un Studebaker con el motor de un Cadillac. Transmisión especial y frenos en las ruedas traseras también con transmisión especial. Un buen trabajo de conversión. Los fabrica una pequeña firma que hay cerca de Nueva York. Unos pocos tan sólo, pero son unos coches deportivos muy superiores a cualquiera de esos Corvette y Thunderbird. Y la carrocería es espléndida. Está diseñada por ese francés, Raymond Loewy, el mejor diseñador de coches del mundo. Resulta un poco atrevida para el mercado corriente americano, sin embargo, Studebaker nunca tuvo éxito con este modelo. Demasiado revolucionario. ¿Te gusta mi coche? Me apuesto a que podría darle una paliza a tu Bentley —dijo Leiter, echándose a reír mientras sacaba una moneda del bolsillo, porque estaban llegando al puesto de peaje del puente Henry Hudson, sobre el río.

—Hasta que se te salga una rueda —comentó Bond, en tono cáustico. Aceleraron de nuevo a lo largo del puente—. Esta clase de trucajes están muy bien para muchachos que no pueden permitirse tener un verdadero coche.

Y así continuaron discutiendo un rato sobre los méritos respectivos de los coches deportivos ingleses y americanos, hasta llegar a la taquilla de peaje en Westchester County. Un cuarto de hora más tarde estaban ya sobre la Taconic Parkway que se estiraba hacia el norte como una serpiente a lo largo de más de ciento sesenta kilómetros de prados y bosques. Bond se arrellanó en su asiento y se dedicó a gozar en silencio del espléndido paisaje, uno de los más hermosos que pueden verse en el mundo sin salirse de la carretera. Se preguntaba vagamente qué es lo que estaría haciendo la muchacha en aquellos momentos, y cómo iba a arreglárselas para encontrarla de nuevo, una vez que hubiese concluido lo que tenía que hacer en Saratoga.

A las 12:30 se detuvieron a almorzar en un albergue llamado *El Pollo en el Canasto*, y que era un chalet equipado al estilo francés: el alto mostrador materialmente cubierto por los mejores productos de marcas de chocolates, dulces, cigarrillos, cigarros puros, revistas y libros de bolsillo, sin olvidar la inevitable máquina tocadiscos, resplandeciente con sus adornos cromados y sus luces multicolores, que más bien le daban el aspecto extraño de una máquina de ciencia ficción. Varias mesitas, de madera de pino pulido aparecían distribuidas por la estancia bajo el dosel de vigas del techo. A lo largo del muro había algunos reservados más íntimos, y el menú resaltaba en grandes letras las especialidades de la casa: «Pollo frito» y «truchas frescas de la montaña», que sin duda habían pasado ya varios meses en algún frigorífico lejano, seguidos de algunos otros platos variados, de confección rápida. Todo ello atendido por un par de camareras jóvenes, del tipo que parece ir pregonando: «¿Y a mí qué me importa nada?».

Sin embargo, los huevos revueltos, con su acompañamiento de salchichas y sus rebanadas de pan moreno untadas en mantequilla, llegaron pronto y la cerveza de Millers Highlife era muy buena. También lo era el café helado con que completaron el almuerzo. Tan bueno estaba que se tomaron un segundo vaso antes de abandonar el local.

—Durante once meses del año —explicó Leiter— el lugar está totalmente muerto. La gente viene a tomar sus aguas y sus baños de barro para el reuma y similares, y es como cualquier otro balneario del mundo, fuera de temporada. A las nueve, todos se han acostado ya, y los únicos signos de vida que pueden verse durante el día son dos caballeros ancianos que pasean con sus sombreros de panamá hasta el final de la calle, mientras discuten sobre la entrega de la Borgoña a Schuylerville o sobre si el antiguo suelo de mármol del viejo hotel Union era negro o blanco. Luego, durante un mes, en agosto, el lugar se convierte en un hervidero. Es, probablemente, el sitio más elegante de América en lo que se refiere a carreras de caballos, y los Whitney y los Vanderbilt pululan por todas partes. Los hoteles multiplican sus tarifas por diez y los comités hípicos remozan las tribunas con pintura blanca, y se las ingenian como pueden para encontrar algunos cisnes para ponerlos en el estanque que hay en el centro del hipódromo, abrir las fuentes y anclar en medio de este mismo estanque la vieja canoa india que no sé de dónde sacaron. Nadie puede recordar de dónde procede esta famosa canoa, y un escritor hípico que trató de investigar su origen, lo más que llegó a descubrir fue que está relacionada con una vieja leyenda de los indios que habitaban por aquí. Añadía en su reportaje que cuando averiguó esto no quiso molestarse en indagar más, porque cuando él estaba en cuarto de bachillerato podía ya inventar mejores mentiras que las que se encuentran en cualquier leyenda india.

Bond se echó a reír de buena gana.

—¿Y qué más? —preguntó.

—Deberías saberlo tú mismo —dijo Leiter—. Era uno de los sitios que estuvieron de moda entre los ingleses. Los ingleses de cincha y silla, se entiende. Jersey Lily estuvo por aquí mucho, y también vuestra Lily Langtry. Era por los días en que *Novelty* ganó a *Iron Mask* en las series de las

Hopeful Stakes. Pero ha cambiado mucho desde los tiempos de la Década Malva. Toma —añadió, sacando un trozo de periódico de su bolsillo—, esto te pondrá un poco al corriente. Es un recorte del *Post* de esta mañana. Ese Jimmy Cannon es el cronista hípico. Buen escritor. Sabe de lo que está hablando. Léelo en el coche, porque tenemos que continuar.

Leiter dejó una propina sobre el dinero de la cuenta y salieron al exterior, para meterse de nuevo en el coche y continuar su ruta hacia Saratoga. Mientras el Studillac serpenteaba por la carretera, haciendo sentir el potente murmullo de su motor, Bond se repantingó en el asiento y se puso a leer la ruda prosa de Jimmy Cannon. A medida que iba leyendo, el Saratoga de los días dorados de Jersey Lily se desvanecía en el polvoriento y dulce pasado, mientras que el presente le miraba desde aquel trozo de periódico, con una sonrisa burlona y amenazadora.

«La ciudad de Saratoga Springs —leyó bajo la fotografía de un joven apuesto, con ojos grandes de mirada abierta y una tenue sonrisa en sus labios delgados— era el Coney Island del mundo del delito hasta que los Kefauver lo pusieron en su programa de televisión. Esto asustó a algunos maleantes menores y les hizo emigrar en masa hacia Las Vegas. Pero las grandes bandas continuaron ejerciendo su dominio sobre Saratoga durante algún tiempo. Era la verdadera colonia de las bandas nacionales, que gobernaban su feudo con pistolas y bates de béisbol.

»Saratoga se separó del sindicato, como hicieron otros villorrios hípicos que habían puesto sus ayuntamientos bajo la protección de las bandas. Es todavía un lugar donde vienen los herederos de las grandes fortunas y otros personajes famosos para hacer correr sus caballos sobre un hipódromo que está totalmente anticuado y que, más que un centro deportivo, parece una feria rural de ganado.

»Antes de que Saratoga empezase a perder su esplendor, la policía de la ciudad solía meter en prisión a los *hitch hickers*. Era la misma policía quien depositaba en el Banco sus pagas íntegras, mientras iba viviendo de las propinas que le pasaban bajo mano delincuentes y asesinos. Pero, eso sí, el hecho de ser pobre constituía una grave violación de la ley en Saratoga. También eran considerados como una amenaza pública, en cuanto salían a la calle, los bebedores que iban a emborracharse en tabernas baratas, de poca categoría.

»Al criminal profesional, en cambio, se le concedían toda clase de libertades, mientras continuase pagando su cuota y mantuviese su interés en alguna de las instituciones locales, ya fuese casa de prostitución o casa de juego prohibido, donde podía dejar unos dólares.

»La curiosidad periodística me lleva a leer algunas de las hojas deportivas de la ciudad. Los columnistas hípicos hablan con sentimentalismo de los años tranquilos del pasado, y se refieren a Saratoga como si hubiera sido siempre un centro de diversiones inocentes. ¡Qué burgo tan podrido era en realidad!

»Es posible que ahora también haya bandas de delincuentes, que cometen sus pequeños asaltos en las granjas de los alrededores o en lugares apartados. Pero tales hechos son acciones aisladas, y los culpables deben estar preparados a pagar las consecuencias, si son descubiertos. Las antiguas casas de juego nunca fueron trigo limpio en Saratoga, y cualquiera que hiciese en ellas un pleno tenía que prepararse a repartir la comisión correspondiente.

»Eran casas abiertas toda la noche, en las orillas del lago. Las grandes figuras del espectáculo tenían que trabajar por un porcentaje de las ganancias del juego, pues los patrones no habían montado sus negocios para perder dinero en sus salarios. Los *croupiers* y los recogedores de fichas estaban reclutados entre la multitud de jugadores trashumantes, de ésos que hacían el eterno circuito anual desde Newport hasta Miami en el invierno y vuelta a Saratoga en el verano. Se les pagaba por jornada, y la mayor parte de ellos procedía de los garitos baratos de Steubenville, que era como la escuela primaria de la industria.

»Gentes sin raíces, la mayoría de ellos sin la inteligencia suficiente para engañar ni siquiera a un galés. Eran los empleados menores del bajo mundo, siempre listos a recoger su maleta y marcharse a otra parte en cuanto se presentaba algún problema. Por lo general, han acabado instalándose en Las Vegas y en Reno, que es donde sus antiguos patrones han situado ahora sus negocios, con licencias oficiales colgando de sus marcos en las paredes.

»Estos patrones no eran, sin embargo, jugadores en la línea tradicional del viejo coronel E. R. Bradley. No tenían su empaque señorial ni su cortesía. Aunque hay también quienes me cuentan que su local en Palm Beach permitía jugar hasta que las apuestas se elevaban demasiado.

»Más tarde, si escuchamos a aquellos que no estaban de acuerdo con el sistema de Bradley, llegó el momento en que se confió a mecánicos hábiles el cuidado de nivelar las ruletas de una cierta manera, con objeto de que la casa pudiese mantener siempre su solvencia.

»Leer sobre la entronización de Bradley como filántropo es una verdadera delicia para quienes lo recuerdan; fue un hombre cuyo entretenimiento consistía en procurar a los ricos un poco de la distracción que les era negada por el estado de Florida. Pero, comparado con la escoria que controlaba Saratoga en aquellos años, el coronel Bradley es acreedor de todos los elogios nostálgicos que le dedican los sentimentales.

»Las pistas de Saratoga están hoy en un estado lamentable, y el clima es caluroso y húmedo. Hay algunos propietarios, como Al Vanderbilt y Jock Whitney, que son deportistas en el verdadero sentido de la palabra. Las carreras son su juego, y saben de lo que se ocupan. Lo mismo puede decirse de entrenadores del tipo de Bill Winfrey, que es el que preparó a *Bailarín Nativo* para las carreras. Y también hay jockeys que os pegarían un puñetazo en las narices si les propusierais contener a un caballo.

»Son gentes que sienten cariño por Saratoga y que tienen que alegrarse de que los Lucky Luciano hayan desaparecido de aquella ciudad de tránsito, que floreció precisamente porque toleraba que los duros esquilasen a los inocentes que caían por allí. Los apostadores eran asaltados en cuanto dejaban la pista. Hubo uno, llamado Kid Tatters, al que desvalijaron más de cincuenta mil dólares en el aparcamiento. Y los que le asaltaron, le advirtieron que iban a secuestrarle si no volvía con más.

»Kid Tatters sabía que Lucky Luciano tenía participación en la mayoría de las casas de juego, de modo que fue a verle para que le sacase del apuro. Lucky le contestó que no tenía que temer nada. Que nadie iba a molestarle si hacía como le habían dicho. Kid Tatters tenía licencia para hacer las apuestas, y su reputación estaba limpia, pero sólo le quedaba una manera de protegerse. "Hazme tu socio", le dijo Lucky. Fue un hombre que se encontraba presente el que me repitió la conversación. "Nadie va a apalear a quien sea mi socio."

»Kid Tatters se había considerado a sí mismo, hasta entonces, como un hombre honrado, haciendo un negocio perfectamente legal, pero acabó por ceder y convertirse en socio de Lucky hasta su muerte. Pregunté a un tipo que les había conocido si Lucky puso algún dinero o se ocupó por su parte de aumentar las ganancias del apostador.

»"Lo único que hacía Lucky era recoger sus propias ganancias", me dijo este hombre. Pero considerando la situación en aquellos días, Kid Tatters hizo un buen negocio. Nadie volvió a molestarle.

»Era una ciudad que apestaba, pero todas las ciudades de juego apestan.»

Bond dobló el recorte de periódico y se lo guardó en el bolsillo.

—Desde luego, suena muy diferente a los tiempos de Lily Langtry —dijo, al cabo de una pausa.

—Muy distinto —respondió Leiter con indiferencia—. Lo que no dice Jimmy Cannon, aunque lo sabe también, es que los duros están allí de nuevo. Ellos o sus sucesores. Sólo que hoy día son propietarios, como nuestros amigos los Spang, que ponen sus caballos en la pista contra los Vanderbilt, los Whitney y los Woodward, y que de cuando en cuando preparan su truco, como han hecho ahora en el caso de *Sonrisa Tímida*. Piensan recoger cincuenta de los grandes en este golpe, y eso resulta mucho más ventajoso que apalear a un apostador por unos pocos billetes. Seguro que algunos de los nombres han cambiado en Saratoga. Pero también ha cambiado el barro de los baños en el balneario.

Al lado derecho de la carretera surgió un enorme cartel:

PAREN EN EL SAGAMORE
Aire acondicionado. Camas mullidas. Televisión.
A ocho kilómetros del balneario y de los manantiales
de Saratoga, donde vivirá con estilo

—Traducido, quiere decir que los vasos para lavarse los dientes estarán envueltos en bolsitas individuales de papel celofán y que el asiento del retrete está forrado con una banda de papel desinfectante —comentó Leiter con sarcasmo—. Y no creas que puedes llevarte una de esas «mullidas camas». Cada motel solía perder, cuándo menos, un colchón por semana. Ahora están atornillados.

11

Sonrisa Tímida

Lo primero que impresionó a Bond en Saratoga fue la verde majestad de los olmos, que contribuía a dar a las discretas avenidas de casas de madera, estilo colonial, algo de la serenidad y de la paz de un balneario europeo.

Había caballos por todas partes: cruzando las calles, con preferencia en el paso, que los policías se encargaban de concederles; interrumpiendo el tráfico; saliendo de las cuadras, que estaban distribuidas por doquier; trotando por los senderos de tierra que bordeaban la carretera, y siendo conducidos a las pistas de entrenamiento que corrían paralelas a las pistas de competición del hipódromo, situado casi en el centro de la ciudad. Mozos de cuadra y jockeys de todas las razas, blancos, negros y mexicanos, aparecían conversando en las esquinas de las calles. De cuando en cuando cortaban el aire los relinchos o el ocasional bramido de los caballos.

Parecía una combinación de Newmarket y de Vichy, y a Bond se le ocurrió pensar que, aunque no estaba demasiado interesado en los caballos, era agradable el género de vida que iba asociada a estos animales.

Leiter le dejó en el Sagamore, que estaba situado en las afueras de la ciudad, a menos de quinientos metros del hipódromo, y se fue a atender sus ocupaciones. Quedaron en encontrarse sólo de noche, a menos que se cruzasen por casualidad en las carreras; pero, aparte de esto, acordaron hacer una visita muy temprano a la pista de entrenamiento, al amanecer del día siguiente, en caso de que estuvieran haciendo una última prueba con *Sonrisa Tímida* antes de la carrera.

Leiter dijo que podía enterarse de esto y de otras muchas cosas, después de pasar una tarde vagando alrededor de los establos y parte de la velada en The Tether, un restaurante que permanecía abierto toda la noche y cuyo bar era el punto de reunión de los bajos fondos de las carreras, cuando venían a la ciudad para las competiciones de agosto.

Bond se inscribió en la recepción del Sagamore firmando «James Bond, hotel Astor, Nueva York», ante la encargada con cara de vinagre y gafas con montura metálica, que sin duda daba por sentado que Bond, como la mayoría de los otros visitantes que venían en busca del «vivir con estilo», tenía la intención de llevarse las toallas, y posiblemente hasta las sábanas.

Estaba en su derecho de pensar lo que quisiera. Bond pagó treinta dólares por tres días, y recibió a cambio la llave de la habitación número 49.

Atravesó el césped con su maleta, entre los lechos de gladiolos y de arbustos del parque y entró en el departamento correspondiente. Una habitación doble, bien arreglada, con sillón, mesilla de noche, grabados de Currier y de Ives, una cómoda con cajones y un cenicero de material plástico, todo lo cual constituye el mobiliario estándar de esta clase de moteles de carretera, en toda América. El lavabo y la ducha eran de diseño práctico y estaban inmaculados; los vasos para enjuagarse los dientes estaban envueltos en papel de celofán «para su protección», como había profetizado Leiter, y el asiento del retrete estaba revestido por una banda de papel en la que se leía la palabra «esterilizado».

Bond se dio una ducha y se cambió de ropa; luego, salió a dar un paseo carretera abajo y se tomó un par de bourbons «viejo estilo» por dos dólares ochenta centavos, en el Restaurante del Pollo, que era una casa de comidas que había a la vuelta de la esquina y que resultaba tan representativa de «la manera de vivir americana» como el motel donde estaba alojado.

Cuando hubo terminado su segundo *bourbon*, volvió a su cuarto y se tendió en la cama para leer el *Saratogian*, en el que tuvo ocasión de enterarse de que un cierto T. Bell sería el jockey de *Sonrisa Tímida* en The Perpetuities.

Poco después de las diez llegó Felix Leiter, cojeando. Olía fuertemente a licor y a cigarro barato y parecía bastante satisfecho de sí mismo.

—He hecho algunos progresos —dijo. Con su gancho arrastró el sillón hasta los pies de la cama, se sentó y sacó un cigarrillo—. Lo que quiere decir que tenemos que levantarnos con los pájaros mañana por la mañana. A las cinco. Van a cronometrar a *Sonrisa Tímida* sobre cuatro largos, a las cinco y media. Me gustaría ver quién hay por allí cuando lo hagan. El propietario aparece como un tal Pissarro. Uno de los gerentes del Tiara se llama así. Otro más con un sobrenombre que es todo un poema: Cerebro manco Pissarro. Solía estar a cargo del negocio de drogas en la banda. Pasaba la mercancía por la frontera mexicana y luego la repartía en pequeñas porciones a los distribuidores de la costa. El FBI le cogió una vez y le hizo pasar una temporada en San Quintín. Cuando salió, Spang le dio este puesto en el Tiara como recompensa por lo que le habían endosado. Y ahora, aquí le tienes como propietario de un caballo de carreras, lo mismo que un Vanderbilt. No es un mal ascenso. Tengo curiosidad por saber qué aspecto tiene estos días. Estaba enganchado en la época en que traficaba con cocaína. En San Quintín le dieron la cura, naturalmente, pero le ha dejado un poco blando de mollera, de todas formas. De aquí le viene el sobrenombre. Luego está el jockey Tingaling Bell. Buen jinete, pero dispuesto a hacer trampas si hay buen dinero para ganar con poco riesgo. Quisiera charlar un poco con él, si logro pillarle a solas. Tengo una pequeña proposición que hacerle. El entrenador es otro sinvergüenza. Se llama Budd. Rosy Budd, para que suene aún más bonito. Estos nombres que tienen son de lo más divertidos. Pero no te dejes engañar por los ellos. Este tipo es de Kentucky; de modo que debe saber de caballos. Ha estado metido en líos por todo el sur. Es lo que corrientemente se llama un «delincuente menor», para diferenciarlos de los «delincuentes mayores», o verdaderos criminales. Ya sabes: hurto, complicidad, violación... Nada demasiado grave. Lo bastante, sin embargo, para que le conozcan en todas las comisarías. Los últimos años parece que se ha mantenido en el buen camino, si quieres llamarle así a trabajar como entrenador de caballos para Spang.

Leiter lanzó el cigarrillo con precisión a través de la ventana, e hizo blanco en un lecho de gladiolos. Luego se levantó y se estiró.

—Ya sabes cuáles son los actores, por orden de aparición. Un elenco de lo más escogido. Me gustaría poder prenderles fuego a todos ellos.

Bond se sentía un poco desconcertado.

—Pero, ¿por qué no te limitas a denunciarlo a los comisarios de pista? —dijo—. ¿Quiénes son tus jefes en todo esto? ¿Y quién paga los cheques?

—Trabajo por cuenta de los principales propietarios. Ellos son los que nos pagan un sueldo, y luego, si los resultados son buenos, una gratificación extra. No conseguiría ir muy lejos si me apoyase en los comisarios de pista. No sería justo tampoco que metiesen al mozo de cuadra entre rejas. Equivaldría a su sentencia de muerte en el oficio. El veterinario ha dado su visto bueno al caballo, cuando en realidad el verdadero *Sonrisa Tímida* hace ya meses que está bajo tierra. No. Tengo mis propias ideas sobre el asunto y, si resultan, no sólo apartaré de las pistas a los Spangled Mob. Ya verás. De todas formas, estate listo a las cinco. Yo vendré a aporrearte la puerta, por si acaso.

—Descuida —dijo Bond—. Estaré esperándote en el patio con mis botas y mi silla de montar cuando los coyotes estén todavía aullándole a la luna.

Bond se despertó a tiempo, y ya estaba a punto cuando Leiter vino a buscarle. Echaron a andar bajo los olmos en dirección a las cuadras. Por el este el cielo se iba tiñendo de iridiscencias color gris perla, como las de un balón de goma al que se ha llenado con humo de cigarrillo, y los pájaros comenzaban a lanzar las notas de su primera canción. Se oía a los caballos, que empezaban a impacientarse bajo el aire fresco y transparente del alba. De las chimeneas que quedaban más allá de las cuadras se elevaban al cielo algunas columnas de humo azulado, que entremezclaban su olor de madera fresca ardiendo con el aroma del café y la frescura del rocío matutino. Comenzaba a oírse el raspar de las palas de limpieza, manejadas por los mozos de cuadra, y el murmullo creciente de hombres y caballos entre los álamos en dirección a la cerca de madera blanca, que limitaba el terreno de las pistas.

Una hilera de caballos apareció por fin al descubierto, cada uno de ellos conducido por un muchacho, que sujetaba la brida alta, cerca del bocado, mientras iban hablando a los animales con tierna rudeza: «¡Eh!, perezoso, ¡levanta las patas!...». «¡Vamos! No pareces un jaco de carreras esta mañana...»

—Están preparándose para los entrenamientos de la mañana —dijo Leiter—. Pruebas de galope. Ésta es la hora que los entrenadores odian más. Cuando vienen los propietarios.

Se acodaron sobre la valla, gozando del encanto matutino y pensando en el desayuno. El sol, elevándose lentamente sobre el horizonte, comenzó a dorar las copas de los árboles que se elevaban al otro extremo de las pistas, como a ochocientos kilómetros de donde ellos se encontraban.

Poco a poco, se borraron las últimas sombras del amanecer y clareó el día.

Como si hubiesen estado esperando esta señal, tres hombres aparecieron por detrás del grupo de árboles que quedaba a su izquierda. Uno de ellos conducía por la brida un alazán con una mancha blanca en la frente y las patas, desde un poco más abajo de las rodillas, también blancas.

—No mires hacia ellos —dijo Leiter—. Vuélvete de espaldas a la pista y haz como si estuvieses interesado en aquella fila de caballos que llega por el otro lado. Ese viejo encorvado que viene con ellos es Sunny Jim Fitzsimmons, el mejor entrenador que hay en América. Y ésos son los animales de Woodward. La mayoría de ellos se clasificarán en cabeza en esta competición. Toma un aire despreocupado mientras yo observo a nuestros amigos. No conviene que nos vean interesados. Veamos. Ahí viene un mozo de cuadra conduciendo a *Sonrisa Tímida* por la brida. Detrás llega Budd, como era de esperar, y mi viejo amigo Cerebro manco, luciendo una espléndida camisa color lila. Siempre ha sido muy elegante. También el caballo tiene buen aspecto. Pecho poderoso. Le acaban de quitar la manta y parece que no le gusta el frío. Está tirando como un loco y el mozo de cuadra apenas puede contenerle. Vamos a ver si le da una buena coz en la cara a míster Pissarro. Ahora Budd le coge por las riendas y le están tranquilizando. Ha ayudado a montar al mozo. Le llevan hacia las pistas. Ahí va trotando, junto a la cerca, hasta uno de los postes de cronometraje. Los granujas han sacado sus relojes y están echando una ojeada para ver quién hay por aquí. Nos han visto, James. Procura parecer todo lo casual que puedas. En cuanto arranque el caballo ya no se interesarán en nosotros. ¡Ya está!, puedes volverte. *Sonrisa Tímida* está al otro lado de la pista y le tienen enfocado con los prismáticos, esperando que arranque. Y serán cuatro largos de pista. Pissarro se ha colocado junto al quinto poste.

Bond se dio la vuelta y miró al otro lado de la valla, hacia su izquierda. Vio dos robustas figuras con los gemelos en los ojos y el reloj en la mano. El sol arrancaba destellos de las lentes de sus binoculares, pero la sombra de los olmos que caía sobre ellos parecía mantener sus figuras en la semipenumbra.

—¡Ahí va! —dijo Leiter.

A lo lejos, Bond pudo distinguir la silueta en movimiento de un caballo a todo galope, que en aquel momento tomaba la curva de la pista y embocaba la recta que tenían enfrente. Cuando aún estaba lejos era solamente una imagen silenciosa, pero a medida que se aproximaba en su avance el ruido de sus cascos aumentó, hasta que el animal pasó por delante de ellos como una exhalación y se lanzó hacia el último largo en dirección al grupo de hombres que esperaba.

Bond sintió una sacudida en la médula cuando el caballo pasó frente a ellos, jadeando y con los ojos enloquecidos por el esfuerzo, el batir de sus cuartos traseros resonando sobre la tierra y el aliento que salía como una humareda de sus narices distendidas. Encima de su lomo, el muchacho, arqueado como un gato, con la cabeza baja sobre el cuello de su montura y los pies apenas apoyados en la punta de los estribos. Pasaron por delante como un torbellino levantando polvo, y los ojos de Bond giraron para buscar las figuras de los dos hombres que esperaban a lo lejos y observó cómo se agachaban ahora y cómo paraban el cronómetro de sus relojes.

Leiter le tocó levemente en el brazo y echaron a andar con aparente despreocupación, alejándose de la pista hacia el grupo de álamos bajo cuyas ramas habían aparcado el coche.

—Corre condenadamente bien —comentó Leiter mientras se instalaba al volante—. Mejor de lo que el verdadero *Sonrisa Tímida* corrió nunca. No tengo idea de qué tiempo hizo, pero no hay duda de que quemaba la pista. Si puede mantener esa velocidad durante dos kilómetros, entrará en cabeza. Y aún le concederán un margen de peso de seis libras, ya que no ha ganado ninguna carrera este año. Eso le da todavía una cierta ventaja. Ahora, en marcha, vamos a tomarnos un desayuno de campeonato nosotros también. Ver a esos granujas tan de mañana me ha abierto el apetito.

Luego añadió suavemente, casi como si hablase para sí mismo:

—Después iré a ver cuánto quiere míster Bell por hacer trampas y aceptar que le descalifiquen.

Una vez que hubieron concluido el desayuno y que Leiter se hubo extendido un poco más sobre sus planes, Bond se fue a dar una vuelta que duró casi toda la mañana, almorzó en el hipódromo y se dedicó a contemplar las carreras sin importancia, que Leiter le había dicho que podría ver durante las primeras horas de la tarde, antes de que tuviera lugar la gran competición.

Era un día muy hermoso y Bond se deleitó escuchando las tonalidades de lenguaje de las gentes de Saratoga, en el que se mezclaba el acento de Brooklyn con el de Kentucky, en la multitud que pululaba por todas partes. Era un verdadero espectáculo la elegancia de los propietarios y de sus amigos, en la tribuna protegida por la sombra de los árboles, la eficiente mecánica del sistema de apuestas, el enorme tablero donde se leía en letras luminosas la cuantía de las apuestas y la proporción de ganancia de los premios, las compuertas de salida que eran puestas en posición sobre el terreno por un tractor, el lago de juguete con sus seis cisnes y su canoa india anclada en el centro, y por todas partes aquel adicional toque de color que ponían los negros, elemento primordial en toda carrera de caballos americana, después de los jockeys.

Todo parecía estar mejor organizado de lo que lo estaba en Inglaterra, con menos posibilidades de fraude, precisamente allí donde había ido a descubrir uno; pero detrás de las apariencias, Bond sabía que estaba funcionando en aquellos mismos instantes un servicio ilegal de cables, transmitiendo los resultados de cada carrera a través de todo el país, para ir disminuyendo el balance de primas probables a un máximo de 20-8-4, veinte para los ganadores, ocho para los dos primeros y cuatro para los seguidores, y que gracias a este sistema millones de dólares iban a parar cada año a los bolsillos de los gánsteres para quienes las carreras no eran más que otra fuente de ingresos, como la prostitución y las drogas.

Bond ensayó, por distraerse, la combinación que Chicago O'Brien había hecho famosa. Apostó sobre cada favorito probable como aspirante, o «en cabeza», según rezaba la casilla correspondiente de su boleto, y para el final de la octava carrera de la tarde había ganado ya unos quince dólares y algunos centavos.

Regresó a su hotel entre la multitud, y después de darse una ducha y dormir un rato, salió de nuevo y encontró un restaurante cercano al recinto de ventas. Allí pasó una hora, bebiendo lo que Leiter le había dicho que estaba de moda en los círculos hípicos: bourbon con agua mineral. Bond supuso que el agua procedía realmente del grifo que había detrás del mostrador, pero Leiter le había dicho que los verdaderos bebedores de bourbon insisten en tomar su whisky según las normas de la tradición, con agua de las fuentes altas del río local, donde es más pura. El *barman* no pareció sorprenderse en absoluto cuando se la pidió así, y Bond sonrió para sus adentros al pensar en la ridícula vanidad que esto representaba. Luego se comió un *steak* de proporciones respetables y después de paladear un último trago se dirigió hacia el pabellón de subastas, lugar que Leiter había fijado para encontrarse.

El pabellón de subastas era una construcción de madera blanca, con gradas descendentes de bancos en torno a una zona circular que estaba pintada de verde para imitar la hierba, sin duda. A un lado de este círculo se alzaba la tarima del subastador, rodeada por una cerca de cuerda gruesa pintada con purpurina plateada. A medida que los caballos eran introducidos en el círculo, bajo la cegadora luz de neón, el hombre encargado de las subastas, el temible Swinebroad, de Tennessee, recitaba la historia del animal, y luego daba comienzo la subasta, partiendo de lo que él consideraba una base conveniente, subiendo luego a medida que crecían las ofertas. Su voz repetía las cifras con una cantinela monótona, con la colaboración de dos ayudantes, con chaqueta de gala, situados en los laterales, pendientes de avistar y transmitir a su jefe cada mano levantada o cada gesto de cabeza que se hiciera desde las filas de propietarios y agentes, todos elegantemente vestidos.

Bond tomó asiento detrás de una mujer huesuda, con traje de noche y estola de armiño, cuyas muñecas, delgadas como alambres, tintineaban de joyas refulgentes cada vez que alzaba el brazo para hacer una señal. Junto a ella estaba sentado un hombre de aspecto aburrido, con chaqueta blanca y corbata de color rojo oscuro, que debía ser su esposo o su acompañante.

Un bayo nervioso apareció en el círculo, piafando, con el número 201 pegado de cualquier manera a su grupa. Comenzó la cantilena:

—Yo pongo seis mil. ¿Quién dice siete mil, ahora...? Siete mil tres, cuatro... cinco; sólo siete mil y medio por este espléndido potro de Teherán. Ocho mil, muchas gracias, señor. ¿Quién dice nueve mil? Ocho mil quinientos, digo yo. ¿Quién dice ocho, nueve, ocho, cinco...? Nueve y seis... y siete. ¿Quién va a darme la gran cifra...?

Pausa, un bang del martillo, una mirada de leve reproche hacia los bancos frontales donde estaba sentado el dinero fuerte. «Muchachos, este potro de dos años es regalado. Estoy vendiendo más carne de ganador por este dinero del que he vendido en todo el verano. Ahora: ocho mil setecientos, ¿quién me da nueve mil? Nueve... nueve, nueve, ¿dónde está el nueve?»

La mano de la momia con brazaletes y anillos sacó un lápiz de bambú y oro de su bolso y se puso a escribir sobre el programa de subastas. Bond pudo leer las palabras «34 subasta anual de potros, Saratoga. Número 201, un potro bayo». Luego la mujer alzó sus ojos plomizos hacia el potro y su mano huesuda y levantó el lápiz en el aire.

—... Y nueve mil es la cifra. Nueve, ¿quién me da diez? Diez, vamos a ver. Algún alza sobre los nueve... ¿Oigo nueve uno, nueve uno... nueve uno?

Una pausa y una última mirada interrogante a las gradas blancas llenas de público. Luego, un golpe de martillo.

—Vendido por nueve mil dólares. Gracias, señora.

Cabezas que se daban la vuelta y se alzaban en los bancos para echar una ojeada a la mujer de las joyas en las muñecas, que parecía aburrida y dijo algo al hombre que había a su lado, quien a su vez, le contestó con un encogimiento de hombros.

El número 201, un potro bayo, fue conducido de nuevo fuera de la pista y entró el número 202, casi de costado, para quedar temblando durante un momento bajo la intensidad de las luces, la sorpresa de tantas caras desconocidas en torno, y el vaho de olores extraños.

Hubo un movimiento en la fila de bancos detrás de donde Bond estaba y vio, casi junto a la suya, la cara de Leiter, que le murmuraba en el oído:

—Hecho. Va a costar trescientos dólares, pero por esta suma está dispuesto a hacer la trampa. Justo durante el último largo, antes de iniciar el *sprint* final hacia la meta. ¡Bien, muchacho! Te veré por la mañana.

Murió el susurro y Bond continuó sentado como estaba, sin volver la cabeza. Aún presenció un par de subastas, y luego salió del local y echó a andar lentamente bajo los olmos, en dirección al Sagamore. Sentía una cierta pena por aquel jockey llamado Tingaling Bell, que se arriesgaba a un juego sucio tan peligroso, y también por aquel caballo alazán que, no sólo iba a correr usurpando el nombre de *Sonrisa Tímida* sino que, además, iba a ser conducido de la manera más antideportiva durante los últimos metros de la prueba.

12

Las Perpetuidades

Bond estaba sentado en la gran tribuna, contemplando con sus prismáticos alquilados cómo el propietario de *Sonrisa Tímida* se daba un atracón de cangrejos.

El gángster estaba sentado en la terraza del restaurante que quedaba cuatro filas por debajo de Bond. Frente a él estaba sentado Rosy Budd engullendo salchichas de Francfort con coles agrias, y bebiendo cerveza en un enorme *bock*. Aunque todas las otras mesas estaban ocupadas también, los camareros parecían atender la suya con más esmero, e incluso el *maître* hacía frecuentes paseos hasta ellos para comprobar que todo marchaba perfectamente.

Pissarro tenía todo el aspecto de un gángster de historieta cómica. Su cabeza era como un globo, en la que los rasgos del rostro parecían amontonados: dos ojillos como puntas de alfiler, dos aberturas negras en la nariz, y una boquita pequeña, de labios carnosos, sobre un conato de barbilla apenas visible que rebosaba por encima de la grasa del cuello. La grasa estaba por todas partes, en aquel cuerpo hinchado, bajo el traje marrón y la camisa blanca de cuello con puntas largas, cerrado por una corbata color chocolate, de nudo postizo. No parecía interesado en los preparativos de la primera carrera; toda su atención se concentraba en la comida, y de cuando en cuando echaba una mirada con el rabillo del ojo al plato de su compañero, como si se sintiera tentado de meter su tenedor allí también.

Rosy Budd era corpulento y de aspecto duro, con cara de póquer, sin expresión, los ojos de color gris pálido hundidos en las cuencas bajo las cejas finas, de pelo rubio. Iba vestido con un traje a rayas y una corbata azul oscuro. Comía lentamente y rara vez levantaba los ojos del plato. Cuando hubo terminado, cogió un programa de las carreras y se puso a estudiarlo con detenimiento, página tras página. Sin levantar la vista, denegó con la cabeza cuando el *maître* le presentó nuevamente el menú.

Pissarro, en cambio, se entretuvo limpiándose los dientes hasta que llegó su enorme helado, y tan pronto como lo tuvo delante se concentró en engullirlo a grandes cucharadas.

A través de sus prismáticos, Bond estudiaba a los dos hombres, tratando de hacerse una imagen de sus caracteres respectivos. ¿Cómo serían, realmente? Bond recordaba jugadores de ajedrez rusos, fríos y calculadores; alemanes neuróticos y brillantes; hombres anónimos de la Europa central, silenciosos e implacables; sus propios compañeros en el Servicio: los arriesgados, los alegres soldados de fortuna, los hombres que estaban dispuestos a jugarse la vida por mil dólares al año. Comparados con tales hombres, esta gente que estaba empezando a conocer no parecían otra cosa que bandidos de fantasía creados por la imaginación de un adolescente.

Salieron los resultados de la tercera carrera. Apenas faltaba ya media hora para la prueba de Las Perpetuidades. Bond bajó sus prismáticos y sacó el programa, en espera de que el tablero luminoso que había al otro lado de la pista comenzase a registrar la proporción de apuestas y ganancias a medida que el dinero fluía a las taquillas de boletos.

Echó mientras tanto una última ojeada a los detalles del programa: «Las Perpetuidades. 25.000 dólares de premio. Prueba número 52 de la serie. Para caballos de tres años. Boletos de 50 dólares. Premios iniciales de 250 dólares, plus. 25.000 dólares al ganador, 5.000 dólares al segundo colocado, 2.500 al tercer puesto, 1.250 al cuarto puesto. Se concederá un trofeo al propietario del ganador. Distancia: dos kilómetros». Seguía la lista de los doce caballos con los nombres de sus propietarios, entrenadores y *jockeys*, y las predicciones del *Morning Line* sobre la carrera.

Los dos favoritos, *Vuelve otra vez*, registrado con el número 1, propiedad de míster C. V. Whitney, y *Acción por favor*, número 3, propiedad de míster William Woodward, estaban previstos con primas de 6 a 4 en adelante. *Sonrisa Tímida*, propiedad de míster P. Pissarro, entrenador R. Budd, *jockey* T. Bell, aparecía con posibilidades de 15 a 1, realmente el último caballo en la lista. Su número de inscripción era el 10.

Bond dirigió de nuevo sus prismáticos a la terraza del restaurante. Los dos hombres se habían ido ya. Miró el tablero luminoso: el favorito era ahora el número 3, con probabilidades de 2 a 1 en adelante. *Vuelve otra vez* se había nivelado, y *Sonrisa Tímida* quedaba en 20 a 1, pero bajó a 18, mientras Bond estaba mirando el tablero.

Todavía quedaba un cuarto de hora antes de que empezara la carrera. Bond encendió un cigarrillo y se acomodó en su banco a esperar, recordando lo que Leiter le había contado y preguntándose si daría resultado.

Según le dijo Leiter, había ido a ver al *jockey* a su hotel y le había puesto su licencia de detective delante de las narices. Después, le había hecho tranquilamente su proposición de chantaje para que perdiese la carrera. Si *Sonrisa Tímida* ganaba, Leiter iría a los jueces de pista, les explicaría la suplantación, y Tingaling Bell no volvería a montar en su vida. Le quedaba una posibilidad de librarse. Si la aceptaba, Leiter le daba su palabra de que no diría nada a los jueces de campo. *Sonrisa Tímida* podía ganar la carrera, pero tenía que ser descalificado. Esto podía conseguirse en la última recta, si Tingaling Bell se cruzaba con el caballo más próximo a él, de modo que pudiera demostrarse que le había impedido correr libremente y, por tanto, ganar. Quedaba una objeción, que había que tener en cuenta. Pero podía salvarse también. Tingaling Bell tendría que dar su empujón al otro caballo justo al tomar la última curva antes de la recta final, de modo que pudiese explicar a sus patrones que era el otro caballo el que se le había echado encima, y que en la excitación del momento no había podido evitar esta reacción de celo excesivo para evitar que su montura se tambalease. No había ninguna razón lógica por la que no debiera querer ganar, ya que Pissarro le había prometido una bonificación de mil dólares si lo hacía. No era nada más que uno de esos imprevistos de mala suerte que ocurren a veces en la pista. Leiter estaba dispuesto a entregarle ahora mil dólares en mano, y había otros dos mil esperándole si hacía las cosas tal como le había dicho.

Bell aceptó. Sin vacilación alguna. Y había dicho a Leiter que los dos mil restantes debía entregárselos en los baños de sulfuro que había en el balneario, y adonde él iba cada noche a tomar un baño de barro para mantener el peso. A las seis. Leiter le prometió hacerlo así.

Ahora era Bond el que tenía los dos mil dólares en su bolsillo y quien había accedido, con cierta desgana, a ir a efectuar el pago en lugar de Leiter, si *Sonrisa Tímida* perdía la carrera.

¿Iba a dar resultado?

Bond cogió sus prismáticos, se los llevó a los ojos y echó una mirada circular por la pista. En la distancia vio los postes gruesos que marcaban los quinientos metros y a los que estaban conectadas las cámaras automáticas que tomaban una cinta completa de la carrera, que era entregada a los jueces a los pocos minutos de la llegada a la meta. Era esta última cámara, emplazada frente a la línea de llegada, la que iba a registrar todo lo que ocurriese a partir de la última curva. Bond sintió un latigazo de excitación. Cinco minutos más y se abrirían las vallas de las compuertas de salida, que quedaban a unos doscientos metros a su izquierda. Una vuelta completa, más un largo, y el juego habría terminado. El poste de llegada quedaba justo debajo de él. Volvió a enfocar el tablero con sus binoculares. No había ningún cambio en los favoritos ni en los puntos de *Sonrisa Tímida*. Aquí llegaban ahora los caballos, trotando con soltura hacia la línea de salida. *Vuelve otra vez*, número 1 y segundo favorito en la prueba, venía el primero. Era un espléndido caballo negro, con los colores marrón y azul de las cuadras de Whitney. Detrás venía el primer favorito, *Acción por favor*, que fue acogido con un verdadero clamor en las tribunas. Era un potro gris, de líneas nerviosas, que llevaba la enseña blanca con lunares rojos de la famosa dehesa de Belair, de Woodward. Y al fondo del grupo apareció el alazán con la mancha blanca en la frente y los cuatro zapatos blancos, montado por un *jockey* pálido, que llevaba una blusa de montar de seda color lavanda, con un rombo negro en el pecho y otro en la espalda.

El animal tenía tan buena figura que Bond no se sorprendió de ver en el tablero luminoso que sus puntos habían bajado a 17 y, un momento después, a 16. Continuó mirando el tablero. En un minuto llegaría la avalancha de dinero (todo excepto el cambio de los mil, que aún le quedaba a Bond en el bolsillo). Los altavoces estaban ya anunciando la carrera. Allá, a la izquierda, estaban situando a los caballos detrás de las vallas de salida. Las luces correspondientes al número 10 empezaron a parpadear en el tablero: 15, 14, 12, 11... y, finalmente, 9 a 1. Luego quedaron fijas y se cerraron las apuestas. Pero ¿cuántos miles más habían sido cablegrafiados a través de la Western Union a inocentes direcciones telegráficas en Detroit, Chicago, Nueva York, San Francisco y una docena más de oficinas de apuestas desparramadas por todos los estados?

Sonó la campana con un clang agudo. El aire pareció electrizarse y la multitud guardó silencio, mientras los caballos pasaban como una tromba por delante de las tribunas y se perdían a lo lejos, entre una nube de tierra y viruta de corcho y el resonar de los cascos sobre la pista. Fue como un *flash* de caras pálidas semiocultas por las gafas protectoras, un torrente de pechos batientes y de grupas brillantes, de ojos dilatados y de narices que resoplaban bajo el esfuerzo, una confusión de números entremezclados, entre los que Bond pudo percibir al 10 en el pelotón de cabeza, cerca de las vallas. Luego, el polvo comenzó a disiparse y pudo ver la masa de animales tomando la primera curva y alargándose sobre el fondo del hipódromo. Se dio cuenta de que tenía sudor en las cuencas de los ojos, allí donde apoyaba los prismáticos.

El número 5, un desconocido de color negro, era el primero por un cuerpo. ¿De dónde procedía este potro? ¿Era él quien iba a llevarse el triunfo? Pero allí estaban alcanzándole ya el número 1, y en seguida el número 3. El número 10 iba a medio cuerpo del grupo de cabeza. Cuando tomaron la curva siguiente, el número 1 iba delante. El caballo negro de Whitney. El número 10 iba en cuarto lugar, pisándole los talones al número 3. Los dos consiguieron pasar al número 5 y se acercaron al número 1, que iba todavía en cabeza por medio cuerpo. Llegaron a la curva y embocaron la recta del fondo con el número 3 a la cabeza seguido por *Sonrisa Tímida* y el número 1 a medio cuerpo detrás. *Sonrisa Tímida* iba alcanzando al número 3. Ya le había alcanzado. Doblaban la última curva. Bond contuvo el aliento. ¡Ahora! Casi le pareció escuchar el chirriar de la cámara oculta en el gran poste blanco. El número 10 iba delante por la parte de fuera al tomar la curva, pero el número 3 se mantenía pegado a las vallas. La multitud aclamaba enloquecida al favorito. Ahora Bell estaba acercando su montura al caballo gris, manteniendo la cabeza casi por debajo del cuello del animal, por la parte de fuera, de modo que pudiera parecer que no veía al otro a su costado. Milímetro a milímetro los caballos estaban cada vez más cerca uno del otro, y de pronto la cabeza del gris quedó oculta por la cabeza de *Sonrisa Tímida*, luego los cuartos traseros de éste pasaron delante y pudo verse cómo el jinete de *Acción por favor* se enderezaba en sus estribos, obligado a contener a su animal a causa del empujón, e inmediatamente *Sonrisa Tímida* aparecía en cabeza con un cuerpo de ventaja.

Se oyó un clamor de indignación que subía de la multitud. Bond bajó los prismáticos y se acomodó en su asiento para ver cómo el alazán cubierto de espuma pasaba como una centella por delante del poste de llegada, seguido a cinco cuerpos por *Acción por favor*, y *Vuelve otra vez* casi a su nivel y a punto de arrebatarle el segundo puesto.

«No ha estado mal —pensó Bond—. No ha estado mal del todo», se repitió interiormente, mientras la multitud aullaba en torno suyo.

¡Y qué brillantemente lo había hecho el *jockey*! Su cabeza tan baja que incluso Pissarro tendría que admitir que le era imposible ver al otro caballo. La postura en arco, característica de la recta final. La cabeza todavía baja al pasar el poste, y la fusta batiendo los costados de su montura durante los últimos metros, como si Tingaling pensara todavía que sólo estaba medio cuerpo por delante del número 3.

Bond esperó a que anunciasen los resultados. Se oyó un verdadero coro de silbidos y de protestas cuando aparecieron sobre el tablero:

«Número 10, *Sonrisa Tímida*, a cinco cuerpos. Número 3, *Acción por favor*, a medio cuerpo. Número 1, *Vuelve otra vez*, a tres cuerpos. Número 7, *Pirandello*, a tres cuerpos».

Volvían los caballos trotando hacia las básculas y la multitud gritó pidiendo sangre cuando Tingaling Bell, con una sonrisa que le cubría todo el rostro, arrojó su fusta al mozo de cuadra y desmontó suavemente para llevar su silla a la báscula.

Luego vino la gran explosión. En el tablero, junto al nombre de *Sonrisa Tímida*, apareció la palabra «objeción», escrita en blanco sobre negro, y los altavoces comenzaron a anunciar:

«Atención, por favor. En esta carrera ha habido una objeción presentada por el *jockey* T. Lucky, sobre número 3, *Acción por favor*, contra la actuación en silla del *jockey* T. Bell sobre número 10, *Son-*

risa Tímida. Conserven sus boletos. Repito. Conserven sus boletos».

Bond sacó el pañuelo y se enjugó las manos. Podía imaginar sin dificultad la escena que se estaba desarrollando en aquellos momentos en el cuarto de proyección que había detrás de la tribuna de los jueces. Ahora estarían examinando la película. Bell permanecería allí, en pie, con aire ofendido, y junto a él estaría el *jockey* de número 3, más ofendido aún. ¿Estarían también los propietarios? Si Pissarro estaba presente, el sudor debía correrle en gruesas gotas hasta el cuello por sus mejillas fofas. ¿Estaría también alguno de los otros propietarios, pálido y enfadado?

Se oyó de nuevo la voz de los altavoces, que anunciaban:

«Atención, por favor. En esta carrera, el número 10, *Sonrisa Tímida*, ha sido descalificado, y el número 3, *Acción por favor* ha sido declarado vencedor. El resultado es ahora oficial».

Entre el rugido que lanzó la multitud, Bond abandonó muy rígido su asiento y echó a andar en dirección al bar. Quedaba la cuestión de la paga al *jockey*. Quizá un poco de bourbon y agua mineral le ayudasen a pensar en la mejor forma de pasarle el dinero a Tingaling Bell. No le gustaba la perspectiva, sin embargo, aunque los baños de sulfuro y barro de la montaña parecían un lugar bastante seguro para la transacción. Nadie le conocía en Saratoga. Pero una vez liquidado esto, tenía que dejar de trabajar para los Pinkerton. Llamar a Shady Tree y quejarse de no haber conseguido sus cinco mil dólares. Darle un poco de preocupación a propósito de su propia paga. Había sido divertido ayudar a Leiter a manejar sus peones. Pero ahora le llegaba el turno a él.

Empujó la puerta del bar y se acercó a la barra, que estaba verdaderamente abarrotada de gente.

13

Sulfuro y barro de la montaña

El autobús era pequeño, de color rojo, y el único pasajero que había en él era una joven negra, con un brazo deforme, sentada junto al chófer. La muchacha ocultaba sus manos entre los pliegues de su delantal y llevaba la cabeza completamente oculta por un velo espeso, que le caía hasta los hombros sin tocarle la cara, y que más bien parecía uno de esos capuchones que usan los encargados de las colmenas para protegerse de las abejas.

El letrero del autobús decía: «A los baños de sulfuro y barro de la montaña». Y debajo: «Cada hora, a la hora en punto». Estos dos letreros estaban escritos sobre el cristal del parabrisas.

El autobús recorrió las calles de la ciudad sin que subiese ningún otro pasajero, y luego salió de la carretera principal y se metió por una lateral de grava que corría a través de un pinar. Al cabo de un kilómetro y medio dobló una curva y comenzó a descender una cuesta, al fondo de la cual se veían unos cuantos edificios de madera, pintados de gris. En el centro del grupo de edificios se erguía una chimenea alta, de ladrillo amarillento, de la que salía una tenue columna de humo negro, ascendiendo casi vertical en el aire inmóvil.

No se veía ningún signo de vida en torno a los baños, pero cuando estuvieron más cerca de la plazoleta de grava que se extendía frente a la entrada, Bond vio salir a dos hombres de edad avanzada, y a otra mujer de color, de una especie de puerta de tela metálica que se abría al final de los escalones. Los tres se quedaron allí parados, esperando que descendiesen los pasajeros del autobús.

El olor a sulfuro era intenso, casi nauseabundo. Un olor horrible, que parecía salir de las entrañas de la tierra. Bond se apartó de la entrada y fue a sentarse en un banco de madera que había junto a un grupo de pinos secos. Se quedó allí unos minutos, preparándose mentalmente para la entrevista que le esperaba al otro lado de aquella puerta, y también tratando de sacudirse aquella sensación de repugnancia y de disgusto que le oprimía. Era, pensó, la reacción natural de un organismo sano frente a aquella atmósfera enfermiza y era, también, la vista de aquella chimenea tétrica, con su hilillo ridículo de humo negruzco. Y, sobre todo la perspectiva de pasar aquella puerta, comprar su tique, y desnudarse para recibir sobre su cuerpo limpio todas las cosas inmencionables que, seguramente, se utilizaban en las curas en aquel condenado lugar.

El autobús arrancó de nuevo y Bond se encontró solo en la plazoleta. Reinaba una calma casi absoluta. Bond se divirtió con el pensamiento de que las dos ventanas del muro y la puerta formaban los ojos y la boca de una cara ridícula, que le miraba, esperando a que se decidiese. Bien, ¿iba a entrar? ¿Iba a dejarse devorar por aquella cara?

Se removió con impaciencia. Luego, se puso en pie y caminó directamente hacia la puerta, sintiendo crujir la grava de la plazoleta bajo sus pies. Subió el tramo de escalones y empujó el marco de entrada, con su tela metálica.

Ya estaba dentro. En aquel vestíbulo, un tanto miserable, los olores de sulfuro eran aún más intensos. Detrás de una rejilla de hierro se veía una mesa de recepción. De las paredes colgaba multitud de testimonios, algunos de ellos con cintas rojas pegadas bajo la firma, y también había una vitrina junto a una de las paredes, tras cuyos cristales se veía una gran cantidad de paquetes envueltos en papel transparente. Sobre la vitrina había un rótulo escrito a mano con una caligrafía muy pobre, imitando caracteres de imprenta: «Llévese a casa un paquete de barro de la montaña. Continúe su cura en privado». Seguía una lista de precios, pegada sobre el cartón de un anuncio de desodorante barato. Pero, a pesar de la cartulina con los precios, aún podía leerse una frase publicitaria. Decía: «Deje que sus axilas sean los pozos de su encanto».

Una mujer marchita, con una cara como la de un merengue seco, coronada por un mechón de pelos mal peinados color naranja, alzó los ojos hacia él por detrás de la rejilla del pupitre de recepción, sin retirar su dedo índice del párrafo de *Verdaderas historias de amor* que estaba leyendo.

—¿Puedo ayudarle? —era el tono de voz reservado a los extraños, a aquellos que aún no se habían familiarizado con el establecimiento.

Bond miró a través de la rejilla, con la cautelosa desconfianza que ella esperaba.

—Quisiera tomar un baño.

—¿De barro o de azufre?

—De barro.

—¿No quisiera un carné de abono? Resulta más económico.

—Solamente un tique, por favor.

—Dólar cincuenta —dijo la momia empujando un papel color malva por la abertura inferior de la rejilla, sin levantar de él su dedo hasta que Bond hubo depositado el dinero.

—¿Por dónde voy?

—Todo derecho —dijo la mujer—. Siga el corredor. Será mejor que deje aquí sus objetos de valor —añadió al mismo tiempo que le pasaba un sobre blanco, de forma alargada, por debajo de la reja—. Escriba su nombre aquí.

Luego observó de reojo cómo Bond metía su reloj de pulsera y el contenido de sus bolsillos dentro del sobre y escribía su nombre.

Los veinte billetes de cien dólares los llevaba en el bolsillo del pecho de la camisa. Tuvo un momento de duda. Luego empujó el sobre de nuevo hacia la mujer.

—Gracias.

—De nada.

Había una compuerta giratoria al extremo del vestíbulo y, sobre él, dos manos de madera pintadas de blanco, cuyos índices respectivos señalaban uno a la derecha y otro a la izquierda. En una mano había escrito «barro» y en la otra, «azufre». Bond empujó la barra de la compuerta y se dirigió hacia la derecha por un corredor sombrío, con suelo de cemento, que descendía hacia el fondo, hasta llegar a una puerta de muelle oscilante. La empujó y se encontró en el interior de una estancia alargada, con un tragaluz de cristales en el techo y cabinas a ambos lados de las paredes.

El aire estaba caliente, lleno de vapores y de olor a sulfuro. Dos hombres de aspecto blando, desnudos excepto por las toallas que llevaban enrolladas en torno a la cintura, estaban jugando a las cartas en una mesita de madera cercana a la puerta. Sobre la mesa había un cenicero rebosante de colillas, y un plato de loza en el que se veían varias llaves. Al entrar Bond, los dos hombres levantaron la vista y uno de ellos cogió una llave del plato y se la tendió. Bond se acercó a ellos y cogió la llave.

—Doce centavos —dijo el hombre—. ¿Tiene su tique?

Bond se lo enseñó y el hombre le hizo un gesto con la cabeza señalando la hilera de cabinas situada a su espalda.

—Al final. Los baños están al otro lado.

Los dos hombres volvieron a su juego.

La cabina estaba totalmente vacía, excepto por una toalla que las constantes coladas habían dejado casi desprovista de pelo. Bond se desnudó, sintiendo el ambiente frío, y se puso la toalla alrededor de la cintura. Hecho esto, sacó el fajo de billetes, lo enrolló lo mejor que pudo y lo colocó en el bolsillo alto de su chaqueta, debajo del pañuelo, con la esperanza de que éste iba a ser el último sitio donde se le ocurriría mirar a un ratero con prisa. Colgó la funda con su revólver de uno de los ganchos que había en la pared, salió de la cabina y cerró con llave.

No tenía la menor idea de lo que iba a encontrarse al otro lado de la puerta que había al fondo de la estancia. Pero la primera impresión que tuvo fue que estaba entrando en un depósito de cadáveres. Antes de que pudiese resumir sus impresiones se le acercó un negro gordo y calvo, con un gran bigote colgante y descuidado, que le examinó de arriba abajo.

—¿Qué es lo que le pasa, señó? —le preguntó con indiferencia.

—Nada en realidad —contestó Bond, cortante—. Sólo quiero tomar un baño de barro.

—*Okey* —dijo el negro—. ¿Algún trastorno de corazón?

—No.

—*Okey*. Venga por aquí.

Bond siguió al negro por aquel piso escurridizo hasta un banco de madera, situado frente a dos cuartitos de ducha en condiciones verdaderamente lamentables, en uno de los cuales había un cuerpo desnudo del que caía abundante barro, bajo el chorro de una manguera manejada por un hombre que tenía una oreja en forma de coliflor.

—En seguida estoy con usted —dijo el negro, con aire indolente, y se alejó chapoteando sobre el suelo mojado.

Bond le miró alejarse y se le puso carne de gallina al pensar en su cuerpo manoseado por aquellas enormes palmas rosadas, como de goma.

Sentía un afecto natural por la gente de color, pero reflexionó en la gran suerte que tenía Inglaterra comparada con América, donde uno tenía que vivir desde la infancia haciendo frente a este problema. Sonrió para sus adentros al recordar algo que Felix Leiter le había dicho en una ocasión, durante el último trabajo que hicieron juntos en América, años atrás. Bond se había referido a míster Big, el conocido asesino de Harlem, llamándole «ese maldito negro» y Leiter le había interrumpido en seco: «Ten cuidado con lo que dices, James. La gente de por aquí es muy susceptible en esto del color. Tanto, que no puedes ni pedirle un vermú "negro" a un *barman* sin exponerte a un problema. Tienes que pedirle un vermú "moreno"».

El recuerdo de la broma de Leiter le levantó un tanto el espíritu. Apartó los ojos de la enorme mole del negro y se dedicó a observar los detalles de los baños de «barro de la montaña».

Era una estancia cuadrada, con paredes de cemento gris. Del techo colgaban cuatro bombillas desnudas, llenas de suciedad, que arrojaban una claridad triste sobre las paredes chorreantes y sobre el suelo. A lo largo del muro se veía una serie de bancos, semejantes a bancos de carpintero, y sobre cada uno de ellos, una especie de sarcófago de madera con una tapa que sólo cubría tres cuartos de su longitud. Bond contó automáticamente las cajas. Había veinte de estos artefactos en la sala. De la mayor parte de ellos sobresalía el perfil sudoroso de un rostro, apuntando al techo con la nariz. Algunos de los pares de ojos correspondientes a estos perfiles giraron inquisitivamente en sus órbitas en dirección hacia donde estaba Bond, pero la mayoría de aquellos rostros congestionados parecían estar durmiendo.

Una de las cajas estaba sin ocupante, con la tapa levantada sobre sus goznes del lado próximo al muro. Parecía ser la que le estaba destinada a Bond. El asistente negro estaba preparándola, alisando con sus manos una sábana, de aspecto no muy limpio, sobre el fondo. Cuando hubo terminado con esta operación, se dirigió al centro de la estancia y eligió un par de cubos llenos de barro negruzco humeante, de los que había allí en una doble fila. Volvió con ellos hasta la caja y los depositó en el suelo con un golpe seco. Luego metió su gran manaza en uno de los cubos, cogió un buen puñado de aquella masa repugnante y comenzó a untar con ella el fondo del sudario hasta que quedó recubierto por una capa oscura de unos dos centímetros de espesor. Lo dejó así un momento, para que se enfriase un poco, supuso Bond, y se dirigió esta vez hacia una tinaja dentada que estaba llena de cubos de hielo, en otro rincón. Hurgó allí con las manos y acabó por extraer varias toallas de mano chorreando. Se las echó al brazo y se fue a hacer una ronda por las cajas con ocupante, deteniéndose aquí y allá, de cuando en cuando, para pasar una toalla fría por las frentes sudorosas de sus pacientes.

Aparte de esto no ocurría nada en la estancia, silenciosa como un cementerio, excepto por el bisbiseo de la manguera que proyectaba su chorro de agua sobre el cuerpo embarrado que había en uno de los cubículos próximos a Bond.

Paró la manguera y una voz dijo:

—Bueno. Ya está, míster Weiss. Con esto ya tiene bastante por hoy.

Un hombre gordo, con gran cantidad de vello por todo el cuerpo, salió del cubículo tambaleándose y esperó hasta que el hombre con la oreja de coliflor le envolvió en una bata de baño y le frotó rápidamente, de arriba abajo con el paño de la bata. Luego le acompañó hasta la puerta por la que había venido Bond.

El hombre de la oreja de coliflor se dirigió entonces a una puertecita lateral, la abrió y Bond vio el chorro de luz que penetraba por ella desde el exterior y tuvo un atisbo de hierba y de cielo azul, hasta que regresó el hombre trayendo otro par de cubos llenos de barro humeante. Después de cerrar la puerta de una patada, los depositó en la hilera del centro.

El negro se acercó a la caja que estaba preparando para Bond y tanteó el barro con la palma de la mano. Luego se volvió hacia Bond y le hizo seña con la cabeza para indicarle que se acercase.

—*Okey*, señó —dijo.

Bond se acercó al hombre y colgó su toalla y la llave de la cabina en un gancho que había en la pared, detrás de la caja. Y como no sabía lo que tenía que hacer, se quedó allí desnudo, esperando.

—¿Nunca ha tomado uno de éstos?

—No.

—Eso es lo que pensé, de modo que le estoy poniendo el barro a cuarenta grados. Cuando se acostumbre, puede tomarlo a cuarenta y cinco o incluso a cincuenta. Acuéstese ahí.

Bond se metió dentro del ataúd y se tendió en su interior sintiendo el escozor en la piel al primer contacto con el barro. Luego, poco a poco, consiguió estirarse todo lo largo que era y apoyó la cabeza sobre la toalla limpia que el negro había colocado encima de la almohada de miraguano.

Cuando lo vio instalado, el negro metió ambas manazas en los cubos y comenzó a echar barro sobre el cuerpo de Bond en grandes pegotes. El barro era de un color chocolate oscuro, pesado y escurridizo al tacto. Un olor de turba caliente llegó hasta las narices de Bond. Luego se dedicó a observar cómo el negro trabajaba con sus brazos musculosos sobré aquella montaña negra que hasta ahora había sido su cuerpo. ¿Sabía Felix que iba a ser así? Bond sonrió con un gesto salvaje. Si ésta era una de las bromas de Felix...

Por fin, el negro dio por concluido su trabajo y Bond quedó materialmente enterrado en barro. Solamente su rostro y una cierta área de piel alrededor de su corazón estaban aún blancos. Experimentaba una sensación de ahogo y el sudor empezó a correrle por la frente.

Con un movimiento rápido el negro se inclinó dentro de la caja, y cogiendo los extremos de la sábana la enrolló fuertemente alrededor del cuerpo y los brazos de Bond. Luego hizo lo mismo por el otro lado, con el otro extremo de aquel sucio sudario. Bond apenas podía mover los dedos y la cabeza. El resto de su cuerpo estaba tan aprisionado como si le hubiesen puesto una camisa de fuerza. A continuación, el negro cerró sobre él la pesada tapa de madera, y le dejó allí encerrado, como una sardina en su lata.

En una pizarra que colgaba de la pared por encima de la caja marcó la hora después de echar una ojeada al reloj que se veía al fondo de la estancia, sobre el muro. Eran exactamente las seis.

—Veinte minutos —dijo—. ¿Está a gusto?

Bond dejó oír un gruñido neutral.

El negro se alejó hacia sus ocupaciones y Bond se quedó mirando al techo como un tonto. El sudor se le metía en los ojos y en los oídos. Maldijo a Felix Leiter en silencio.

A las seis y tres minutos se abrió la puerta del fondo para dejar paso a la delgada, menuda figura de Tingaling Bell. Tenía cara de comadreja y los huesos le asomaban por todas partes en su cuerpo miserable. Avanzó con aire presuntuoso hasta el centro de la sala.

—*Hey*, Tingaling —dijo el hombre con la oreja de coliflor—. Me han dicho que has tenido problemas hoy. Mala suerte.

—Esos jueces son un montón de basura —contestó Tingaling con despecho—. ¿Por qué iba a querer empujar a Tommy Lucky? Es uno de mis mejores amigos. ¿Y, además, con qué objeto? Tenía ya ganada la carrera. Hola, negro bastardo —dijo, alargando un pie para ponerle la zancadilla al negro, que pasaba en aquel momento por su lado con dos cubos de barro caliente—. Tengo que perder medio kilo. Acabo de tomarme un buen plato de patatas fritas. Y por si fuera poco me han dado una masa de plomo para que la haga correr mañana en Oakridge.

El negro pasó por encima del pie extendido y se echó a reír, agitando su grasa.

—No te preocupes, nene —le dijo, con acento afectuoso—. Siempre me queda la solución de arrancarte un brazo. Rápida manera de quitarte peso. Estaré contigo ahora mismo.

La puerta se abrió de nuevo y uno de los jugadores de cartas asomó la cabeza.

—¡Eh!, campeón —gritó, dirigiéndose al hombre con la oreja de coliflor—. Mabel dice que no puede hablar con la tienda de *delicatessen* para que te traigan la comida. No funciona el teléfono. Debe haberse caído un cable o roto la línea.

—¡Ah!, demonios —dijo, el otro—. Pues encárgale a Jack que me la traiga en su próximo viaje.

—*Okey*.

La puerta volvió a cerrarse. Una avería en las líneas telefónicas en América es una cosa bien rara, y éste era el momento en que una luz roja de alarma debía haber comenzado a funcionar en el cerebro de Bond. Pero no fue así. En lugar de esto, miró el reloj. Aún quedaban otros diez minutos bajo el barro.

El negro iba y venía con sus toallas al brazo. Se detuvo delante de Bond y le puso una alrededor del pelo y la frente. Era una sensación muy agradable, de alivio, y por un momento pensó que al fin y al cabo la cosa podía soportarse.

Iban pasando los segundos. El *jockey*, soltando un tropel de obscenidades, se metió en la caja contigua a la de Bond, y por la cara que puso, Bond pensó que debían estarle dando el baño a cincuenta grados. El negro le envolvió bien fuerte en su sábana y cerró la tapa.

Luego escribió «6:15» en la pizarra del *jockey*.

Bond cerró los ojos y se quedó pensando en cómo iba a arreglárselas para entregarle el dinero al otro. ¿En el cuarto de reposo, después de las duchas? Necesariamente tenía que haber un lugar donde uno pudiera descansar después del baño. ¿O tal vez en el corredor que conducía a la salida? ¿O en el autobús? No. Mejor que no fuese en el autobús. Mejor que nadie le viese con él.

—Está bien. Que nadie se mueva ahora. Tranquilos y no le pasará nada a nadie.

Era una voz cortante, acerada, de las que no toleran bromas.

Bond abrió los ojos como si le hubiesen apretado un resorte, y experimentó la sensación de peligro.

La puerta que daba al exterior, la puerta por la que traían el barro, estaba abierta. Un hombre aparecía en el umbral, inmóvil, mientras otro individuo avanzaba hacia el centro de la estancia. Los dos llevaban un revólver en la mano y los dos iban cubiertos por capuchones negros con agujeros para los ojos y la boca.

Se hizo un silencio absoluto, que sólo rompía el sonido del agua que caía en los cubículos de las duchas. En cada uno de ellos había un hombre desnudo. Y los dos miraron hacia fuera, a través de la cortina de agua, tratando de tomar aire, con los mechones de pelo cayéndoles sobre los ojos. El hombre con la oreja de coliflor que les atendía, se había quedado tan petrificado como una estatua de sal. Lo único que giraban de un lado a otro eran sus pupilas, sobre las córneas blancas, mientras el agua de la manguera le regaba los pies.

El hombre que había avanzado por la sala con el revólver en la mano, estaba ahora a la altura de la doble fila de cubos. Se detuvo frente al negro, que estaba allí con un cubo en cada mano, temblando ligeramente y haciendo chirriar las asas de los cubos con la oscilación de su temblor.

El hombre clavó sus ojos en los del negro y mientras le tenía así fijado, dio la vuelta al arma en su mano, de modo que quedó empuñándola por el cañón. Luego, con un movimiento rápido en el que apoyó todo el peso de su cuerpo, hundió la culata del revólver en el centro de su enorme barriga.

Los cubos llenos de barro fueron a dar en el suelo con un doble bang metálico, mientras el negro se llevaba ambas manos al abdomen, con un quejido apagado. Lentamente, se dejó caer de rodillas, y su cráneo afeitado, reluciente, quedó inclinado un instante frente a las piernas de su agresor, como si le estuviese rezando.

El hombre del capuchón echó un pie hacia atrás, en el aire.

—¿Dónde está el *jockey* —dijo con tono amenazador—. Bell. Vamos, de prisa, ¿En qué caja?

El negro señaló con el brazo.

El encapuchado puso otra vez el pie en el suelo. Se dio la vuelta y se dirigió hacia donde estaba Bond; con los pies casi tocando la cabeza de Tingaling, cada uno de ellos dentro de su respectiva caja.

El encapuchado echó primero una ojeada al rostro de Bond. Al verle, pareció tensarse por dentro. Dos ojos centelleantes le observaron a través de los agujeros del capuchón. Luego, siguió hacia la izquierda y se detuvo frente al *jockey*. Por un momento pareció vacilar, luego, de un brinco, se sentó sobre la tapa de la caja y le miró fijamente a los ojos.

—Bien, bien. Que el diablo me lleve si no es Tingaling Bell —había un acento falsamente amistoso, exageradamente amistoso, en sus palabras.

—¿Qué es lo que pasa? —dijo el *jockey*. En su voz aguda se podía leer el terror más intenso.

—Pero Tingaling —dijo el hombre con calma—. ¿Qué es lo que podría pasar? ¿Tienes tú alguna idea?

El *jockey* tragó saliva.

—¿No oíste nunca hablar de un caballo que se llama *Sonrisa Tímida*? ¿Eh, Tingaling? ¿Quizá no eras tú quien estaba allí cuando le obligaron a hacer trampas esta tarde, alrededor de las dos y media? —la frase terminó con una entonación tan aguda como la punta de un cuchillo.

El *jockey* comenzó a llorar sin ruido.

—Por favor, jefe. No fue culpa mía. Le puede suceder a cualquiera —parecían las lamentaciones de un niño al que se va a castigar. Bond se estremeció.

—Mis amigos piensan que pudo ser una traición —dijo el hombre. Se había ido inclinando cada vez más sobre el rostro del *jockey* y su voz tenía una corriente subterránea de cólera—. Mis amigos creen que un *jockey* como tú sólo puede hacer algo así a propósito. Mis amigos estuvieron echando una ojeada a tu cuarto y se encontraron con un billete de los grandes escondido en la rosca de una lámpara. Mis amigos quieren saber de dónde vino aquella hoja de lechuga.

La bofetada y el quejido del *jockey* fueron casi simultáneos.

—Vamos, canta, bastardo, o voy a saltarte los sesos.

Bond oyó el click del arma al montarla.

Un grito de verdadero horror brotó de la caja a sus pies.

—Ésos son mis ahorros. Todo lo que tengo. Por eso lo escondí en la lámpara. Mis ahorros. Se lo juro por Cristo. Debe creerme, jefe. Debe creerme —imploraba la voz, entre sollozos.

El hombre del capuchón dejó escapar un gruñido de disgusto y levantó el revólver; el arma quedó en el campo de visión de Bond.

Un enorme pulgar con una verruga oscura en la primera articulación ayudó al percutor a volver a su sitio. El hombre se deslizó hasta el suelo desde la tapa de la caja, y se quedó mirando al rostro del *jockey*. Su voz se había hecho escurridiza como el limo, cuando habló de nuevo:

—Has estado montando demasiado en estos últimos tiempos, Tingaling —dijo casi en un susurro—. Necesitas un descanso. Tranquilidad absoluta. En un sanatorio o algo así.

Sin dejar de hablar, en voz baja y solícita, el hombre retrocedió unos pasos. Ahora el *jockey* no podía verle. Pero Bond sí vio cómo iba hasta el centro de la estancia y cogía uno de los cubos llenos de barro humeante. Regresó con él en la mano, sosteniéndolo muy bajo, y hablando siempre en aquel tono falsamente tranquilizador.

Delante de la caja del *jockey* se detuvo y le miró a los ojos.

Bond sintió que se le tensaban los músculos, haciendo resbalar el barro por su piel.

—Como ya te he dicho, Tingaling, lo que necesitas es mucha tranquilidad. Y dieta absoluta durante un tiempo. Un buen cuarto oscuro, con las persianas echadas para que no entre la luz.

La voz del hombre era como un ronquido en medio del silencio. Lentamente, levantó el brazo que sostenía el cubo. Más alto, cada vez más alto.

Hasta que el *jockey* pudo verlo por encima de su cabeza y supo lo que iba a sucederle. Empezó a sollozar:

—No, no... no, no... no.

Hacía bastante calor en el cuarto, pero la catarata de barro negro humeó mientras el encapuchado iba vertiéndola sobre el rostro de Tingaling.

El hombre se echó a un lado rápidamente y lanzó el cubo vacío contra el hombre de la oreja de coliflor, que no se movió ni una pulgada de donde estaba y recibió el golpe de lleno, sin protestar. Luego, el encapuchado cruzó la sala a grandes pasos, en dirección a la puerta donde le esperaba su compañero, siempre con el revólver en la mano.

Desde allí se volvió un momento para anunciar:

—¡Nada de trucos. Nada de policías! La línea del teléfono está arrancada —tuvo una risa breve, cortante—. Mejor será que le saquéis de ahí antes de que se le frían los ojos.

La puerta se cerró tras ellos con un portazo y volvió a reinar el silencio. Sólo se oía un burbujear apagado debajo del barro que cubría al *jockey* y el ruido del agua que continuaba saliendo de las duchas.

14

«No nos gustan los errores»

—¿Y luego qué pasó? —preguntó Leiter. Estaba sentado en la habitación de Bond mientras éste paseaba arriba y abajo, deteniéndose a veces para tomar un sorbo de whisky con agua, del vaso que había dejado sobre la mesilla de noche.

—¿Que qué pasó? Un verdadero caos. Un caos lleno de barro. Todo el mundo gritando para que le sacasen de su caja, y el hombre con la oreja de coliflor rociando el rostro de Tingaling con el agua de la manguera y gritando a los hombres de la sala contigua que vinieran a ayudarle. El negro lanzando quejidos en el suelo, y los tipos que estaban dentro de las duchas tiritando como polluelos mojados, de un lado a otro. Los ayudantes que primero vi jugando a las cartas, llegaron corriendo y se precipitaron sobre la caja de Tingaling. Levantaron la tapa y le pusieron debajo de la ducha. Me imagino que estaba ya en las últimas. Medio asfixiado. Toda la cara hinchada con quemaduras. Algo horrible. Luego, uno de los clientes desnudos consiguió serenarse un poco y fue de caja en caja levantando las tapas y ayudando a salir a sus ocupantes. Y allí podías verlos a todos, más de veinte hombres cubiertos de barro, esperando en fila por una sola ducha. Poco a poco fueron organizándose. Uno de los ayudantes cogió un coche y se fue a la ciudad en busca de una ambulancia. Echaron agua sobre el negro, y poco a poco también, empezó a recobrarse. Sin parecer que estaba demasiado interesado en ello traté de averiguar si alguien había reconocido a alguno de los pistoleros. Nadie tenía ni la menor idea. Todo el mundo pensaba que eran de alguna banda ajena a la ciudad. En realidad, a nadie parecía importarle mucho, ya que no había habido víctimas, aparte del *jockey*. Lo único que querían era quitarse el barro de encima y largarse de allí lo más rápidamente posible.

Bond tomó otro sorbo de whisky y encendió un cigarrillo.

—¿Hubo algún detalle que te chocase en esos dos tipos? —le preguntó Leiter—. ¿La estatura, los trajes, cualquier cosa?

—No pude ver mucho del hombre que se quedó guardando la puerta —contestó Bond—. Sólo puedo decirte que era más bajo que el otro y más delgado. Llevaba pantalones oscuros y una camisa gris, sin corbata. El revólver parecía un 45. Podía ser un Colt. El otro, el que hizo la faena, era un tipo alto y más bien gordo. Rápido pero aplomado. Llevaba pantalones negros y una camisa marrón con rayas blancas. Ni chaqueta ni corbata. Zapatos negros, brillantes, yo diría que bastante caros. Un revólver del 38, como los de la policía. Sin reloj en la muñeca. ¡Ah!, sí, se me olvidaba —añadió, recordándolo de pronto—. Tenía una verruga bastante fea en la primera falange del pulgar derecho. Muy roja, como si tuviese la costumbre de chuparla a menudo.

—Wint —dijo Leiter—. Y el otro era Kidd. Siempre trabajan juntos. Son los torpedos de grueso calibre en la banda de los Spang. Wint es un monstruo despreciable. Un verdadero sádico. Goza con lo que hace. Y está siempre chupándose esa famosa verruga que tiene en el pulgar. Le llaman «Windy»*. No en su cara, desde luego. Todos estos tipos tienen apodos muy especiales. Wint no puede soportar los viajes. Se pone enfermo en cuanto sube a un coche o a un tren, y cree que los aviones son trampas mortales. Tienen que pagarle una gratificación especial si se trata de un trabajo que le obligue a desplazarse por el país. Pero cuando tiene los pies en la tierra sabe conservar la sangre fría. Kidd es un niño bonito. Sus amigos le llaman «Boofy». Probablemente vive con Wint. Algunos de estos homosexuales son los asesinos más peligrosos. Kidd tiene ya el pelo blanco, aunque no pasa de los treinta años. Ésta es una de las razones por las que usan las capuchas. Pero un día, este tipo, Wint, va a lamentar no haberse curado la verruga. Pensé en él tan pronto como mencionaste ese detalle. Me imagino que tendré que ir a ver a los agentes y darles esta pista. No hablaré de ti, como es lógico. Pero les diré lo que sé de *Sonrisa Tímida*, y

* Windy: ventoso, pedorreico. *(N. del T.)*

que ellos se arreglen. Wint y su amiguito estarán a estas horas tomando el tren para Albany, pero no se pierde nada con encender la mecha. —Leiter se dirigió hacia la puerta—. Tómatelo con calma, James. Estaré de vuelta antes de una hora y nos iremos a cenar. Una buena cena. Me enteraré también de adónde se han llevado a Tingaling y le enviaremos allí el dinero, por giro postal. Puede que le sirva de algún consuelo al pobre granuja. Hasta pronto.

Bond se desnudó y se metió en la ducha. Se pasó más de diez minutos enjabonándose bien por todas partes y lavándose el pelo para quitarse de encima hasta el recuerdo de los malditos baños de barro de la montaña. Luego se puso unos pantalones *sport* y una camisa, y se dirigió a la cabina de teléfonos que había en el pabellón central del motel, donde estaba la oficina de recepción.

Desde allí pidió una conferencia con Shady Tree.

—Está ocupada la línea, señor —le dijo la operadora con su voz cantarina—. ¿Quiere que mantenga la llamada?

—Sí, por favor —dijo Bond, satisfecho de que el jorobado estuviese aún en su despacho y de poderle decir ahora, sin mentir, que había tratado de telefonearle antes, sin resultado. Tenía la sospecha de que Shady estaría preguntándose por qué no le había llamado para quejarse de lo ocurrido con *Sonrisa Tímida*. Y después de presenciar sobre el terreno lo que habían hecho con el *jockey*, empezaba a mirar a esas gentes de la Spangled Mob con un poco más de respeto.

El teléfono dejó oír ese ronquido apagado que sustituye al timbrazo en el sistema telefónico americano.

—¿Deseaba usted hablar con Wisconsin 7-3697, señor?

—Sí.

—Hable. Tengo su línea. Comunique, Nueva York —y luego la voz aguda del jorobado—: Sí. ¿Quién llama?

—James Bond. Traté de llamarle antes.

—¿Sí?

—*Sonrisa Tímida* perdió la carrera.

—Ya lo sé. El *jockey* lo enredó todo. ¿Qué más?

—Dinero —dijo Bond.

Hubo un breve silencio al otro lado del hilo. Y luego continuó:

—*Okey*. Empecemos de nuevo. Le enviaré uno de los grandes. Los mil que me ganó, ¿recuerda?

—Sí.

—Cuelgue y quédese cerca del teléfono. Yo volveré a llamarle dentro de unos minutos y le diré lo que tiene que hacer con esos dólares. ¿Dónde se hospeda?

Bond se lo dijo.

—*Okey*. Tendrá el dinero por la mañana. Ahora espere a que le llame —y colgó.

Bond se dirigió a la mesa de recepción y se dedicó a examinar los libros de bolsillo que había en uno de los estantes próximos al mostrador. Le divertía y le impresionaba al mismo tiempo la meticulosidad que esta gente ponía en cada uno de sus movimientos y cómo buscaban siempre una tapadera legal para cada operación, aunque fuese pequeña.

Tenían razones para actuar así, desde luego. ¿Cómo iba él, un inglés recién llegado, a conseguir cinco mil dólares si no era jugando? Quedaba por ver cuál era el siguiente juego al que iba a tener que prestarse.

El teléfono sonó. Bond se dirigió hacia él, cerró la puerta de la cabina y descolgó el auricular.

—¿Es usted, Bond? Ahora escúcheme atentamente. Debe ir a Las Vegas. Baje hasta Nueva York y tome el avión. Cargue el tique a mi cuenta. Yo lo confirmaré. Directo hasta Los Ángeles y desde allí tiene aviones locales hasta Las Vegas cada media hora. Le he reservado ya habitación en el Tiara. Lo encontrará fácilmente. Dedíquese a conocer el lugar. Dé una vuelta. Pero ahora escuche esto con mucha atención, y no lo olvide: a las diez y cinco en punto, la noche del jueves, vaya a las mesas de bacarrá en el Tiara, en la sala que hay junto al bar. La mesa del centro. ¿Se ha enterado?

—Sí.

—Siéntese y juegue el máximo. Es decir: uno de los grandes, cinco veces consecutivas. Luego se levanta y abandona la mesa. Y no juegue ya nada más. ¿Me oye?

—Sí.

—Su cuenta está pagada en el Tiara. Después que haya hecho su juego quédese por allí y espere mis instrucciones. ¿Se ha enterado de todo? Repita.

Bond así lo hizo.

—Correcto —dijo el jorobado—. No hable y no cometa ningún error. No nos gustan los errores. Ya lo verá cuando lea mañana los periódicos.

Se oyó el click suave del teléfono al colgar, al otro extremo. Bond dejó la cabina y echó a andar despacio hacia su habitación, cruzando el césped. Iba pensativo.

¡Bacarrá! ¡El antiguo «veintiuno» de sus años de infancia! Le trajo a la memoria grandes meriendas en el cuarto de jugar de algunos de sus compañeros. De los mayores contando las fichas de hueso de colorines para que cada niño tuviese el equivalente a un chelín. La emoción de poner boca arriba un diez y un as y que le pagasen doble. La duda ante aquella quinta carta, cuando uno tenía ya diecisiete y deseaba que saliese un cuatro, o menos de un cuatro, para hacer «cinco y por debajo».

Ahora iba a jugar como un niño de nuevo. Sólo que esta vez el banquero sería un sinvergüenza y las fichas de colores de su apuesta equivaldrían a trescientas libras en cada envite. Ahora era ya una persona mayor, y éste que iba a jugar sería un verdadero juego de personas mayores.

Bond se tendió en la cama de su habitación y se quedó mirando al techo. Mientras esperaba el regreso de Leiter, se dedicó a imaginar cómo sería la famosa ciudad de Las Vegas, capital del juego, y cuántas ocasiones iba a tener allí de ver de nuevo a Tiffany.

Cinco colillas de cigarrillo se apilaron una tras otra en el cenicero que tenía al alcance de la mano, antes de que oyese los pasos inconfundibles de Leiter sobre el sendero de grava del jardín. Subió al Studillac con su amigo y, mientras iba conduciendo avenida abajo, éste le puso al corriente de los últimos acontecimientos.

Los muchachos de la Spangled Band no habían olvidado ni un solo detalle. Todos, Pissarro, Budd, Wint, Kidd, habían programado cuidadosemente su huida. Incluso *Sonrisa Tímida* se encontraba ya de viaje hacia su lejano destino en el rancho de Nevada.

—El FBI se ocupa del caso ahora —dijo Leiter—. Pero va a ser sólo una historieta más que añadir a las obras completas de los Spang. Sin tu testimonio, nadie será capaz de señalar quiénes son los pistoleros, y me sorprendería mucho que el FBI le dedique demasiada atención a Pissarro y a su caballo. Dejarán eso para mí y mi organización. Ya he hablado con la oficina central y me han dicho que me largue a Las Vegas y me entere como pueda de dónde han enterrado los restos del verdadero *Sonrisa Tímida*. Tengo que ponerle la mano encima a sus dientes. ¿Qué te parece?

Antes de que Bond tuviese tiempo de encontrar una respuesta, Leiter detuvo el coche junto al Pabellón, el único restaurante de clase que podía encontrarse en todo Saratoga. Se dirigieron hacia la puerta, dejando que el portero se ocupara de estacionar el automóvil.

—Es agradable que podamos comer juntos otra vez —dijo Leiter—. Seguro que nunca has probado una langosta al horno como la que vas a tomar esta noche. La hacen con mantequilla derretida, lo que ellos llaman «al estilo del *Maine*». Pero no iba a sabernos lo mismo si supiéramos que había alguno de los muchachos de la Spangled atracándose de macarrones con *salsa Caruso* en la mesa de al lado.

Era ya bastante tarde y la mayoría de los clientes habían terminado ya de cenar para marcharse al pabellón de las subastas. Eligieron una mesa en un rincón, y Leiter le dijo al camarero jefe que no se diese prisa y que les trajese dos martinis muy secos, hechos con vermú Cresta Blanca, antes de servirles la langosta.

—Me has dicho que vas a Las Vegas —comentó Bond—. Curiosa coincidencia. —Y le contó la conversación que acababa de tener con Shady Tree.

—Claro —dijo Leiter—. Pero no es ninguna coincidencia. Los dos estamos viajando por caminos torcidos y todos los caminos torcidos llevan a Las Vegas. Pero antes de marchar tengo que terminar de pasar la escoba aquí, en Saratoga. Escribir un montón de informes. Eso es lo que me lleva la mitad del tiempo en mi relación con los Pinkerton, escribir informes. Estaré en Las Vegas antes del fin de semana, de todas formas, y entonces me pondré a olfatear para ver lo que encuentro. No me será posible verte mucho, bajo las mismas narices de Spang, pero quizá podamos encontrarnos de vez en cuando para cambiar impresiones. Verás —añadió—, tenemos un hombre bastante útil plantado allí, a cubierto, naturalmente. Es un conductor de taxi que se llama Ernie Cureo. Buen muchacho. Le pasaré la voz a propósito de tu llegada y él te atenderá. Conoce toda la basura del lugar, dónde están los peces gordos y quién llega de las bandas de otras ciudades. Sabe hasta dónde encontrar los bandidos de un solo brazo que pagan los porcentajes más altos. Y te aseguro que las máquinas tragaperras que pagan mejor son el secreto mejor guardado de todo el *Strip*. Muchacho, puedes decir que no has visto nada en tu vida hasta que no has visto el *Strip*. Ocho kilómetros completos, llenos de garitos. Con un alumbrado de neón que deja a Broadway en pañales. Y a Montecarlo. Al lado del *Strip*, Montecarlo está todavía en la era del vapor, y Broadway parece que no tuviese más luces que las de un árbol de Navidad.

Bond sonrió.

—¿Cuántos ceros tienen en la ruleta? —dijo.

—Dos, me parece.

—Ahí tienes la respuesta. Por lo menos en Europa jugamos contra un porcentaje de probabilidades razonable. Puedes quedarte con tus luces de neón. Es el segundo cero el que lo mantiene encendido.

—Puede ser. Pero en los dados apenas se paga un poco más del uno por ciento a la casa. Y los dados son nuestro juego nacional.

—Ya lo sé —dijo Bond—. «El niño necesita un par de zapatos nuevos», y todos esos infantilismos. Me gustaría oír a un banquero griego berreando: «El niño necesita un par de zapatos nuevos», cuando tiene contra él un nueve en la mesa grande y hay diez millones de francos sobre cada tablero.

Leiter soltó la carcajada.

—¡Demonios! —dijo—. Tú lo tienes servido con ese condenado amaño que te espera en la mesa del bacarrá. Cuando vuelvas a Londres podrás pavonearte por todos sitios contando la historia de cómo te los llevaste de calle en el Tiara.

Leiter tomó un trago de su vaso y se volvió a recostar en su asiento.

—Pero conviene que te dé un poco de información sobre el juego aquí, en caso de que te entre la ventolera de empezar a apostar tus peniques contra su pila de oro.

—Soy todo oídos.

—Y cuando he dicho pila de oro no quito ni una coma —continuó diciendo Leiter—. Mira, James, todo el estado de Nevada, que, por lo que concierne al público, se compone de Reno y Las Vegas, es como el arco iris y la gallina de los huevos de oro del jugador, fundidos en una sola pieza. El sueño de todo el mundo de «conseguir algo por nada» tiene su respuesta en Nevada, desde que tomas tu billete de avión, hasta el *Strip* de Las Vegas o la calle Principal de Reno. Y, realmente, está allí. No hace mucho todavía, una noche en que las estrellas y los dados estaban de su parte, un GI muy joven ganó veintiocho pases seguidos en una de las mesas de dados de La Posada del Desierto. ¡Veintiocho! Si hubiera empezado con un dólar y le hubiesen permitido dejarlo correr hasta más allá de los límites establecidos por la casa, lo cual, conociendo a míster Wilbur Clark, de la Posada, no era posible, este GI hubiese ganado ¡doscientos cincuenta millones de dólares! Naturalmente, no le permitieron dejarlo correr. Otros jugadores que le siguieron el juego con apuestas laterales hicieron ciento cincuenta mil dólares. El GI hizo setecientos cincuenta dólares y se marchó escapado, como si le persiguiera el diablo. Ni siquiera saben su nombre. Hoy día, aquel par de dados rojos está sobre un cojín de seda en una vitrina del casino de la Posada, como si se tratase de una reliquia.

—Debe de haber sido una magnífica publicidad para la casa.

—¡Puedes apostarte la cabeza a que fue así! —dijo Leiter—. Todos los agentes publicitarios del mundo juntos no podían haber pensado en un reclamo mejor. Era el sueño popular hecho realidad, la bienvenida y los «buenos deseos de la casa a sus clientes» materializados en plata contante y sonante. Y te aseguro que los «buenos deseos de la casa» te los encuentras por todas partes en estos casinos. Sólo en uno de ellos consumen ochenta pares de dados y ciento veinte paquetes de naipes de plástico cada veinticuatro horas; cincuenta máquinas tragaperras van al taller de reparaciones cada día al amanecer. Espera hasta que veas a las ancianitas que se pasan las horas apretando los resortes de esas máquinas con sus manos enguantadas. Vienen al casino con cestas de las de ir a la compra, para recoger su calderilla y sus cuartos de dólar. Allí están, apretando botones, diez, veinte horas al día, sin siquiera ir a la *toilette*. ¿No me crees? ¿Sabes por qué llevan guantes? Para que no acaben sangrándoles las manos.

Bond carraspeó en tono de duda.

—¡Está bien, está bien! —convino Leiter—. Claro que esas gentes se derrumban. Hay histerias, ataques del corazón, apoplejías. Las lucecitas rojas, las lucecitas moradas y las campanillas acaban por subírseles al cerebro. Pero todos los casinos cuentan con una plantilla de médicos en servicio durante las veinticuatro horas del día. Son los que se llevan a las viejecitas que se desploman gritando: «¡Pleno! ¡Pleno!», como si se tratase del nombre de un amante muerto. No dejes tampoco de echar una ojeada a las salas de bingo y a las ruedas de la fortuna y a las galerías de máquinas tragaperras de la parte baja de la ciudad, en La Pepita de Oro y en La Herradura. Pero evita que se apodere de ti la fiebre y te haga olvidar tu trabajo, tu chica y hasta tus riñones. Resulta que estoy bien enterado de las probabilidades básicas de cada uno de los juegos y sé que a ti te gusta jugar, así que hazme el favor de meterte bien estos porcentajes en la cabezota. ¡Anda, apúntalos!

Bond empezaba a sentir interés por lo que Leiter le contaba. Sacó un lápiz del bolsillo y cortó una tira del menú.

Leiter dirigió la mirada al techo y empezó a recitar:

—1'4 por ciento a favor de la casa en los dados; 5 por ciento en el bacarrá —bajó la vista hacia Bond—. Esto, en tu caso no cuenta, naturalmente. ¡Qué sinvergüenza! 5'5 por ciento en la ruleta. Hasta un 17 por ciento en el bingo y la rueda de la fortuna, y del 15 al 20 por ciento en las máquinas. No está mal para la casa, ¿verdad? Cada día, once millones de clientes juegan contra míster Spang y sus amigos con ese balance de probabilidades. Toma doscientos dólares como media de capital para los tontos y puedes calcular por ti mismo lo que se queda en Las Vegas por cada año de juego.

Bond se guardó el lápiz y la tira de cartulina en el bolsillo.

—Gracias por la información, Felix. Sin embargo, parece que te olvidas de que yo no voy a ese sitio de vacaciones.

—*Okey*. ¡Maldita sea! —dijo Leiter, resignado—. Pero no hagas el estúpido en Las Vegas. Es una operación gigantesca la que tienen allí montada y no van a tolerar que nadie intente gastarles bromas. —Se inclinó sobre la mesa—. Voy a contarte algo que le ocurrió hace poco a uno de los *croupiers*. Era en el bacarrá, creo. El caso es que ese hombre debió pensar que ya era hora de hacer un poco de negocio por su cuenta. Una noche, cuando creía que nadie estaba mirando, se guardó unos cuantos billetes en el bolsillo, durante el juego. Bueno, pues alguien le estaba mirando. Al día siguiente he aquí que un automovilista que venía por la carretera, conduciendo inocentemente desde Boulder City, ve de pronto algo rosado que sobresale de la llanura desértica. No podía ser un cactus ni nada semejante, de modo que para el coche y se acerca a ver. —Leiter puso un dedo en el pecho de Bond—. Amigo mío, aquella cosa rosada que sobresalía de la tierra era un brazo. Y la mano al final de aquel brazo sostenía un paquete de naipes viejos. Vinieron los agentes, con palas, y sacaron de bajo tierra la continuación del brazo. Era el *croupier*. Le habían pegado un tiro en la nuca y le habían enterrado allí. La fantasía del brazo, con el paquete de naipes, era un aviso para los demás. Bien, ¿qué te parece?

—No está mal —dijo Bond.

Llegó el camarero con la langosta y empezaron a comer.

—No olvides —dijo Leiter, con la boca llena, de marisco— que el *croupier* debió pensarlo dos veces antes de dejarse coger en el cepo. Porque todos esos casinos de Las Vegas tienen un sistema de vigilancia muy especial. Si miras al techo cuando estás en la sala de juego, verás una serie de orificios circulares por los que la luz se proyecta directamente sobre las mesas, sin reflejos laterales que puedan molestar los ojos de los clientes. Pero si observas con más detenimiento te darás cuenta de que de cada dos orificios hay uno que no proyecta luz. Es como si estuviesen allí como parte de la decoración. Pero nada de eso. —Leiter movió la cabeza de un lado a otro—. En el piso de arriba hay instalada una cámara de televisión sobre una *dolly* que recorre el suelo sistemáticamente, registrando a través de los orificios todo lo que pasa abajo. Una especie de *voyeur* incansable del juego. Cuando los patrones sospechan de alguno de los empleados o de alguno de los jugadores, centran la cámara sobre el tipo durante toda la noche y pueden seguir cada uno de sus movimientos, tranquilamente sentados en su despacho, mientras se toman un trago. Ingenioso, ¿verdad? Esos antros tienen sistemas que lo registran todo, menos los olores. Los *croupiers* lo saben. Ese hombre, sin duda confiaba en que la cámara enfocaría a algún otro punto en aquel momento. Un error fatal. Mala suerte.

Bond dirigió una sonrisa a su amigo.

—Tendré cuidado, te lo prometo. Pero no olvides que, de una manera o de otra, tengo que seguir la pista hasta donde me lleve. Es como una cañería. Y confío en llegar hasta el grifo mismo que la surte y hasta el extremo por donde desemboca. De momento, tengo que llegar hasta nuestro amigo, míster Seraffino Spang. No creo que lo consiga sólo con enviarle mi tarjeta de visita. Te diré algo más, Felix. —Su voz se hizo intensa y directa—. Creo que estoy ya personalmente en guerra con los hermanos Spang. No me gustaron nada esos dos encapuchados. Ni el modo cómo golpearon al pobre negro de los baños. Ni el número del barro hirviendo. No me habría importado tanto si se hubieran limitado a golpear un poco al *jockey*. Unos cuantos puñetazos, pase. Pero aquel cubo de barro hirviendo hablaba de una mente retorcida. Me puso contra Pissarro y Budd, como un resorte. Tómalo como quieras, pero es ya una guerra declarada. —Miró a Leiter con aire de excusa—. Pensé que debías saberlo.

—*Okey* —dijo Leiter, empujando a un lado su plato—. Andaré cerca para enterarme de lo que pueda. Y le diré a Ernie que no te pierda de vista. Pero si las cosas se tuercen, no creo que puedas llamar a un abogado o al cónsul británico. La única firma de abogados que hay allí es la de Smith & Wesson.

Se interrumpió para golpear sobre el mantel con su gancho.

—Será mejor que nos tomemos un último bourbon con agua de la montaña embotellada —dijo al cabo de un momento—. Es al desierto adonde vas. Seco como un hueso y más caliente que el infierno en esta época del año. No hay ríos, de modo que no hay tampoco ninguna firma industrial para embotellar el agua. Lo tendrás que beber con soda, y luego escurrírtela de la frente con el pañuelo. Prepárate para encontrarte con cuarenta y cinco grados a la sombra. En caso de que encuentres alguna sombra, que ya es bastante difícil.

Llegaron los whiskys.

—Voy a echarte de menos, Felix —dijo Bond, contento de que la nueva ronda le diese la oportunidad de escapar a sus pensamientos—. No va a haber allí nadie que me oriente sobre la vida a la americana. A propósito, déjame que te diga que hiciste un trabajo espléndido por lo que se refiere a *Sonrisa Tímida*. Me gustaría que pudieses acompañarme y preparar juntos los anzuelos para Spang senior. Porque entre los dos me parece que podríamos acabar con él.

Leiter miró afectuosamente a su amigo.

—Ese género de trabajos no es posible cuando uno está en nómina con los Pinkerton —dijo, al cabo de un rato—. Yo también ando detrás del tipo. Pero en mi posición tengo que intentarlo por medios legales. Si consigo descubrir dónde han enterrado los restos del caballo, te prometo que voy a hacerle pasar un mal rato. Para ti está muy bien eso de llegar aquí, enfrentarte con él y luego volverte a Inglaterra. La banda no tiene la menor idea de quién eres. Y por lo que me has dicho, no creo que puedan averiguarlo nunca. Pero yo tengo que vivir aquí.

Si tuviese un enfrentamiento a tiros con Spang, o cualquier otra cosa por el estilo, sus amigos vendrían detrás de mí, de mi familia y de mis amigos. Y no descansarían hasta hacerme diez veces más daño del que yo pudiera haberle hecho a Spang. Aunque le matase. No es nada divertido regresar a casa, que por lo que a mí se refiere es la casa de mi hermana, y encontrarte con que la han quemado con ella dentro. No creas que eso no puede suceder en este país, incluso en nuestros días. Las bandas no han desaparecido con Al Capone. Mira a la Murder Inc. (Asesinos Asociados). Lee el informe Kefauver. Ahora los criminales no negocian con licores. Negocian con gobiernos. Con gobiernos como el del Estado de Nevada. En la prensa puedes encontrar muchos artículos escritos sobre esto. Y libros sobre el tema. Y discursos. Y sermones desde el púlpito. Pero, ¡qué demonios! —Leiter se echó a reír con brusquedad—. Quizá eres tú el designado por el destino para dar un buen golpe con ese bonito hierro oxidado que llevas debajo del brazo. Por la Libertad, el Hogar y la Belleza. No estaría mal. ¿Sigue siendo la Beretta?

—Sí —dijo Bond—. Siempre la Beretta.

—¿Tienes todavía en tu carné ese famoso 00 que significa que te está permitido matar?

—Sí —dijo Bond—. Lo tengo.

—Bien, entonces —dijo Leiter levantándose de su silla— vámonos a dormir para que pueda descansar como es debido ese ojo que utilizas para hacer blanco. Porque, o mucho me equivoco, o vas a necesitarlo.

15

Calle de la P (por Paga)

El avión describió una gran curva abierta sobre el azul refulgente del Pacífico, pasó sobre Hollywood y fue ganando altura para cruzar por el Cajon Pass el promontorio dorado de las Altas Sierras.

Bond tuvo una imagen fugaz de anchas avenidas bordeadas de palmeras; de fuentes que lanzaban el chorro de sus surtidores sobre céspedes verdes como la esmeralda, frente a las mansiones de elegante arquitectura; de las construcciones de las fábricas de aviones y de los terrenos de los estudios cinematográficos, con su amontonamiento de decorados diversos: calles de ciudad, ranchos del Oeste, algo que parecía como una pista en miniatura para carreras de coches, una majestuosa goleta de tamaño natural plantada en el suelo. Todo aquel mundo fantástico quedó pronto atrás y se encontraron volando por encima de las montañas. Al otro lado les esperaba el interminable desierto de tierra roja que sirve de telón de fondo a la ciudad de Los Ángeles.

Pasaron por encima de Barstow, la intersección desde donde arranca el ferrocarril de Santa

Fe, para adentrarse luego en el inmenso desierto, en su largo recorrido a través de la Meseta del Colorado. A su derecha dejaron las montañas de Calico, que fueron en un tiempo el mayor yacimiento de bórax del mundo, y a su izquierda, aunque bastante lejanas, las llanuras inhóspitas del Valle de la Muerte, salpicadas por huesos y esqueletos de animales.

Luego vinieron otras montañas veteadas de rojo, como encías sangrantes en torno a los dientes desnudos de los picos rocosos, y por último una mancha verde, como un oasis en medio de la desolación de aquel paisaje lunar. Se encendió el letrero luminoso que decía: «Pónganse los cinturones. No fumen», y comenzaron a descender sobre la mancha verde.

El calor golpeó a Bond como un puño en el rostro cuando bajó la escalerilla y atravesó, sudando, los pocos metros que le separaban del bendito frescor del aire acondicionado en el edificio de la terminal, tras las puertas de cristal accionadas por célula fotoeléctrica. Tan pronto como estuvo al otro lado, las máquinas tragaperras parecieron darle la bienvenida. Había cuatro, justo a los lados del pasaje para los viajeros. Era lo más natural sacar la calderilla del bolsillo y ponerse a mover las palancas, viendo cómo se encendían los limones y las naranjas, y las cerezas y las guindas en su interior, hasta detenerse con un cling final, seguido de un suave suspiro mecánico. Cinco centavos, diez centavos y un cuarto de dólar. Bond las probó todas, una tras otra. Pero sólo una vez dos cerezas y una guinda respondieron, devolviéndole tres monedas por la que él había jugado.

Mientras se alejaba hacia los mostradores donde media docena de pasajeros estaban ya esperando a que sus equipajes apareciesen por la rampa que había junto a la salida, le llamó la atención el letrero de una máquina que, a primera vista, parecía un distribuidor de agua fría. El letrero decía: «Bar de oxígeno». Se acercó a ella y leyó el resto: «Respire oxígeno. Puro y sano. Reanímese rápidamente. Relaja las tensiones producidas por el exceso de alcohol, la falta de sueño, la fatiga, el nerviosismo y muchos otros síntomas».

Bond puso obedientemente un cuarto de dólar en la ranura y se inclinó para meter la nariz y la boca dentro de una especie de máscara de goma negra. Apretó el botón y, siguiendo las instrucciones del aparato, aspiró y respiró hondo, lentamente, durante un minuto completo. La sensación era como si estuviese respirando aire muy frío, nada más. Ni gusto ni olor. Cuando había transcurrido un minuto se oyó el click del aparato y Bond se enderezó de nuevo. No le pareció experimentar ningún cambio, excepto un ligerísimo vértigo, pero un rato más tarde tendría que reconocer que se había precipitado en su juicio y también en la sonrisa irónica que dirigió a un hombre que estaba parado detrás de él con un estuche de aseo debajo del brazo.

El hombre le devolvió la sonrisa y se alejó rápidamente.

Los altavoces anunciaron a los pasajeros que podían recoger sus equipajes. Bond cogió su maleta con una mano y salió por las grandes puertas giratorias que comunicaban con la atmósfera ardiente del exterior. Era mediodía.

—¿Va usted al Tiara? —preguntó una voz cerca de él. Se volvió y vio a un hombre corpulento, con gorra de chófer y un palillo entre los dientes, que le miraba con sus grandes ojos oscuros. Tenía una mirada franca.

—Sí, voy al Tiara.

—*Okey*. Vamos —dijo el hombre del palillo. No hizo el menor gesto de coger la maleta de Bond, sino que echó a andar hacia un Chevrolet reluciente que había aparcado junto a la calzada. Bond le siguió. El coche llevaba, como mascota sobre el radiador, una figurita cromada representando a una mujer desnuda, con una cola de tejón atada a la cintura.

Bond arrojó su maleta sobre el asiento posterior y se instaló junto a ella. El coche arrancó suavemente, atravesó los terrenos del aeropuerto y embocó la avenida exterior. El chófer se metió entre el río de coches, buscó un espacio despejado para torcer a la izquierda y se mantuvo en la vía interior a poca velocidad. Bond vio que el hombre le estaba examinando atentamente por el retrovisor. Por su parte, miró la tarjeta de identidad que iba sujeta en el parabrisas. La tarjeta decía: «Ernest Cureo. N.° 2.584», y la fotografía que había en ella tenía la misma mirada directa y franca que el original.

El interior del coche olía a humo de cigarro rancio. Bond apretó la palanca que hacía funcionar automáticamente la ventanilla. Pero la bocanada de aire caliente que entró por el cristal abierto le hizo cerrarla de nuevo.

El chófer se volvió a medias en su asiento.

—No necesita usted hacer eso, míster Bond —la voz también era franca y amistosa—. El coche tiene aire acondicionado, aunque no lo parezca. Pero fuera aún es peor.

—Gracias —dijo Bond, y añadió—: Si no me equivoco es usted amigo de míster Leiter.

—Así es —contestó el chófer por encima del hombro—. Gran persona míster Leiter. Me encargó que me ocupase de usted. Estaré encantado si puedo serle útil en algo mientras permanezca aquí. ¿Piensa quedarse mucho tiempo?

—No lo sé aún. Pero unos cuantos días, seguro.

—En ese caso, escúcheme —continuó diciendo el chófer—. No crea que quiero valerme de su dinero, pero si trae alguno y hemos de hacer algún trabajo juntos, mejor será que alquile el coche por días enteros. Son cincuenta dólares, yo también tengo que ganarme la vida. Es también la mejor manera de cubrirnos, por lo que se refiere a los muchachos del hotel y todo eso. De otra forma no sé cómo voy a mantenerme en contacto con usted, así no puede extrañarles que ande por allí esperándole la mayor parte del día. Esa gente del *Strip* son un puñado de bastardos desconfiados.

—Completamente de acuerdo. —A Bond le había dado buena impresión el chófer desde el primer momento. Tenía confianza en él—. Trato hecho.

—*Okey* —dijo el chófer, y se sinceró un poco más—: Sabe usted, míster Bond, a la gente de por aquí no le gusta nada lo que se sale de lo ordinario. Como le digo, son muy desconfiados. Usted tiene aspecto de cualquier cosa menos de uno de esos turistas que vienen aquí a gastarse la pasta. De modo que empezarán a aguzar el olfato en seguida. Mírese. Cualquiera puede ver que es usted un inglés, aun antes de que abra la boca. La ropa y todo eso. «Bueno, ¿qué es lo que viene a hacer aquí un inglés? ¿Y de qué clase de inglés se trata? Parece un tipo duro, de modo que vamos a ver qué es lo que busca.»

Se volvió otra vez, a medias.

—¿No se dio usted cuenta de un tipo que andaba por la terminal con su estuche de aseo bajo el brazo?

Bond se acordó del hombre que le había estado observando junto a la máquina de oxígeno.

—Sí, le vi —dijo, y es entonces cuando se dio cuenta de que el oxígeno le había hecho volverse despreocupado por unos momentos.

—Le apuesto lo que quiera a que ahora está mirando sus fotos —dijo el chófer—. Una cámara de 16 mm en aquel estuche de aseo. Sólo hay que descorrer la cremallera del cierre, apretar con el brazo, y allá va. Habrá tomado treinta y seis, un rollo entero. De frente y de perfil, y esta tarde la identificación en el cuartel general, con una lista de lo que lleva en la maleta. No parece que lleve revólver. Aunque tal vez sea uno de sobaquera. Pero si lo lleva, va a tener siempre otro hombre armado detrás de usted, cada vez que vaya a los salones. Enviarán el recado esta noche. Ponga atención cada vez que vea un individuo con chaqueta. Nadie lleva aquí chaqueta, a no ser para ocultar la artillería.

—Bien, gracias —dijo Bond, molesto consigo mismo—. Ya veo que tengo que mantenerme un poco más despierto. Qué máquina tan bien engrasada tienen aquí.

El chófer dejó oír un gruñido de aquiescencia, y siguió conduciendo en silencio.

Estaban justamente embocando el famoso *Strip*. Lo que hasta entonces había sido un desierto a ambos lados de la carretera, excepto por algunas construcciones sin importancia y algunos depósitos aislados, comenzó a poblarse de moteles y estaciones de servicio. Pasaron frente a un motel que tenía una piscina elevada, con laterales de vidrio transparente. Una muchacha se tiró al agua en aquel momento y su cuerpo se sumergió entre un remolino de burbujas. Luego llegaron a una estación de servicio con un restaurante tipo *drive in*. «Gasetería», decía el letrero. «Refrésquese aquí. ¡Perritos calientes! ¡Hamburguesas "Jumbo"! ¡Hamburguesas atómicas! ¡Bebidas heladas! *Drive in*.» Y había dos o tres coches aparcados a los que atendían camareras en traje de baño de dos piezas y zapatos de tacón alto.

La gran autopista de seis carriles se prolongaba entre fachadas de casas y signos multicolores, hasta perderse a lo lejos en oleadas temblorosas de aire caliente. El aire era abrasador y húmedo. Los rayos de sol calentaban el cemento como si fuese la pared de un horno, y no había sombra alguna bajo la que protegerse, excepto unas pocas palmeras salpicadas en los parques delanteros de los moteles. Los coches que rodaban en dirección opuesta a la suya hacían parpadear a Bond debido a los destellos que partían de los cristales de sus parabrisas y de sus carrocerías cromadas. Tenía la camisa pegada al cuerpo, de tanto sudar.

—Ahora entramos en el *Strip* —dijo el chófer—. También llamado la «Rue de la Pay». Escrito *pe*, *a*, *y griega*. Un chiste, ¿ve?

—Ya lo he entendido —dijo Bond.

—A su derecha puede ver El Flamingo —continuó diciendo Ernie Cureo cuando pasaron por delante de un hotel de fachada baja, estilo modernista, con una altísima torre de neón, que ahora estaba apagada—. Bugsy Siegel lo hizo construir en 1946. Vino a Las Vegas desde la costa, un día, para echar una ojeada. Tenía un montón de dinero y estaba buscando en qué invertirlo. Era la época de los grandes pistoleros en Las Vegas. Ciudad abierta... en canal. Juego por todas partes. Casas de prostitución legales. Un sitio único. Bugsy se dio cuenta en seguida. Vio las posibilidades.

Bond se echó a reír ante el doble sentido que encerraba la frase.

—Sí, señor —prosiguió el chófer—. Bugsy vio las posibilidades y se trasladó aquí. Hasta 1947 en que le volaron parte de la cabeza con una ráfaga de balas. Tantas, que la policía nunca llegó a encontrarlas todas. Bueno, ahora estamos llegando a Las Arenas. Costó una fortuna. Lo construyeron hace dos años, pero no sé exactamente quién. El tipo que da la cara es una buena persona, que se llama Jack

Intratter. Antes estaba en El Copa, de Nueva York. ¿Ha oído usted hablar de él?

—Me temo que no —dijo Bond.

—Ahora, eso que ve es la Posada del Desierto. De Wilbur Clark. Pero el dinero procede de unos viejos socios de Cincinatti y Cleveland. Y aquella choza con el letrero de hierro laminado es El Sahara. El último grito en casinos. Los propietarios legales son un grupo de jugadores menores procedentes de Oregón. Lo gracioso es que perdieron más de cincuenta mil dólares la noche de la inauguración. ¡Quién lo creería! Todos los peces gordos vinieron con los bolsillos llenos de billetes, una cortesía habitual para que la primera noche fuera un éxito, ya comprende. Es una costumbre aquí que las bandas rivales se reúnan las noches de apertura. Pero, como le digo, las cartas no estaban dispuestas a cooperar, según parece, y los tipos de la oposición se marcharon con más de cincuenta de los grandes. La ciudad entera se está riendo todavía. Y ahí tiene La Gran Frontera —dijo, señalando con la mano—. A la izquierda. Es una especie de ciudad del Oeste, de imitación. Vale la pena verla. Al otro lado queda El Pájaro del Trueno, y más allá está el Tiara. El hotel más exclusivo de todas Las Vegas. ¿Conoce ya a míster Spang, y a todos los otros?

Mientras decía esto disminuyó la marcha y acabó deteniéndose frente a la corona ducal de luces parpadeantes que coronaba la entrada del hotel. A aquella hora del día, sin embargo, las luces de la corona libraban una batalla perdida con el sol y con el reflejo que subía desde el asfalto de la calzada.

—Sí, ya conozco la trama general —dijo Bond—. Pero me gustaría que me fuese dando algunos detalles en otra ocasión. ¿Y ahora qué?

—Lo que usted diga, míster.

Lo que Bond pensó, de pronto, es que ya no podía soportar por más tiempo aquel resplandor inaguantable del *Strip*. Sólo deseaba meterse bajo techo y escapar de aquel calor; tal vez almorzar un poco y pasar un par de horas en la piscina, para tomarse las cosas con calma hasta que llegase la noche. Se lo dijo al chófer.

—De acuerdo —contestó Cureo—. A mí también me conviene de esta forma. Es mejor que no se esfuerce mucho esta primera noche. Tómeselo con relajo y actúe de forma natural. Si tiene trabajo que hacer en Las Vegas, espere hasta orientarse un poco y conocer el entorno. Y tenga cuidado con el juego, amigo —dejó escapar una risita—. ¿Ha oído hablar de las Torres del Silencio de la India? Dicen que los buitres no tardan más de veinte minutos en limpiar a un muerto hasta los huesos. Me imagino que les lleva un poco más de tiempo en el Tiara. Quizá son los sindicatos los que les obligan a ir más despacio.

Metió primera y vigiló el tráfico en su espejo retrovisor.

—De todas formas —dijo, mientras esperaba una oportunidad para poder cruzar el río de coches—, cuentan los viejos del lugar que hubo una vez un tipo que consiguió dejar Las Vegas con un billete de cien intacto. Pero no hay que olvidar que traía medio millón cuando vino.

Metió el coche sorteando el tráfico y fue a detenerse bajo las columnas del pórtico, frente a las amplias puertas de cristal del Tiara.

La fachada, de estuco color de rosa, se extendía en ambas direcciones durante un buen trecho. El portero, embutido dentro de su uniforme azul celeste, acudió para abrir la portezuela del coche y hacerse cargo de la maleta. Bond salió al baño turco del exterior.

Estaba ya empujando la cristalera de la entrada cuando oyó que Ernie le decía al portero:

—Uno de esos ingleses locos. ¡Me ha alquilado por cincuenta dólares al día! ¿Qué te parece eso?

Luego la puerta se cerró tras él y el delicioso aire frío del vestíbulo le saludó con un beso helado, en señal de bienvenida a aquel palacio resplandeciente que era la guarida de Seraffimo Spang.

16

El Tiara

Mientras almorzaba en el Sunburst Room, que tenía aire acondicionado y dominaba la piscina en forma de riñón («Salvavidas: Bobby Bilbo. La piscina se limpia diariamente con agua a presión»), Bond decidió que sólo el uno por ciento de los bañistas, aproximadamente, tenían buena presencia en traje de baño. Cuando hubo terminado de comer, atravesó lentamente los dieciocho metros de hierba abrasada que separaban el edificio central del pabellón donde se hallaba alojado, entró en su habitación, se quitó la ropa y se tendió desnudo sobre la cama.

Eran seis los pabellones dedicados a dormitorios en el Tiara, y cada uno de ellos llevaba el nombre de una joya diferente. Bond estaba en la planta baja del Pabellón Turquesa. Su *leit motiv* eran las paredes color blanco azulado, con adornos azul oscuro y blanco, combinados. Su habitación era sumamente confortable, con muebles de diseño moderno en madera de tonalidades plateadas, que muy bien podía ser abedul. Había una radio junto a su cama y un aparato de televisión, con pantalla de 17 pulgadas, junto a la ancha cristalera de la ventana. Al otro lado de ésta, quedaba una pequeña terraza cerrada, con una mesita para el desayuno. Era un cuarto muy tranquilo, y el termostato regulador del aire acondicionado no producía ruido alguno.

No le costó ningún trabajo quedarse dormido en el acto.

Estuvo durmiendo cuatro horas y durante todo este tiempo el magnetófono que había oculto en la base de la mesilla de noche estuvo consumiendo en vano unos cuantos centenares de metros de cinta.

Cuando se despertó, eran las siete. El magnetófono registró que había descolgado el teléfono y había preguntado por miss Tiffany Case, y que después de una pausa había dicho: «¿Quiere usted decirle, por favor, que la ha llamado míster James Bond?», y había colgado el auricular. Luego, el ruido de Bond moviéndose por la habitación, el murmullo del agua en la ducha y, a las 7:30, el click metálico de la llave en la cerradura, cuando salió y cerró la puerta.

Media hora más tarde, la cinta magnetofónica registró el sonido de unos nudillos llamando desde fuera y, después de una breve pausa, el ruido de la puerta al abrirse.

Un hombre con traje de camarero entró en la habitación con una cesta de fruta en la que había una nota que decía: «Con los saludos de la dirección». El hombre se dirigió rápidamente hacia la mesilla de noche, aflojó un par de tuercas, retiró el rollo de cinta del magnetófono, lo reemplazó por una cinta nueva, puso la cesta de fruta encima de la mesita tocador y se retiró, cerrando la puerta tras de sí.

Durante varias horas el magnetófono continuó girando en silencio, sin registrar nada.

Bond estaba sentado en el bar del Tiara, tomándose un martini con vodka, mientras examinaba, con ojos profesionales, la enorme sala de juego.

Lo primero que notó fue que Las Vegas parecía haber inventado un nuevo estilo de arquitectura funcional. «El estilo de la ratonera dorada», pensó que podía llamársele, y que estaba concebido para conducir al jugador-ratón hasta la trampa central, tanto si quería el queso como si no.

Había sólo dos entradas. Una, desde el exterior del edificio y otra desde los pabellones donde estaban las habitaciones y la piscina. Una vez que la persona en cuestión había pasado por cualquiera de estas dos puertas, tanto si quería comprar papel de cartas o cigarrillos, o dirigirse al puesto de los periódicos, como si quería cortarse el pelo, o tomar una sesión de masaje, o beber un trago en el bar o ir a cualquiera de los dos comedores, o incluso bajar a los lavabos, no podía hacerlo sin pasar entre las filas de máquinas tragaperras y las mesas de juego. Una vez allí, atrapado en el vórtice de las máquinas, que en alguna parte dejaban oír de cuando en cuando la cascada metálica de su chorro de monedas y el grito dorado de alguna de las muchachas encargadas del cambio, anunciando: «¡Pleno!», la persona estaba perdida. Rodeado por el murmullo de las mesas de dados, el repiqueteo seductor de dos ruletas y el sonido de los dólares de plata sobre los tableros verdes de las mesas de bacarrá, tenía que ser de acero el ratón que consiguiera escapar, sin intentar siquiera tirarle un mordisco al queso tentador de la fortuna.

Pero, reflexionó Bond, era sólo una trampa para ratones carentes de sensibilidad, ratones que podían ser atraídos por el más vulgar de los quesos. Era una trampa tosca y vulgar, sin elegancia alguna. El ruido de las máquinas, especialmente, tenía tan horrible sonido que atacaba el cerebro. Parecía el batir ensordecedor de un antiguo navío de hierro, camino de los astilleros de desguace, sin aceite en sus máquinas, descuidado, condenado.

Los jugadores, de pie ante las máquinas, tiraban de sus manivelas con tanto furor como si las odiasen. Y en cuanto comprobaban su falta de suerte en la pequeña ventana de vidrio, sin esperar a que terminase el juego, introducían inmediatamente otra moneda y comenzaban a manejar otra vez las palancas. *Clang, clater, ting. Clang, clater, ting.* Sin descanso.

Cuando, por casualidad, llegaba el diluvio plateado, la copa receptora desbordaba de monedas, que caían a veces al suelo, y el jugador tenía que arrodillarse para recogerlas y buscarlas por debajo de las otras máquinas. Como había dicho Leiter, la mayoría de estos jugadores eran mujeres de mediana o avanzada edad; amas de casa acomodadas. Estaban allí, de pie ante las máquinas, como una bandada de gallinas ponedoras a quienes la deliciosa frescura de la sala y el ruido de la música les condicionaban a depositar sus monedas hasta agotar sus reservas.

Mientras Bond estaba observando, una de las muchachas encargadas del cambio gritó: «¡Pleno!», y el grito hizo que algunas de las mujeres levantasen la cabeza, y todo el cuadro sufrió un cambio súbito. Ahora le recordaban a Bond los famosos perros de Pavlov, con la saliva corriéndoles por las quijadas abiertas ante el sonido de la campana que no traía para ellas ninguna comida, y no pudo evitar un ligero estremecimiento ante aquella colección de ojos de mirada vacía, aquellas pieles arrugadas, aquellas bocas entreabiertas y aquellas manos crispadas sobre las manivelas.

Les volvió la espalda y se puso de nuevo a sorber su martini, escuchando sólo a medias las melodías que una banda de nombre famoso estaba tocando al extremo de la sala contigua, allí donde comenzaba la galería de tiendas. Sobre una de estas tiendas podía leerse el rótulo incluso desde lejos: «La Casa de los Diamantes». Bond llamó la atención del *barman* con un movimiento de cabeza:

—¿Míster Spang ha estado aquí esta noche?

—No le he visto —dijo el *barman*—. Viene casi siempre después de que haya terminado el primer *show*. ¿Le conoce?

—Personalmente, no.

Pagó su consumición y se dirigió hacia las mesas de bacarrá. Se detuvo frente a la que estaba en el centro. Ésta debía ser la suya. Exactamente a las diez y cinco. Miró su reloj. Las ocho treinta.

La mesa era pequeña, en forma de riñón plano, cubierta por su fieltro verde. Había ocho jugadores sentados en torno, sobre taburetes altos, frente al *croupier* que, con el estómago apoyado contra el reborde de la mesa, estaba sirviendo los naipes: dos para cada uno de los ocho espacios numerados. Las apuestas eran generalmente de cinco a diez dólares en monedas de plata, o en fichas de veinte dólares. El *croupier* era un hombre de unos cuarenta años, con una sonrisa simpática. Llevaba el uniforme establecido para su oficio por la costumbre: camisa blanca, abotonada en los puños, una corbata negra de jugador del Oeste, visera verde y pantalones negros. La parte delantera de los pantalones quedaba protegida del continuo roce contra el borde de la mesa por un delantal de fieltro verde, como el que cubría el tablero, con su nombre bordado en una esquina: «Jake».

El hombre servía las cartas y cobraba o pagaba las apuestas con suavidad impasible. Nadie hablaba en la mesa excepto cuando uno de los jugadores pedía una bebida de «cortesía» o un paquete de cigarrillos, a una de las camareras que circulaban por el espacio que quedaba entre las mesas. Las muchachas iban vestidas con ligeros trajes de seda negra. Mezclados entre ellas vigilaban tres jefes de sala, con mirada de lince y revólveres en la cintura.

El juego transcurría rápido, eficiente y aburrido. Tan aburrido y casi tan mecánico como el de las máquinas tragaperras. Bond estuvo observándolo durante algún tiempo y luego se dirigió hacia la sala del fondo, sobre cuyas puertas se leían estos dos rótulos: «Fumadores» y «Salón tocador». Mientras se dirigía hacia allá, se cruzó con dos parejas de *sheriffs* vestidos con el elegante uniforme gris del Oeste, con botas de media caña. Estaban allí parados en medio de la sala, con aspecto de no mirar a ningún sitio, pero en realidad vigilándolo todo. De sus caderas colgaban los revólveres de reglamento, con las culatas asomando por las fundas abiertas, y en sus cinturones con cartucheras relucía el cobre brillante de cincuenta balas.

Bond entró en el cuartito de fumadores, pensando en aquel despliegue de vigilantes que se veía por todas partes. Dentro del cuartito con paredes de azulejos había un letrero que decía: «Póngase cerca. Es más corta de lo que usted cree». Humor del Oeste. Bond se preguntó si incluiría aquello en su próximo informe a M, pero decidió que no iba a hacerle gracia. Cuando salió del cuarto de aseo se dirigió hacia una puerta que había al otro lado de las mesas de juego y sobre cuyo dintel podía leerse un letrero de neón: «La Sala del Ópalo».

Era el otro restaurante de la casa, decorado en colores rosa, blanco y gris, y estaba casi lleno.

La camarera jefe vino a su encuentro y le condujo a una de las mesas situada en una esquina. Se inclinó para arreglar las flores que había en un jarrón sobre el mantel, y al hacerlo Bond quedó convencido de que al menos la mitad de sus senos eran perfectamente reales. La muchacha le dirigió una encantadora sonrisa y desapareció entre las mesas. Al cabo de diez minutos, apareció otra camarera con una bandeja y puso en su plato un panecillo y un cuadradito de mantequilla envuelto en papel plateado. También puso un platito con aceitunas y otro con apio, adornado con tiras muy finas de un queso color naranja. Luego llegó otra camarera de más edad que las anteriores, le presentó el menú y le dijo:

—Le atenderé inmediatamente.

Habían pasado ya veinte minutos desde que se sentó cuando pudo al fin ordenar una docena de mejillones y un *steak*, y ya que suponía que tendría que esperar otro buen rato, un segundo martini seco con vodka.

—El *sumiller* estará en seguida con usted —dijo la camarera que le había atendido, y desapareció en dirección a las cocinas.

«Generosos en cortesías y parcos en servicio», reflexionó Bond, resignado a aceptar el largo ritual.

Durante la cena, excelente, que acabó por materializarse al fin sobre la mesa, Bond empezó a preguntarse sobre cómo transcurriría el resto de la velada, y cómo podría arreglarse para acelerar en lo posible la marcha de su misión. No le divertía en absoluto su papel de granuja provisional, que iba a recibir su primera paga por su primer trabajo de prueba y que, si resultaba aceptable a los ojos de míster Spang, podría ser empleado en otros servicios de más categoría en su período de aprendizaje dentro de la banda. Le irritaba no ser él quien tomara la iniciativa, el hecho de que le enviasen a Saratoga primero, y después a esta especie de ratonera para tontos, según el dicho de algunos de los peces gordos del juego.

Aquí estaba, comiéndose la cena que le ofrecían y durmiendo en la cama que le pagaban, mientras ellos le vigilaban a él, James Bond, pesando sus posibilidades y discutiendo si su mano sería lo bastante firme, su aspecto lo bastante presentable y su salud lo bastante sólida como para encargarle algún trabajo menor en uno de sus negocios.

Bond masticaba su *steak* como si se tratase de los dedos de míster Seraffimo Spang, y maldecía la hora en que había aceptado este papel estúpido. Consiguió calmarse y continuó comiendo con más tranquilidad. Al fin y al cabo, ¿de qué se preocupaba? Ésta era una misión importante para el Servicio, y hasta ahora todo había marchado bien, pues se encontraba a las puertas de uno de los extremos de la ruta de los diamantes, el elegante antro de míster Seraffimo Spang, quien, junto con su hermano en Londres y con aquel misterioso ABC, manejaba la mayor operación de contrabando de joyas en el mundo.

¿Qué importaban sus sentimientos personales?

Era sólo un momento de repugnancia, una náusea momentánea producida por el hecho de sentirse extranjero en aquel ambiente y tener que pasar tantos días en contacto directo con aquellas bandas americanas, sórdidas y poderosas, aspirando el perfume a pólvora que se desprendía de «aquel estilo elegante» de la aristocracia del crimen.

Mientras tomaba su café, Bond decidió que la médula del problema era que sentía nostalgia por actuar bajo su verdadera identidad. Se encogió de hombros. ¡Al diablo con los Spang y los negocios sucios de Las Vegas! Miró su reloj. Eran exactamente las diez. Encendió con calma un cigarrillo, se levantó de la mesa y, atravesando el restaurante lentamente, encaminó sus pasos hacia la sala del casino.

Había dos maneras de continuar el juego. Una, quedarse al acecho, quieto, hasta que ocurriese algo. La otra, forzar el paso para hacer que ocurriese algo.

Pensando en ello, avanzó hacia las mesas de bacarrá.

17

Gracias por la función

La escena había cambiado por completo en la sala. El ambiente era más tranquilo. Se había ido la orquesta, y lo mismo había ocurrido con los enjambres de mujeres. Sólo quedaban unos cuantos jugadores, sentados a las mesas, y unas cuantas «animadoras» frente a la ruleta. Eran muchachas atractivas, con trajes de noche, que recibían cincuenta dólares por dar un poco de calor a la sala. También había un borracho apoyado contra una de las paredes, gritando imprecaciones a los dados de la mesa más próxima.

Algo más había cambiado. El banquero en la mesa central de bacarrá era Tiffany Case.

De modo que éste era su trabajo en el Tiara.

Fue ella la primera en verle, ya que su mesa era la que quedaba más próxima a la entrada desde el bar, pero en seguida se dio cuenta de que las otras dos mesas estaban también servidas por lindas muchachas, vestidas con el mismo uniforme, variación sofisticada del traje vaquero del Oeste. Una falda gris, ancho cinturón de cuero negro con incrustaciones metálicas, blusa gris con pañuelo negro anudado alrededor del cuello, y un sombrero gris de ala ancha, colgándoles sobre la espalda por un cordón negro. Completaban el atuendo las botas negras de media caña sobre medias de nailon color carne.

Bond miró su reloj y avanzó sin prisa hacia el centro de la sala. De modo que iba a ser Tiffany la encargada de proveerle de sus cinco mil dólares de falsa ganancia. Naturalmente, habían escogido el momento en que acababa de entrar de turno, cuando aún no había terminado el primer *show* de la revista en el Salón Platino.

Iba a estar solo con ella en la mesa verde. Sin testigos, en caso de que la muchacha tuviera que sacar un naipe por debajo del paquete.

Exactamente a las diez y cinco, Bond se acercó a la mesa y se sentó frente a Tiffany.

—Buenas noches.

—*¡Hey!* —dijo ella, con una sonrisa impecable, apenas marcada.

—¿Cuál es la máxima apuesta?

—Uno de los grandes.

Al mismo tiempo que Bond depositaba sus diez billetes de cien dólares en el tablero, detrás de la línea de apuestas, uno de los jefes de sala se acercó a la mesa y se quedó parado junto a Tiffany. Apenas miró a Bond.

—Tal vez el señor desee que abra un nuevo paquete, miss Tiffany —dijo, alargándole uno.

La muchacha rasgó la envoltura y devolvió al hombre el paquete usado. Éste se alejó unos pasos y pareció desinteresarse por completo.

Tiffany plantó el nuevo paquete sobre la mesa, lo separó con dedos ágiles en dos mitades y lo barajó con lo que parecía un estilo Scarne impecable. Pero Bond vio que las dos mitades no coincidían del todo y que cuando las levantase del tapete para volver a barajarlas, las cartas iban a quedar de nuevo en su posición original. La muchacha repitió la operación y luego puso las cartas frente a Bond para que cortase, si así lo deseaba. Bond cortó y se quedó observando con deleite cómo ella ejecutaba con absoluta maestría y con una sola mano el «gambito de anulación», uno de los más difíciles en el manejo trucado de cartas.

Al final de toda esta aparente rutina de juego limpio, las cartas estaban de nuevo en la misma posición que tenían antes de salir de su envoltorio.

Fijó la vista en los ojos grises de la muchacha. Pero no hubiese podido decir si lo que vio en ellos fue un leve destello de complicidad, o de diversión por la comedia que ambos estaban representando.

Le dio dos cartas y se sirvió otras dos ella misma. De repente, Bond se dio cuenta de que debía andar con mucho cuidado. Tenía que jugar estrictamente según las normas convencionales, o de lo contrario corría el riesgo de arruinar toda aquella *mise en scene* tan cuidadosamente preparada.

Impresas frente al puesto del banquero se leían las palabras: «El banquero debe tomar carta en 16 y plantarse en 17». Seguro que le habían servido una mano a prueba de errores, pero en la eventualidad de que hubiera algún otro jugador en la mesa o algún mirón, tenían que hacerlo parecer absolutamente irreprochable, como una racha natural de la suerte. No podían arriesgarse a darle servido un «veintiuno».

Miró sus dos cartas. Una jota y un diez. Miró a la muchacha y meneó la cabeza. Ella levantó dieciséis y sacó una carta más. Un rey, que la hizo pasarse. Tenía una bandeja a su lado que contenía sólo piezas de plata de un dólar y fichas de veinte dólares. Pero el jefe de sala acudió en seguida con una ficha de mil dólares. La muchacha se la echó a Bond por encima del tapete. Él la colocó al otro lado de la línea de apuestas y se guardó sus billetes en el bolsillo. De nuevo la muchacha le dio dos cartas y se sirvió dos para sí. Bond tenía diecisiete esta vez, y de nuevo denegó con la cabeza. Ella tenía doce. Sacó un tres y luego un nueve: veinticuatro. Se había pasado de nuevo, y otra vez acudió el jefe de sala con una ficha de mil. Bond se la metió en el bolsillo y dejó su apuesta original sobre el tapete. Esta vez tenía diecinueve y ella descubría diecisiete, lo que, de acuerdo con las reglas del juego, le obligaba a plantarse. Una tercera ficha vino a parar al bolsillo de Bond.

En aquel momento se abrieron las puertas del fondo y apareció en la sala de juego una verdadera riada de gente, que llegaba desde el *show*. Pronto estarían en torno a las mesas. Éste era su último juego. Después debía levantarse y salir. La muchacha le miró con impaciencia. Bond recogió las dos cartas que acababa de darle. Veinte. Ella tenía también dos dieces. Bond no pudo evitar sonreír ante tal refinamiento. Rápidamente le sirvió la muchacha dos cartas más, justo en el momento en que llegaban otros jugadores a tomar asiento en torno al tapete. Tenía un diez y un nueve y ella tenía un diez y un seis.

Y eso fue todo. El jefe de sala no se molestó siquiera en darle la cuarta ficha a Tiffany. Se limitó a arrojársela a Bond por encima del tapete, con una expresión en su rostro que equivalía a un sarcasmo.

—¡Dios! —exclamó uno de los recién llegados, mientras Bond se ponía en el bolsillo la última ficha de mil dólares.

Bond miró a la muchacha.

—Gracias —dijo—. Sirve maravillosamente.

—¡Y tanto! —exclamó de nuevo el jugador que había hablado antes.

Tiffany Case dirigió a Bond una mirada llena de dureza.

—Para servirle a usted —dijo.

Mantuvo sus ojos en los de Bond durante una fracción de segundo y luego los bajó de nuevo hacia el paquete de cartas que tenía en la mano. Las barajó rápidamente y se las tendió a uno de los jugadores recién llegados, para que cortase.

Bond se alejó de la mesa y atravesó la sala, sin dejar de pensar en la muchacha. Aún se volvió una vez para contemplar su figura rígida junto al tapete, enfundada en aquel uniforme, tan excitante. Otros jugadores la encontraban también sumamente atractiva, sin duda, porque pronto la mesa en que ella mantenía la banca tuvo todos los taburetes ocupados. Y no sólo los taburetes, sino una buena colección de mirones en torno suyo.

Bond sintió una punzada de celos. Se encaminó hacia el bar y pidió un bourbon con agua mineral para celebrar los cinco mil dólares que llevaba en el bolsillo.

El *barman* sacó una botella de agua tapada con un corcho y la puso junto al vaso de Old Grandad que acababa de servirle.

—¿De dónde viene esto? —preguntó Bond señalando la botella. Recordaba lo que Leiter le había dicho.

—De las fuentes del pantano del Boulder —dijo el *barman* muy serio—. La traen en camiones todos los días. No se preocupe —añadió—. Es de buena calidad.

Bond arrojó un dólar de plata sobre el mostrador.

—Estoy seguro de que lo es —dijo, igualmente serio—. Guárdese la vuelta.

Se quedó con el vaso en la mano, con la espalda vuelta al bar, mientras pensaba en cuál debía ser su movimiento siguiente. Ya tenía el dinero prometido y Shady Tree le había dicho que no volviese a las mesas de bacarrá una vez conseguido.

Acabó el licor y cruzó la sala en dirección a la mesa de ruleta más próxima. Sólo había un pequeño grupo de jugadores en torno a ella, manejando apuestas pequeñas.

—¿Cuál es el máximo aquí? —preguntó al hombre que se ocupaba de la raqueta, un individuo de cierta edad, con una calva bastante avanzada y unos ojos tan muertos como los de un besugo en la cesta, que en aquel momento estaba recogiendo de la rueda la pequeña bolita de marfil.

—Cinco de los grandes —contestó el hombre con indiferencia.

Bond sacó de su bolsillo las cuatro fichas de mil dólares y los diez billetes de cien y los depositó junto al *croupier*.

—Al rojo —dijo.

El hombre se enderezó en su asiento y dirigió a Bond una mirada lateral que bizqueaba un poco. Luego fue arrojando las cuatro fichas sobre el paño correspondiente, ayudándose a retenerlas allí con su raqueta. A continuación, contó los billetes que Bond le había entregado y los metió por una ranura que había en la mesa, a su derecha. Cogió una quinta ficha de la bandeja que tenía a su izquierda y la arrojó junto a las otras. Bond observó como levantaba la rodilla por debajo de la mesa. El jefe de sala oyó el zumbido apagado del timbre y acudió, al mismo tiempo que el *croupier* ponía en marcha la rueda. Bond prendió un cigarrillo. El encendedor le sirvió para comprobar que su mano no temblaba. Lo que experimentó fue una maravillosa sensación de libertad, por haber al fin tomado la iniciativa sobre aquella gente. Estaba seguro de que iba a ganar. Apenas miró la ruleta mientras iba perdiendo velocidad y la diminuta bolita de marfil buscaba un casillero en que acoplarse.

—Treinta y seis. Rojo. Par y pasa.

El hombre recogió unas cuantas fichas de los que perdían sus apuestas y arrojó algún dinero a los ganadores. Luego cogió de su bandeja una ficha grande de hueso, del tamaño de un libro de oraciones, y la depositó cuidadosamente con su raqueta al lado de Bond.

—Negro —dijo éste.

El hombre arrojó una sola ficha de cinco mil dólares sobre el paño del negro y retiró la apuesta que había quedado sobre el rojo.

Se oyó un murmullo en torno a la mesa, y se aproximaron algunas otras personas, para mirar lo que estaba ocurriendo. Bond sintió los ojos de los curiosos fijos en él, pero mantuvo la mirada sin apartarla de donde la tenía: fija en los ojos del jefe de sala, al otro lado de la mesa. Vio que eran tan hostiles como dos puñales, y, sin embargo, un poco asustados.

Bond le sonrió suavemente mientras la rueda comenzaba a girar de nuevo, haciendo repiquetear la bolita.

—Diecisiete. Negro. Impar y falta —cantó el hombre de la raqueta.

Se oyó un suspiro en el grupo de espectadores y varios pares de ojos contemplaron con envidia la gran ficha de hueso que el *croupier* sacaba de su bandeja y ponía delante de Bond.

«Todavía una vez más —pensó Bond—. Pero no ahora.»

—No entro —dijo al *croupier*. El hombre levantó la vista hacia él. Luego, con su raqueta, recogió del tapete su apuesta anterior y la empujó hasta él.

Otro hombre apareció junto al jefe de sala y se quedó mirando a Bond con pupilas brillantes y duras como las lentes de una cámara. El grueso cigarro que salía de sus labios parecía apuntarle como el cañón de una pistola. Dentro de su esmoquin negro azulado, de seda, su gran cuerpo aparecía encorsetado, con esa inmovilidad tensa del animal en acecho. Era como el tigre vigilando al burro atado a su soga, y, sin embargo, olfateando el peligro.

Tenía la cara muy pálida, casi como el marfil, y una gran semejanza de rasgos con su hermano de Londres. Las mismas cejas rectas, pobladas, negras, el mismo corte de pelo al cepillo, y la misma mandíbula prominente, implacable.

La ruleta se puso de nuevo en movimiento y los dos pares de ojos se inclinaron a mirarla. La bolita se detuvo en una de las dos casillas verdes y Bond respiró hondo, pensando que de buena se había librado.

—Doble cero —dijo el *croupier*, y recogió con su raqueta todo el dinero que había sobre el tapete.

«Bien, ahora el último envite —se dijo Bond—, y, luego, fuera de aquí con los veinte mil dólares del dinero de los Spang.» Miró al patrón por encima de la mesa. Aquellas dos lentes y el puro encendido estaban aún apuntándole, pero el rostro de marfil continuaba impasible.

—Rojo —dijo Bond. Alargó al *croupier* una de sus fichas de cinco mil dólares y vio cómo la colocaba con la raqueta en el paño correspondiente.

¿Sería pedirle demasiado a la suerte? No, se dijo Bond sin vacilar. Estaba bien así.

—Cinco. Rojo. Impar y falta —anunció el *croupier* con voz monótona.

—Recojo mi puesta —dijo Bond—. Y, gracias por la función…

—Vuelva cuando guste —respondió el hombre, sin ninguna emoción.

Bond metió la mano en el bolsillo, sobre las cuatro fichas de hueso, y se abrió paso entre la multitud que llenaba la sala hasta la ventanilla del cajero.

—Deme tres billetes de cinco mil, y cinco de mil —dijo al individuo que había detrás de la reja, con una visera verde sobre los ojos.

El hombre recogió las cuatro fichas que le tendía Bond y le entregó un montón de billetes, después de contarlos con todo cuidado.

Bond se los puso en el bolsillo y se dirigió a la recepción del hotel.

—Un sobre de avión, por favor —dijo.

Con el sobre en la mano fue a sentarse en una de las mesitas escritorio que había junto a la pared. Metió los tres billetes de cinco mil dentro del sobre, lo cerró y escribió la dirección en el anverso: «Personal. Al director general de la Universal Export, Regents Park, Londres. N.S. 1. Inglaterra».

Luego regresó hasta el mostrador para comprar los sellos, metió el sobre en uno de los buzones por la abertura que decía «Correo de los Estados Unidos», confiando en que allí, en el depósito más inviolable de toda América, estaría seguro.

Luego miró su reloj. Faltaban cinco minutos para la medianoche.

Echó una última ojeada a la sala de juego. Tiffany Case había sido reemplazada por otro empleado de la casa. Tampoco se veía rastro alguno de míster Spang.

Empujó la puerta de cristal que se abría sobre la noche calurosa, atravesó la hierba del parque hasta el Pabellón Turquesa, se metió en su habitación y echó el pestillo por dentro.

18

La noche cae sobre el pozo de las pasiones

—¿Cómo le fue? —preguntó Cureo.

Era la noche siguiente y el Chevrolet rodaba a poca velocidad por el *Strip* en dirección a los barrios populares de Las Vegas. Bond se había cansado de esperar en vano que sucediese algo, y había llamado al hombre de Pinkerton para tener una charla con él.

—No fue mal —contestó Bond—. Les gané un poco de dinero en la ruleta, pero no creo que eso preocupe mucho a nuestro amigo. Según me han dicho, tiene millones para derrochar.

—¡Que si tiene...! —replicó Cureo—. Ese tipo está tan cargado de dinero que no necesita ponerse las gafas cuando sale a conducir en su coche. ¿Sabe lo que ha hecho? Pues se ha mandado fabricar un parabrisas entero de vidrio graduado por un oculista.

Bond se echó a reír.

—¿En qué se gasta el dinero aparte de eso? —preguntó.

—Está un poco chiflado —dijo el chófer—. Loco por todo lo que sea el viejo Oeste. Se compró un pueblo fantasma que queda allá por la general 95, y lo ha hecho arreglar con todo lujo: calzadas de madera, un *saloon* de lo más elegante, un hotel de tablas, como los que se estilaban entonces, que es donde aloja a los muchachos, y hasta una vieja estación de ferrocarril. Allá por los primeros años del siglo, 1905 o algo así, ese lugar era un centro de minas de plata en pleno apogeo. Le llamaron Spectreville, la ciudad espectro si usted quiere, porque se extiende justo frente a las montañas del Espectro. Durante tres años estuvieron sacando millones de esas montañas y llevándolos por ferrocarril de vía estrecha a Rhyolite, que queda a unos ochenta kilómetros, aproximadamente, y que era otro de los famosos pueblos fantasma, convertido ahora en centro turístico. Hay allí una casa que está hecha toda ella con botellas de whisky. Rhyolite era la estación de enlace, desde donde embarcaban la plata en vagones hacia la costa. Bueno, pues míster Spang se compró una de las antiguas locomotoras, una de aquellas «Luces de la Llanura», si es que alguna vez oyó el nombre, y uno de los primeros coches Pullman que fabricaron, y los tiene allí en la estación de Spectreville. Los fines de semana lleva a sus amigos a dar un paseo en aquel trasto, hasta Rhyolite y vuelta. Conduce él mismo la locomotora. Y en el pueblo, champaña, caviar, orquesta y chicas... lo que usted quiera. Debe ser un espectáculo digno de verse. Yo no lo he visto nunca. No está permitido acercarse al lugar —bajó el cristal y lanzó un escupitajo por la ventanilla—. Sí, señor. Así es como míster Spang se gasta su dinero. Chiflado, como ya le he dicho.

De modo que ésta era la explicación. Era por esto por lo que no había sabido de míster Spang ni de sus amigos durante todo el día. Era viernes, y sin duda estaban todos en el pueblo del patrón, jugando a los trenes, mientras él mataba las horas durmiendo y nadando y dando vueltas por los salones del Tiara, en espera de que sucediese algo. Es cierto que en algunas ocasiones había cogido al paso la imagen fugaz de unos ojos que miraban a otra parte al encontrarse con los suyos, y que siempre había algún camarero o alguno de los *sheriffs* cerca de él, sumamente ocupados en no hacer nada en particular; pero, aparte de esto, le habían tratado como si fuese un huésped más del hotel.

En una ocasión había percibido una imagen fugaz del patrón y esto le había proporcionado un placer perverso, dadas las circunstancias en que había ocurrido.

Serían más o menos las diez de la mañana, después de nadar un poco y de tomar el desayuno, cuando Bond decidió que le hacía falta un corte de pelo. Se dirigió a la barbería del hotel, que estaba aún casi vacía de clientes. Sólo había uno, con el cuerpo envuelto en una bata de baño color púrpura y la cabeza, reclinada sobre el apoyo del asiento, envuelta en toallas. Era un hombre corpulento. La manicura, una linda muchacha rubia con cara de muñeca, sentada en un taburete bajo a su lado, le estaba haciendo las manos en aquel momento.

Bond se había entretenido en observar por el espejo que tenía frente a su sillón cómo el barbero levantaba con todo cuidado una de las toallas que cubrían el rostro del otro y delicadamente, valiéndose de unas tijeras muy finas, se ponía a cortarle el pelo de una de las orejas. Luego repitió la operación con la otra. Antes de bajar el paño caliente otra vez sobre la segunda oreja, se inclinó sobre su cliente y le preguntó con toda deferencia:

—¿Las narices también, señor?

Desde debajo de las toallas llegó un gruñido afirmativo, y el barbero procedió a abrir una especie de ventana, levantando un ángulo del paño, alrededor de las narices del hombre. Luego se puso a trabajar con sus tijeritas.

Después de esta ceremonia se hizo el silencio en la barbería. Sólo se escuchaba el ruido suave de las tijeras en la nuca de Bond, y el tintineo que hacían de cuando en cuando los instrumentos en el cacharro de esmalte que la muchacha sostenía sobre sus rodillas. Luego se oyó un ligero crujido cuando el barbero hizo girar la manivela del sillón de Bond para enderezarlo.

—¿Qué le parece, señor? —le preguntó, mientras le colocaba un espejo detrás de la nuca para que pudiera mirarse.

Fue mientras Bond estaba inspeccionando el trabajo que el barbero había hecho en su cabeza cuando comenzaron los gritos.

Tal vez con el ruido que produjo el cambio de elevación del asiento, la muchacha había hecho un movimiento demasiado rápido, o tal vez se le había ido la mano, el caso es que se oyó un rugido ahogado y el hombre de la bata color púrpura saltó de su sillón, arrancándose las toallas de la cara para meterse un dedo en la boca. Luego lo sacó otra vez y con la mano abierta dio una fuerte bofetada a la manicura en el rostro, derribándola de su taburete y haciendo rodar por el suelo la palangana de los instrumentos. El hombre se enderezó de nuevo y volvió un rostro furibundo hacia el barbero.

—¡Despide a esta perra! —gruñó. Luego volvió a llevarse el dedo a la boca y salió de la barbería caminando sobre los instrumentos dispersos, que crujieron aplastados bajo el peso de su cuerpo.

—Sí, señor Spang —dijo el barbero a sus espaldas, cuando el hombre estaba cruzando la puerta. No sabía qué hacer y empezó a gritar a la muchacha, que sollozaba en el suelo.

Bond volvió la cabeza hacia ellos y dijo sin alzar la voz:

—Ya basta.

Luego se levantó de su sillón y se quitó la toalla que aún tenía alrededor del cuello.

El barbero se quedó mirándole sorprendido. Luego dijo en voz baja:

—Sí, señor —y se inclinó sobre la manicura para ayudarla a levantarse y a recoger sus instrumentos.

Mientras Bond pagaba su arreglo de pelo oyó que la muchacha decía con tono quejumbroso:

—No fue culpa mía, míster Lucian. Estaba muy nervioso hoy. Le temblaban las manos. De verdad que le temblaban. No le había visto así nunca. Como si estuviese muy tenso.

En ese instante fue cuando Bond tuvo su momento de placer, pensando en la tensión de míster Spang.

La voz de Ernie Cureo vino a interrumpir sus pensamientos.

—Tenemos escolta, míster Bond —dijo por encima del hombro—. Dos escoltas. Una a proa y otra a popa. No se vuelva. ¿Ve aquel sedán Chevrolet delante de nosotros? El que lleva dos tipos dentro. Han puesto dos retrovisores y nos vienen observando desde hace rato. Detrás de nosotros viene aquella monada de coche *sport*, rojo. Es un antiguo modelo de Jaguar con asiento desplazable. Dos tipos más en él. Y en el asiento posterior llevan unos cuantos palos de golf. Conozco a esos dos. Son de la Banda Morada, de Detroit. Un par de niños de lavanda. Ya sabe, maricas. El golf no es precisamente su juego. Los únicos hierros que saben manejar son los que llevan en el bolsillo. Vuélvase lentamente, como si estuviera contemplando el paisaje. Pero vigile la mano derecha de los dos, mientras les gasto una broma. ¿Listo?

Bond siguió las instrucciones de Cureo, mientras éste metía el pie a fondo en el acelerador, al mismo tiempo que cerraba y volvía a abrir rápidamente el contacto. El ruido que hizo el tubo de escape hubiera podido tomarse por una ráfaga del 88 y Bond pudo ver cómo los dos tipos del Jaguar se llevaban la mano al interior de sus chaquetas de colorines.

—Tenía razón —dijo, volviendo la cabeza, sin prisa, a su posición primitiva. Hizo una pausa y añadió—: Será mejor que me apee, Ernie. No quiero meterle en ningún lío.

—Tonterías —contestó el chófer con disgusto—. No pueden hacerme nada a mí. Si usted me paga los desperfectos del coche, voy a intentar sacudirlos un poco. ¿De acuerdo?

Bond sacó un billete de mil dólares de su billetera, se inclinó por encima del asiento delantero y se lo metió al chófer en el bolsillo de la chaqueta.

—Ahí va uno de los grandes —dijo—. Y gracias, Ernie. Ahora veamos lo que puede hacer —añadió, mientras se sacaba su Beretta de la funda sobaquera y la dejaba descansar en su mano.

«Esto —pensó— es precisamente lo que estaba esperando.»

—*Okey*, amigo —dijo el chófer, alegremente—. Tenía ganas de encontrar una oportunidad como ésta para pagarles con su misma moneda. No me gusta que me presionen, y estos tipos de la banda han estado haciéndolo, a mí y a mis amigos, durante demasiado tiempo. Agárrese fuerte. Allá vamos.

Era un trozo recto de carretera y no había casi tráfico en aquellos momentos. Los picos distantes de las montañas se estaban irisando de oro bajo el sol poniente y la avenida se había vuelto azul, en ese cuarto de hora indeciso entre dos luces, durante el cual uno no puede decidir si encender ya los faros o aguardar un poco.

Iban rodando a cuarenta, suavemente, con el Jaguar casi pegado a su cola y el sedán negro unos cien metros por delante. De pronto Ernie pisó los frenos a fondo y Bond se precipitó con brusquedad sobre el asiento del copiloto. Patinaron sobre los neumáticos y quedaron inmóviles con un chirrido. Casi simultáneamente se oyó un estrépito y los vidrios del Jaguar se rompieron al chocar contra su parachoques posterior. El coche saltó hacia delante y Ernie arrancó liberando al automóvil de los desgarrados restos del radiador aplastado de sus seguidores y acelerando avenida arriba.

—Eso les servirá de lección —dijo Ernie, satisfecho—. ¿Qué tal han quedado?

—Con la rejilla del radiador reventada —dijo Bond, mirando por la ventanilla trasera—. Los dos guardabarros aplastados. El parachoques colgando. Y el cristal del parabrisas rajado. Tal vez roto.

Los perdió de vista en la penumbra y se volvió hacia Ernie.

—Se han quedado en la carretera tratando de levantar los guardabarros. Tal vez puedan arrancar pronto, pero ha sido un buen comienzo, de todas formas. ¿Tiene alguna otra idea en reserva?

—No se descuide ahora —contestó Ernie—. La guerra está declarada. Tenga cuidado. Mejor será que se agache. Han parado el Chevrolet a un lado de la carretera. Puede que nos disparen. Allá vamos.

Bond sintió cómo el coche se lanzaba hacia delante. Ernie Cureo, recostado a medias sobre su asiento para ofrecer menos blanco, conducía a toda velocidad con una mano, sus ojos asomando apenas por encima del reborde inferior del parabrisas con objeto de no perder de vista la carretera.

Se oyó un rebote y el ruido de dos disparos mientras pasaban a todo gas frente al Chevrolet.

Una menuda lluvia de cristal cayó sobre Bond. Ernie Cureo lanzó un juramento y el coche describió una ese antes de volver a tomar su curso.

Bond se arrodilló en el asiento posterior y con la culata de su pistola hizo un agujero en la ventanilla de atrás. Vio que el Chevrolet venía tras ellos, con los faros encendidos.

—Agárrese —dijo Cureo. Su voz tenía un extraño acento apagado—. Voy a dar un viraje rápido y a parar en el próximo bloque, bajo algo que nos sirva de protección. Le voy a procurar una buena diana cuando ellos estén de costado dando la vuelta para seguirnos.

Bond se afianzó con las piernas y un codo mientras el coche viraba sobre dos ruedas, se enderezaba de nuevo y se detenía unos cuantos metros más allá. Bond saltó al exterior y se agazapó tras la carrocería con la pistola en alto.

Los faros del Chevrolet iluminaron la calzada y se oyó el crujido de los frenos y el chillido de los neumáticos mientras viraban hacia el lado opuesto.

«Ahora —pensó Bond—. Antes de que puedan enderezarse.»

Bang. Una leve pausa. Y luego, *bang*, *bang*, *bang*, *bang*. Cuatro disparos, a veinte metros. Blanco seguro.

El Chevrolet no llegó nunca a enderezarse. Se fue contra la cuneta en el lado opuesto, chocó de lado contra un árbol, rebotó en él y acabó por estrellarse contra uno de los postes de alumbrado antes de dar la vuelta y quedarse de costado sobre el asfalto.

Bond estaba aún mirándolo y esperando que los ecos del choque se apagasen en sus oídos, cuando brotó un surtidor de llamas del radiador cromado del coche. Le pareció ver a alguien que arañaba en una de las ventanillas, intentando abrirla. De un momento a otro las llamas encontrarían el vacío de la bomba de presión y correrían a lo largo de todo el chasis hasta el depósito de la gasolina. Entonces sería ya demasiado tarde para el hombre que estaba intentando escapar.

Bond empezó a cruzar la calle. Pero apenas había dado un par de pasos cuando oyó un quejido que salía del asiento delantero del taxi. Se volvió, justo a tiempo de ver cómo el cuerpo de Ernie resbalaba desde el asiento hasta el suelo. Olvidándose del coche ardiendo, abrió la portezuela junto a Ernie y se inclinó sobre él. Había sangre por todas partes y el brazo derecho de Ernie estaba empapado en ella. Se las arregló como pudo para colocarle de nuevo sobre el asiento. Ernie abrió los ojos.

—¡Oh!, hermano —murmuró entre dientes—. Sáqueme de aquí, míster. Y acelere lo más que pueda. El Jaguar estará aquí en un instante. Luego, trate de llevarme a un médico.

—*Okey*, Ernie —dijo Bond, deslizándose en el asiento del conductor—. Yo me encargo de todo.

Metió la palanca a fondo y arrancó avenida abajo, dejando atrás la pira en la que se había convertido el otro coche y el grupo de gente que habían ido apareciendo de un sitio y de otro y que contemplaban las llamas asustados, con las manos en la boca para protegerse del humo.

—No se detenga —susurró Ernie—. Por aquí saldremos a la carretera que conduce al pantano del Boulder. ¿Ve algo en el retrovisor?

—Hay un coche enfocándonos por detrás —dijo Bond—. Podría ser el Jaguar. Está a unas dos manzanas de distancia en este momento.

Pisó fuerte sobre el acelerador y el coche se lanzó como una centella por la calle lateral, desierta.

—No se detenga —repetía Ernie Cureo—. Tenemos que escondernos en alguna parte y luego darles esquinazo. Le diré lo que vamos a hacer. Justo donde esta carretera desemboca en la 95, está el Pozo de las Pasiones. Es un cine al aire libre. Un *drive in*. Ahí está ya. Disminuya la marcha. Ahora tuerza a la derecha. ¿Ve esas luces? Pues métase ahí. Deprisa. Así. Siga derecho sobre la pista de arena, entre esos dos coches. Apague las luces. Despacio. Ya.

El taxi quedó situado en la última hilera de una media docena de filas de coches aparcados frente a la pantalla gigante de cemento, que parecía perderse en el cielo, y sobre cuya luminosidad hiriente un hombre enorme estaba diciéndole algo a una muchacha de iguales proporciones.

Bond se volvió a mirar las hileras de postes metálicos, muy parecidos a los contadores de aparcamiento, y desde los que se podían conectar pequeños altavoces al interior de los coches, para escuchar el sonido de la película. Mientras estaba mirando, llegaron un par de coches más y se situaron en la última fila. Ninguno de ellos se asemejaba un Jaguar. Pero estaba muy oscuro y era imposible ver bien. De modo que se quedó vuelto en el asiento, con los ojos fijos en la entrada.

Se les acercó una acomodadora, una muchacha muy bonita, vestida con uniforme de botones y con una bandeja colgada del cuello por una correa.

—Es un dólar —dijo, echando una ojeada al interior del coche para ver si había un tercer pasajero oculto en el suelo. Llevaba varios cables enrollados al brazo derecho. Cogió uno y lo conectó al poste más próximo. Luego metió el pequeño amplificador por la ventanilla del lado de Bond. Las figuras gigantescas de la pantalla comenzaron a hablar con gran apasionamiento.

—¿Coca-cola, cigarrillos, dulces? —preguntó la muchacha, tomando el billete que le alargaba Bond.

—No, gracias.

—De nada —contestó la chica, y se alejó en la oscuridad.

—Míster, por favor, ¿quiere usted cortar esa basura? —suplicó Ernie Cureo con los dientes apretados—. Y no deje de vigilar. Les daremos aún un poco más de tiempo. Y luego lléveme a un médico para que me saque la bala.

Tenía la voz débil, y ahora que la muchacha se había ido estaba medio desplomado contra su ventanilla.

—No será mucho rato, Ernie. Trate de aguantar.

Bond estaba investigando el cable del altavoz. Encontró por fin el interruptor y cortó aquellas voces que discutían en la pantalla. Parecía como si el hombre enorme fuese a golpear a la muchacha, y ella abrió la boca en un alarido mudo de terror.

Bond se dio la vuelta y forzó su vista a través del espacio oscuro que tenían detrás. Nada aún. Miró a los coches vecinos. Dos caras juntas en uno de ellos. Un bulto indistinguible en el asiento posterior. En el otro, una pareja de mediana edad, mirando muy serios hacia la pantalla. Un leve reflejo de luz sobre el casco de una botella, al ser levantada.

Y de pronto, una bocanada de loción para después del afeitado, dulzona y sofocante, le llegó hasta la nariz al tiempo que una silueta oscura parecía alzarse de la tierra e interponerse en su campo de visión. Un revólver le apuntaba directamente en el rostro, y al otro lado del coche, donde Ernie yacía desplomado, se oyó una voz apagada que decía:

—*Okey*, muchachos. Con tranquilidad.

Bond miró el rostro seboso que había a pocos centímetros del suyo. Los ojos eran fríos, con un destello que hubiese podido tomarse por una sonrisa. Los labios húmedos se separaron para indicarle en voz baja:

—Fuera, inglés. O tu compañero se convierte en fiambre. Mi amigo lleva silenciador. Tú y yo vamos a dar un paseo.

Bond volvió la cabeza y vio el cilindro metálico que el segundo hombre tenía apoyado contra la nuca de Ernie. Esto le hizo decidirse.

—*Okey*, Ernie —le dijo—. Mejor es uno que dos. Iré con ellos. Pero volveré pronto para llevarte a un médico. Cuídate entretanto.

—Qué gracioso —dijo Cara de Sebo. Luego abrió la portezuela sin dejar de encañonar a Bond en pleno rostro.

—Lo siento, amigo —dijo Ernie Cureo con voz cansada—. Me imagino... —pero se oyó el golpe sordo de la culata del revólver detrás de su oreja, y la frase quedó sin concluir. Ernie se inclinó pesadamente hacia delante y quedó allí, en silencio.

Bond rechinó los dientes y sintió cómo los músculos se le tensaban bajo la ropa. Durante un instante se preguntó si le sería posible echar mano a su Beretta. Miró los revólveres de los otros, calculando las probabilidades. Los cuatro ojos que le contemplaban esperaban con ansia la primera oportunidad para matar. Las dos bocas sonreían, como si estuvieran esperando que intentase algo. Recobró la sangre fría con un esfuerzo. Tras unos segundos descendió lentamente del coche, con las manos bien visibles y conteniendo su ansia por abalanzarse contra los dos hombres y acabar con ellos.

—Sigue hacia la puerta —le dijo Cara de Sebo—. Y trata de parecer natural. Te estoy apuntando.

Se había guardado el revólver, pero llevaba la mano en el bolsillo, y el bulto del arma era bastante evidente. Su compañero se unió a ellos, con la mano metida en la cintura de los pantalones. Se colocó al otro lado de Bond y los tres hombres echaron a andar hacia la entrada con pasos rápidos, mientras una luna redonda, que se estaba levantando sobre las montañas a su espalda, alargaba sus sombras sobre la arena blanca del suelo.

19

Spectreville

El Jaguar rojo estaba parado fuera de la entrada, junto al muro del recinto. Bond dejó que le quitasen su pistola y subió junto al conductor.

—Nada de trucos si quieres conservar la cabeza completa —dijo Cara de Sebo, mientras subía al asiento trasero, junto a los palos de golf—. Tienes un revólver apuntándote.

—¡Qué coche tan bonito teníais! —contestó Bond.

Habían bajado el parabrisas roto, y un trozo de hierro cromado retorcido se levantaba del radiador, como el mástil de una bandera, entre las dos ruedas delanteras, sin guardabarros.

—¿Adónde vamos con esta chatarra?

—Ya lo verás —dijo el que conducía, un tipo huesudo, con patillas y una boca cruel.

Hizo virar el coche sobre la carretera y aceleró en dirección a la ciudad. Pronto estuvieron de nuevo en el bosque de luces de neón. Cruzaron unas cuantas calles y doblaron por una carretera lateral de doble circulación. Al cabo de unos cuantos bloques estaban ya en el desierto, iluminado por la luz de la luna, corriendo en dirección a las montañas.

Junto a la carretera había un cartelón que decía «95». Bond recordó lo que le había dicho Ernie. Iban hacia Spectreville. Se agachó en su asiento para protegerse los ojos del polvo y de las moscas y se puso a pensar en el futuro inmediato y en cómo iba a vengar a su amigo.

De modo que estos dos hombres y los otros dos del Chevrolet habían sido enviados para que le llevasen hasta míster Spang. ¿Por qué eran necesarios cuatro hombres? ¿Eran la respuesta al desafío de Bond al incumplir sus órdenes en el casino? ¿Le habían desenmascarado por completo y sabían ya que era un enemigo de la Spangled Mob?

El coche iba tragándose los kilómetros de la carretera sin bajar de ochenta. Los postes del telégrafo desfilaban como meteoros, marcando los segundos.

Bond se dio cuenta de que en esta ocasión no tenía la respuesta a todas las incógnitas. Podía explicar lo ocurrido en el casino al jugar a la ruleta, diciendo que no había entendido bien, y que creía que sus órdenes sólo se referían a las mesas de bacarrá. Y el enfrentamiento con los cuatro hombres que habían ido a buscarle alegando que pensó que pertenecían a una banda rival. «Si quería verme —podría decirle a míster Spang—, ¿por qué no me hizo llamar, sencillamente, mientras estaba en el hotel?» Bond casi podía escucharse diciendo estas frases con aparente tono ofendido.

Bien, cuando menos les había demostrado que no estaba hecho de algodón, para cualquier otro trabajo que míster Spang pensase encargarle. Y de todas formas, se dijo para tranquilizarse, estaba a punto de alcanzar su principal objetivo: llegar hasta el final de la ruta de los diamantes y conectar de alguna forma a Seraffimo Spang con su hermano de Londres.

Continuó agachado, con los ojos fijos en el tablero de mandos del coche, mientras se concentraba en imaginar la entrevista que le estaba esperando y en calcular cuántas pruebas sobre la banda podría extraer de ella. Luego, pensó en Ernie Cureo y en cómo podría vengarle.

No era propio de su carácter preocuparse de antemano por cómo iba a arreglárselas él mismo para escapar, una vez que hubiese cumplido estos dos objetivos. Su propia seguridad no le parecía un problema. Lo que sí era cierto es que no sentía ningún respeto por esas gentes. Sólo disgusto y desprecio.

Aún daba vueltas a sus reflexiones y a la futura conversación con míster Spang, cuando sintió que el coche empezaba a disminuir la marcha. Hacía dos horas que habían salido de Las Vegas. Miró por encima del borde del parabrisas. Estaban pasando frente a una alta cerca de alambre en la que había una puerta y un letrero iluminado por un solo foco de luz. Podía leer: «Límites de la ciudad de Spectreville. No pasar. Perros peligrosos». El coche entró por aquella puerta y paró frente a un poste de hierro, empotrado en cemento, que servía de soporte a una barrera de tela metálica. En el poste se encontraba el botón de un timbre y encima de él un letrero pintado en letras rojas que decía: «Llamen y digan lo que desean».

Sin soltar el volante, el hombre de las patillas apretó el timbre. Hubo una pausa y luego una voz metálica contestó:

—¿Sí?

—Frasso y McGonigle —anunció el conductor en voz alta.

—*Okey* —dijo la voz metálica. Se oyó un click agudo y la barrera giró lentamente sobre sus goznes. Pasaron con el coche y embocaron una estrecha pista de planchas de hierro que corría a lo largo de un camino de polvo. Bond se volvió a mirar la verja y vio como ésta se cerraba otra vez a sus espaldas. También notó, no sin cierto placer, que el rostro del que debía de ser McGonigle estaba cubierto de polvo y lleno de manchitas de sangre de moscas muertas.

La carretera de polvo continuaba durante kilómetro y medio, aproximadamente, a través de la superficie pedregosa del desierto en el que, de vez en cuando, aparecía algún cactus retorcido, como único signo de vegetación. Al cabo de un rato, percibieron un cierto resplandor detrás de una colina. Dieron la vuelta a ésta y bajaron a una hondonada donde había un grupo de construcciones y casas. Sumarían unas veinte en total. Más allá, la luz de la luna arrancaba destellos de una línea férrea de una sola vía, que avanzaba, derecha como un dardo, hacia el lejano horizonte.

El coche se acercó a las casas de madera y las tiendas sobre las que se leían rótulos como «Comestibles», «Barbero», «Banco rural» y «Mercancías». La calle aparecía iluminada por la luz bisbiseante de un farol de gas que había frente al pórtico de un edificio de dos pisos, sobre cuya entrada se leía: «Taberna de la Liga Rosa». Debajo de este rótulo había otro más pequeño que decía: «Vinos y cervezas».

Desde el otro lado de la típica puerta de un salón del oeste, llegaba la luz del interior, formando un rectángulo amarillento sobre la calle. Parte de la luz alcanzaba también a iluminar la carrocería negro y plata de un viejo Stutz Bearcat de los años veinte, aparcado junto a la acera.

Se oía el sonido nasal y un tanto desafinado de la pianola que en aquel momento estaba tocando *Me pregunto quién la estará besando ahora*, con languidez dulzona. La melodía despertó en Bond una imagen de suelos de serrín, bebidas adulteradas y piernas femeninas con medias de malla negra. Era como caer de pronto en el escenario de un *western* excepcionalmente bien montado.

—¡Fuera, inglés! —gritó el que conducía.

Los tres hombres descendieron del coche con los huesos un tanto molidos, y subieron al piso de tablas que formaba la acera. Bond se inclinó para friccionarse una pantorrilla que se le había quedado dormida durante el trayecto. Mientras lo hacía, observó los pies de los otros dos.

—Vamos, basura —le dijo McGonigle al mismo tiempo que le empujaba con el cañón del revólver que llevaba en la mano con descuido. Bond se enderezó lentamente, calculando la distancia. Cojeando, siguió al hombre hasta la puerta de la taberna. El hombre ya había entrado y la jamba oscilante casi le golpeó en el rostro. El cañón del revólver de Frasso le empujó en los riñones desde detrás.

¡Ahora! Bond se enderezó como un resorte y se lanzó contra la puerta que aún estaba oscilando. La espalda de McGonigle quedaba justo enfrente de él, al otro lado. Por encima de sus hombros pudo ver la sala del bar, muy bien iluminada pero totalmente vacía, y la pianola que continuaba tocando sola.

Con un movimiento rápido cogió al hombre por los antebrazos, lo levantó en alto y girando en redondo sobre los talones lo precipitó contra la puerta y contra Frasso, que aún estaba en la parte de fuera.

McGonigle reaccionó rápido, dando media vuelta para enfrentarse con Bond. Aún llevaba el revólver en la mano. Bond le golpeó en el hombro con el borde de la mano izquierda abierta, al mismo tiempo que golpeaba sobre el revólver con su derecha. McGonigle fue a dar de nuevo contra la puerta oscilante, mientras el arma rodaba por el suelo.

En aquel momento el cañón del revólver de Frasso asomó por la abertura de la puerta. Giró rápidamente hacia Bond, como una serpiente que se prepara a morder. Pero al mismo tiempo que comenzó a disparar, Bond se dejó caer de plano sobre el suelo, buscando con la mano el revólver de McGonigle. La sangre le hervía con el placer de la batalla. Casi simultáneamente se apoderó del arma y disparó dos veces hacia arriba desde el suelo, mientras McGonigle le daba un puntapié en la mano que empuñaba el revólver y caía sobre él con todo su peso. Mientras Bond se dejaba caer, vio cómo el revólver de Frasso disparaba sin puntería desde la puerta, llenando de agujeros el techo del bar, y cómo un cuerpo se caía en el exterior, muerto.

Las manos de McGonigle le habían atenazado. Bond se mantenía de rodillas en el suelo, con la cabeza inclinada para protegerse los ojos. El revólver estaba todavía sobre el piso, a pocos centímetros de los dos hombres, al alcance de la primera mano que lograse liberarse.

Durante algunos segundos lucharon en silencio, como animales que retienen hasta su aliento para no perder fuerzas. Por fin Bond pudo tomar impulso sobre una rodilla y dando un empujón hacia atrás con los hombros aflojó la presión que le retenía, al mismo tiempo que lanzaba un puñetazo al rostro del otro. El peso desapareció por completo de su espalda y Bond se incorporó rápidamente hasta quedar en cuclillas. Pero la rodilla de McGonigle le alcanzó como un ariete por debajo del mentón, desplazándole con un rechinar de dientes que le retumbó por todo el cerebro.

No tuvo tiempo de pensar antes de que el gánster se lanzase contra él con la cabeza por delante y los dos brazos extendidos. Sólo pudo torcerse para proteger su estómago; la cabeza de su enemigo chocó de lleno contra sus costillas y los dos puños cerrados le golpearon el cuerpo.

El aliento se le escapó con un silbido por entre los dientes apretados, pero no perdió de vista la cabeza de su asaltante, y haciendo una rápida contorsión, que le produjo dolor en el hombro, lanzó un golpe con la izquierda que remató con un derechazo bajo la barbilla del gánster cuando éste levantaba la cabeza.

El impacto de los dos golpes, uno tras otro, obligó a McGonigle a oscilar hacia atrás. Bond cayó sobre él como una pantera, golpeándole sin cesar por todo el cuerpo hasta que el gánster empezó a desplomarse. Bond le cogió entonces por una muñeca mientras se inclinaba de costado para apoderarse de uno de sus tobillos con la mano libre. Le levantó del suelo y reuniendo todas sus fuerzas en un sólo impulso le balanceó en el aire y le arrojó lejos de sí a través del cuarto.

Se oyó un estrépito cuando el cuerpo del gánster fue a estrellarse contra la pianola, y casi simultáneamente, con un estrépito de cuerdas rotas y madera astillada, el mueble se desplomó en pedazos sobre McGonigle, que había quedado despatarrado en el suelo.

Mientras se apagaban los ecos de este último golpe, Bond se enderezó en el centro de la estancia, tratando de recuperar el aliento. Lentamente levantó una mano llena de rasguños y se la pasó por los cabellos revueltos.

—Basta.

Era una voz femenina y llegaba de donde estaba el bar. Bond se sacudió el polvo y se volvió lentamente.

Cuatro personas habían entrado en la sala. Estaban parados en grupo, con la espalda vuelta al mostrador de caoba y latón, detrás del cual se levantaban hasta el techo los estantes llenos de botellas relucientes. Bond no hubiese podido decir cuánto tiempo llevaban allí.

Un paso por delante de los otros tres estaba el primer ciudadano de Spectreville, dominando el conjunto con su corpulencia, inmóvil y majestuoso.

Míster Spang llevaba un traje típico del Oeste, todo de cuero negro, incluso los zahones que cubrían la parte delantera de sus piernas, adornados con apliques de plata, y las botas engrasadas, en las que destacaban unas espuelas, también de plata. Sus enormes manos descansaban sobre las culatas de marfil de dos revólveres de cañón largo que sobresalían de sus fundas a ambos lados de sus caderas, y el cinturón que las sostenía estaba recubierto de munición.

Su aspecto debiera haber sido ridículo. No lo era, sin embargo. La cabeza proyectada hacia delante, los ojos semientornados, todo en él despedía una luz fría, de furia contenida.

A la derecha de míster Spang, con las manos en las caderas, estaba Tiffany Case, vestida también a la manera del Oeste. Con su traje blanco y oro, se la hubiese podido tomar por una imitación de *Annie y su revólver*. Estaba mirando a Bond, y sus ojos tenían un brillo extraño. Los labios, llenos, aparecían ligeramente entreabiertos y respiraba hondo, casi en un jadeo, como si acabasen de besarla.

Los otros dos hombres del cuarteto eran los encapuchados de Saratoga. Cada uno de ellos sostenía en la mano, encañonado hacia el estómago de Bond, un 38 de reglamento, de los que usa la policía.

Bond sacó con calma su pañuelo y se enjugó el rostro.

Se sentía un poco aturdido y aquella escena de película del Oeste en una taberna iluminada, con anuncios de bebida y personajes pasados de moda, se le antojó macabra de pronto.

Fue míster Spang quien rompió el silencio.

—Traedle aquí. —Por el tono de su voz parecía morder y escupir las palabras—. Que alguien se ocupe de llamar a Detroit y decirles a los muchachos de allí que se están pasando de listos. Y que nos envíen dos más, pero mejores que los últimos que nos han mandado. Y que alguien se ocupe de limpiar esta basura. *Okey*.

Luego, abandonó la estancia con un leve tintineo de espuelas. La muchacha salío tras él, dirigiéndole a Bond una mirada cómplice con la que sólo le advertía que tuviese cuidado.

Los otros dos hombres se acercaron a Bond, y el más corpulento de ellos dijo:

—Ya lo has oído.

Bond salió por el mismo camino que había tomado la muchacha, con los dos hombres como escolta.

Había una pequeña puerta detrás del bar. Bond la empujó y se encontró en la sala de espera de una estación de ferrocarril, con bancos alineados a lo largo de las paredes y letreros de horarios antiguos, y otro letrero anunciando que no se debía escupir en el suelo.

—Adelante —indicó uno de los hombres—. A la derecha.

Bond empujó una puerta oscilante de medio cuerpo, semejante a la que había a la entrada de la taberna, y se encontró en un andén de planchas de madera. Se quedó tan sorprendido por lo que vio que casi se olvida del revólver que le estaba empujando por los riñones.

Era probablemente el tren más maravilloso que había tenido ocasión de contemplar en su vida. La máquina era una de las antiguas locomotoras de la marca Luz de la Llanura, de las que se construían allá en el año 1870, y de las que Bond había oído decir que eran las más hermosas máquinas que se habían hecho nunca. Los pasamanos y otros soportes eran de latón pulimentado, y el depósito de agua y el soporte para la campana que sobresalían del lomo de su cuerpo alargado relucían bajo los faroles de gas de la estación. Un ligero penacho de humo salía por la chimenea desde la caldera, en el que quemaban maderos. El enorme parachoques delantero, o recogevacas, como solía llamársele, estaba coronado por tres faroles de latón, de gran tamaño, un foco piloto en la base de la alta chimenea y dos linternas de posición debajo de éste. Encima de las bielas de las ruedas delanteras, de mayor diámetro que las que les seguían, estaba su nombre en finas letras doradas, con escritura inglesa del primer período victoriano: «La Bala de Cañón». Y el nombre se repetía en el costado del vagón de combustible, lleno de troncos de cedro y pintado de negro con adornos dorados, que estaba enganchado a la parte trasera de la máquina, detrás de la cabina del fogonero.

Seguían a este vagón de combustible dos coches Pullman para viajeros, pintados de color chocolate.

Sus ventanillas en arco por encima de los paneles de latón, estaban pintadas en color crema. Y una placa oval, que llevaban atornillada en el centro, decía: «Sierra Bella». Por encima de las ventanillas, y casi debajo del alero del techo abovedado de estos vagones podía leerse: «Tonopah and Tidewater R. R.», en letras color crema sobre fondo azul.

—Apuesto a que nunca has visto nada semejante, ¿eh, inglés? —dijo uno de sus guardianes con orgullo—. Ahora sigue. —La voz sonaba apagada bajo la seda del negro capuchón.

Bond echó a andar andén adelante y se detuvo frente a una de las plataformas de control, con su barandilla de latón reluciente y el volante de frenos en el centro. Por primera vez en su vida comprendió que la gente desease ser millonaria y pensó que había algo en Spang más allá de lo que él había imaginado.

El interior de los vagones Pullman estaba decorado con lujo victoriano. Los pequeños candelabros de cristal que pendían del techo se reflejaban en las planchas de caoba pulimentada que cubrían las paredes y en los jarrones y farolas de vidrio, con rebordes de plata. Las alfombras y las cortinas de flecos eran de color Burdeos y el techo abovedado, con sus pinturas ovales que representaban querubines con guirnaldas y ramilletes de flores sobre un fondo de cielo azul y nubes de algodón, era de color crema, lo mismo que las persianas venecianas, ahora bajadas, de las ventanillas.

Primero entraron en un pequeño salón restaurante en el que, sobre una mesa, se divisaban los restos de una cena para dos, una cesta con frutas y una botella de champaña en una cubitera de plata. Desde allí pasaron a un corredor estrecho, con tres puertas que sin duda daban, pensó Bond, a dos dormitorios y a un cuarto de aseo. Aún estaba Bond admirando este arreglo cuando sus guardianes abrieron la puerta del fondo del pasillo, que conducía al salón del vagón.

En el extremo más lejano, con la espalda vuelta a una pequeña chimenea flanqueada por estantes con libros ricamente encuadernados en cuero con apliques de oro, estaba míster Spang. En el centro de la estancia, sentada en un sillón de cuero rojo junto a una mesita escritorio, se hallaba Tiffany Case, muy derecha.

A Bond no le agradó la manera como sostenía su cigarrillo. Resultaba artificial e indicaba nerviosismo. La muchacha parecía asustada.

Bond avanzó unos pasos por el salón hasta una silla que había junto a una de las paredes. Le dio la vuelta para que quedase mirando hacia los otros y se sentó con las piernas cruzadas. Luego sacó su pitillera, encendió un cigarrillo y aspiró una gran bocanada, honda, que dejó escapar después entre los dientes con una expiración larga y relajada.

Míster Spang tenía un cigarro sin prender entre los labios, en el centro de la boca. Lo tomó entre sus dedos y dijo:

—Quédate aquí, Wint. Tú, Kidd, ve y haz lo que te he dicho.

Míster Spang hablaba de manera cortante, mostrando su furia.

—Ahora tú —continuó dirigiéndose a Bond—. ¿Quién eres y qué significa todo esto?

—Necesito un trago, si es que vamos a hablar —dijo Bond.

Míster Spang le miró fríamente.

—Sírvele un trago, Wint.

Bond volvió un poco la cabeza.

—Bourbon y agua mineral —dijo—. Mitad y mitad.

Respondió con un gruñido y sus pasos hicieron crujir las planchas de madera del suelo.

A Bond no le gustó nada la pregunta de míster Spang. Repasó mentalmente la historia que tenía preparada. No sonaba demasiado mal. Aspiró otra bocanada de su cigarrillo sin dejar de observar a Spang, intentando averiguar sus intenciones.

Llegó la bebida, que el guardián puso en la mano de Bond con un gesto tan brusco que parte del líquido se derramó sobre la alfombra del Pullman.

—Gracias, Wint —dijo Bond. Tomó un largo sorbo. Estaba bueno y fuerte. Tomó un segundo sorbo y dejó el vaso a su lado, en el suelo.

Después levantó los ojos para mirar la cara intensa y dura que tenía frente a él.

—No me gusta que me presionen —dijo con voz tranquila—. Hice mi trabajo y me pagaron. Si después decidí jugarme mi dinero, eso era asunto mío. También podía haber perdido. Pero cuando algunos de sus hombres empezaron a echarme el aliento en el pescuezo empecé a impacientarme. Si quería hablar conmigo, ¿por qué no me llamó por teléfono a mi habitación? Hacer que me siguieran es poco amistoso. Y cuando se pusieron violentos y empezaron a dispararme, pensé que ya era hora de presionar un poco yo también.

Aquel rostro de marfil, con cejas y pelo de azabache, no cambió de expresión.

—No ha cogido usted onda, míster —dijo Spang, suavemente—. Será mejor que le ponga un poco al día. Ayer recibí un mensaje cifrado desde Londres. —Se llevó una mano al bolsillo del pecho de su camisa vaquera y sacó despacio un trozo de papel sin apartar sus ojos de los de Bond.

Bond sabía que aquel papel representaba malas noticias, muy malas noticias. Estaba tan seguro como cuando uno lee «con profundo sentimiento» al comienzo de un telegrama.

—Esto es de un buen amigo de Londres —dijo míster Spang. Apartó sus ojos de los de Bond y los bajó hacia el trozo de papel—. Dice aquí: «Información confianza asegura Peter Franks detenido por policía acusación no especificada. Trate a toda costa retener correo sustituto. Si operación en peligro elimínele e informe».

Se hizo el silencio en el vagón. Los ojos de míster Spang se alzaron otra vez y se fijaron en Bond con brillo sanguinario.

—Bien, míster quiensea, tengo la impresión de que éste es un buen año para que le suceda algo horrible.

Bond supo que estaba atrapado, y mientras parte de su cerebro asimilaba este hecho, lentamente, preguntándose qué es lo que irían a hacerle, la otra parte le decía que al fin había descubierto lo que había venido a averiguar a América. Los dos hermanos Spang representaban, en efecto, el principio y el final de la ruta de los diamantes a través del Atlántico. En este preciso instante acababa de completar su misión. Ya sabía las respuestas. Lo único que le faltaba era comunicárselas a M de alguna forma.

Se agachó para coger su vaso. Apuró lo que quedaba en él y lo dejó de nuevo en el suelo, con un tintineo de hielo. Luego miró a míster Spang con aire de absoluta inocencia:

—Peter Franks me pasó el trabajo. No estaba muy convencido, y a mí me hacía falta el dinero.

—No me suelte esa fábula —dijo míster Spang con tono aburrido—. Usted es un poli, o un detective privado, y voy a averiguar en seguida quién es usted realmente, para quién trabaja y lo que sabe. Y también lo que estaba haciendo en los baños de barro, junto a aquel sinvergüenza de *jockey*; por qué lleva revólver y dónde aprendió a manejarlo; cómo es que está usted en contacto con los Pinkerton, a través de aquel taxista de farsante... ¡Cosas así! Tiene toda la pinta de ser un detective, y actúa como si lo fuera. —De pronto, se interrumpió y se volvió lleno de furia hacia Tiffany Case—. Y cómo tú te dejaste enredar por él, estúpida perra, es algo que no comprendo.

—¡Al diablo que no lo comprendas! —estalló Tiffany—. ABC me hace cargo de un tipo y, este tipo actúa como es debido. Tal vez crees que debía haberle dicho a ABC que se asegurase de nuevo. Yo no, hermano. Sé cuál es mi lugar en esta familia. Y no pienses tampoco que puedes tratarme como un pelele. A mí, no. Por lo que respecta a este tipo, puede que esté diciendo la verdad, quien sabe. —La muchacha volvió los ojos hacia Bond. Estaban llenos de furia, pero tras la furia le pareció leer un destello de miedo. De miedo por él.

—Bueno, pues vamos a averiguarlo —dijo míster Spang—. Hasta que cante; si él piensa que puede resistirlo, es que no sabe aún ni el abecedario. —Miró al guarda por encima de la cabeza de Bond—. Wint, vete a buscar a Kidd y traeros las botas.

¿Las botas?

Bond continuó sentado en silencio, tratando de reunir sus fuerzas y su valor. Sería perder el tiempo intentar discutir con míster Spang, o tratar de escapar a través de aquellos ochenta kilómetros de desierto pedregoso. Se consoló un momento recordando que había salido de otras peores. Mientras no pensasen en matarle aún todo era posible. Y no le matarían todavía, si no cantaba. Además Ernie Cureo y Felix Leiter eran una baza. Incluso Tiffany Case, quizá. Se volvió para mirarla. La muchacha tenía la cabeza baja y parecía estar totalmente absorta en la contemplación de sus uñas.

Bond oyó regresar a los dos guardianes.

—Llevadle al andén —dijo míster Spang. Con la punta de la lengua se humedeció los labios finos—. Tratamiento de Brooklyn. Un ochenta por ciento. *Okey*.

—*Okey*, jefe —era la voz de Wint. Y sonaba verdaderamente ansiosa.

Los dos encapuchados avanzaron por el salón y se sentaron en un diván rojo oscuro que había frente a la silla donde estaba Bond. Colocaron a su lado, en el suelo, las botas de fútbol que habían traído y comenzaron a desatarse los zapatos.

20

Llamas hacia el cielo

Se ahogaba. Aquel traje de buceo le quedaba demasiado apretado. Le hacía daño por todas partes. ¿Por qué diablos no se había cerciorado Strangways de que el Almirantazgo le tomase bien las medidas? Además, estaba muy oscuro allá abajo, en el fondo del mar, y la corriente era demasiado fuerte. Se arañaba contra los arrecifes de coral. Tendría que nadar con todas sus fuerzas, si no, iba a destrozarle. De pronto, algo le cogió por un brazo... ¿Qué demonios...?

—James. Por el amor de Dios. —La muchacha apartó su boca del oído de Bond. Esta vez le pellizcó en el brazo manchado de sangre, apretando los dedos tanto como pudo. Por fin Bond abrió un poco los párpados hinchados, pareció mirarla desde el suelo de tablas donde yacía, y dejó escapar una especie de suspiro entrecortado.

Ella trató de agitarle, temerosa de que perdiese de nuevo el conocimiento. Parecía como si comprendiese, porque rodó sobre un costado e intentó levantarse sobre las manos y las rodillas, con la cabeza colgando casi a ras del suelo como un animal en agonía.

—¿Puede andar?

—Espere —el ruido extraño, silbante, que salió de sus labios tumefactos le sorprendió incluso a él mismo. Quizá la muchacha no había podido entenderle—. Espere —repitió, mientras su cerebro empezaba a explorar las reacciones de su cuerpo, para ver lo que quedaba de él. Podía sentir sus pies y sus manos. Podía mover la cabeza. Podía oír a la muchacha. Bueno, no estaba mal del todo. Pero la cuestión era que no podía moverse. O más bien que no tenía ningún deseo de moverse. Sólo quería dormir. O mejor aún, morir. Cualquier cosa que disminuyera aquellos horribles dolores que le atenazaban por todas partes, como garfios, como cuchillos, como torniquetes, y que borrara el recuerdo de aquellos dos pares de botas claveteadas de los encapuchados, pateándole sin tregua entre gruñidos.

Tan pronto como pensó en aquellos dos hombres y en míster Spang, comenzó a volverle el deseo de vivir y a hervirle la sangre. Consiguió decir a la muchacha:

—*Okey* —y luego lo repitió de nuevo, por si no le había oído—: *Okey*.

—Estamos en la sala de espera de la estación —musitó ella—. Tenemos que llegar hasta el extremo del andén. Por la izquierda, al otro lado de esa puerta. ¿Me oye, James? —se inclinó sobre él y le apartó el pelo húmedo de la frente con una mano.

—Tendré que ir arrastrándome —dijo Bond—. No creo que pueda andar. Pero la seguiré.

La muchacha se puso en pie y empujó la puerta. Bond apretó los dientes y empezó a arrastrarse a cuatro patas sobre el andén iluminado por la luz de la luna, pero al ver la mancha oscura de su sombra le invadió una oleada de cólera que le dio fuerzas para incorporarse y acabar poniéndose en pie con un esfuerzo sobrehumano. La cabeza le daba vueltas y la agitó de un lado a otro para evitar desvanecerse de nuevo. Tiffany acudió a su lado y pasándole un brazo en torno a la cintura le ayudó a avanzar lentamente, cojeando, hacia el final de los andenes, donde la plataforma de tablas descendía hacia la tierra y los raíles relucientes.

Más allá, en un carril lateral, se veía una vagoneta de transporte.

Bond se detuvo a mirarla.

—¿Petróleo? —preguntó vagamente.

Tiffany señaló con la mano hacia unas latas que estaban alineadas junto a la pared de la estación.

—Sí. Acabo de llenar el depósito —murmuró—. Es la vagoneta que usan para inspeccionar la línea. Sé cómo manejarla. Y acabo de cambiar también las agujas. De prisa. Suba a bordo —añadió, echándose a reír sin ruido—. La próxima parada es Rhyolite.

—¡Demonios!, eres una gran chica —susurró Bond—. Pero esto va a hacer un ruido infernal cuando arranquemos. Espera. Tengo una idea. ¿Llevas cerillas?

Parte de sus dolores habían desaparecido por la tensión del momento. Respiraba entrecortadamente, con los dientes apretados. Se dio la vuelta y se quedó contemplando las construcciones de madera seca que formaban la estación.

Ella iba vestida ahora con pantalones de *sport* y camisa. Metió la mano en el bolsillo de sus *slacks* y le tendió su encendedor.

—¿Cuál es la idea? —inquirió—. Tenemos que darnos prisa.

Pero Bond se alejó de ella y se dirigió, cojeando, hacia la hilera de latas de petróleo. Comenzó a abrirlas, una tras otra, hasta que hubo destapado una media docena, y luego arrojó su contenido sobre las paredes de la estación y el suelo del andén. Entonces se volvió hacia ella:

—Ponla en marcha —le dijo.

Se inclinó con esfuerzo, sintiendo al hacerlo un terrible dolor en la espalda. Recogió del suelo un trozo de periódico que había por allí, cerca de los raíles. Mientras estaba ocupado en esta operación escuchó el chirrido de la palanca de la vagoneta al ser liberada por la mano de Tiffany y luego los dos cilindros del motor chispearon y empezaron a martillear al ponerse en movimiento.

Bond prendió el encendedor, aplicó su llama al trozo de periódico que tenía en la mano, y cuando empezaba a arder lo arrojó sobre la madera empapada en petróleo del andén, cerca de las latas. El estallido de las llamas casi le envolvió mientras retrocedía para arrojarse sobre la plataforma trasera de la vagoneta. La muchacha soltó el freno y comenzaron a moverse por el carril.

Hicieron un ruido enorme al pasar sobre el cambio de agujas, pero ya estaban sobre la línea principal, ganando velocidad por instantes. El contador oscilaba en los cincuenta kilómetros por hora y la melena rubia de la muchacha flotaba al viento como un estandarte, acariciándole el rostro.

Bond se volvió a medias sobre la plataforma donde iba tendido, para contemplar la enorme hoguera que habían dejado atrás. Casi se oía el crujir de la madera seca y los estampidos de las chispas que saltaban en el aire, mezclados con los gritos de los que estaban durmiendo y que habían sido despertados bruscamente por el incendio. Sus siluetas corrían de un lado a otro, recortadas contra el telón rojo de las llamas.

¡Si con un poco de suerte pudiesen alcanzar a Wint y a Kidd y prender en la pintura del Pullman y en la pila de madera almacenada en el furgón de la máquina! Así acabaría del todo aquel sistema de trenes de juguete de los gángsters.

Sin embargo, él y la muchacha tenían sus propios problemas que atender. ¿Qué hora era? Bond aspiró con delicia el aire fresco de la noche y trató de ordenar sus pensamientos. La luna estaba ya bastante baja. ¿Podrían ser algo así como las cuatro? Se arrastró como pudo, plataforma adelante, hasta la parte delantera de la vagoneta. Haciendo un gran esfuerzo se dejó caer sobre uno de los asientos, al lado de Tiffany.

Le pasó un brazo por los hombros y ella se volvió y le miró a los ojos, con una sonrisa. Levantando la voz por encima del ruido de la máquina y del estruendo de las ruedas de hierro sobre los raíles, le dijo:

—Ha sido toda una fuga. Como si estuviese sacado de una vieja película de Buster Keaton. ¿Cómo se siente? —añadió, echando una ojeada al rostro de Bond—. Su aspecto es terrible.

—No hay nada roto —contestó Bond—. Me imagino que eso es lo que quieren decir cuando hablan del «ochenta por ciento». —Sonrió con esfuerzo—. De todas formas es mejor estar magullado que muerto.

La muchacha hizo una mueca de disgusto.

—No tuve otro remedio que quedarme allí sentada, como si no me importase en absoluto. Spang se quedó también, escuchando y vigilándome. Después le ataron y le echaron en la sala de espera. Todo el mundo se fue tranquilamente a dormir. Yo esperé en mi habitación, alrededor de una hora, y luego empecé a quitarle las ligaduras. Pero lo más difícil fue hacerle recobrar el sentido.

Bond apretó el brazo alrededor de los hombros de la muchacha.

—Ya te diré lo que pienso de ti cuando no me duela tanto. Pero ¿y tú, Tiffany? Vas a encontrarte en un verdadero aprieto si logran alcanzarnos. ¿Quiénes son esos dos con los capuchones, Wint y Kidd? ¿Y qué piensas que van a hacer? Me gustaría volver a encontrarme con ellos.

La muchacha le miró con el rabillo del ojo y vio una sonrisa sombría en los hinchados labios de Bond.

—Nunca los he visto sin capucha —dijo, sinceramente—. Parece que son de Detroit. Tipos repugnantes. Se ocupan de los trabajos de sangre y de cosas por el estilo. Ahora nos estarán siguiendo. Pero no se preocupe por mí —le miró de nuevo y sus ojos tenían un brillo inconfundible de felicidad—. Lo primero que tenemos que hacer es llevar esta cafetera hasta Rhyolite. Luego buscaremos un coche en alguna parte y pasaremos la frontera de California. Tengo bastante dinero. Una vez que estemos en California tendré que buscarle un doctor y pagarle un baño y una camisa nueva, mientras pensamos qué hacer. Tengo su pistola. Uno de los muchachos la trajo cuando terminaron de recoger los pedazos de esos dos con los que luchó en la «Liga Rosa». La cogí después de que Spang se metiera en cama.

Se desabrochó varios botones de la parte baja de su camisa y metió la mano en la cintura de sus pantalones.

Bond tomó la Beretta, que aún conservaba sobre el metal del cañón el calor de la carne de la muchacha. Le sacó el cargador. Aún quedaban tres cartuchos, y uno más en la recámara. Volvió a colocar el cargador en su sitio, puso el seguro del arma y se la metió en la parte alta de sus pantalones. Por primera vez se dio cuenta de que había perdido la chaqueta. Una de las mangas de su camisa colgaba en jirones. Terminó de arrancarla y la arrojó lejos. Luego palpó en el bolsillo trasero de sus pantalones en busca de su pitillera. También había desaparecido. Pero en el otro bolsillo estaban aún su pasaporte y su billetera. Los sacó para examinarlos. A la luz de la luna vio que estaban en estado lamentable. Buscó su dinero. Aún lo llevaba. Volvió a metérselo todo en el bolsillo.

Durante un rato continuaron rodando sobre el desierto, en la silenciosa noche, rota tan sólo por el ruido del motor y las ruedas sobre los raíles. Delante de ellos, una recta sin fin sólo quebrada una vez por el cambio de agujas, allí donde arrancaba la desviación hacia las montañas del Espectro, a su derecha. A su izquierda no había nada, excepto la llanura infinita del desierto pedregoso, con sus raros cactus secos que las primeras claridades del alba comenzaban a ribetear de tonos azulados, y a tres kilómetros de distancia, el brillo metálico de la luna sobre la carretera general 95.

La vagoneta se desplazaba alegremente sobre los raíles. Era de fácil manejo, todo su mecanismo de dirección se basaba en la palanca del freno y en otro hierro con empuñadura que servía para acelerar o disminuir la marcha. La muchacha lo mantenía abierto a una media de treinta sobre el disco del cuentavelocidades.

Así corrían los kilómetros y los minutos. De cuando en cuando Bond se daba la vuelta, dolorosamente, en su asiento, para vigilar el creciente resplandor rojizo del cielo sobre el horizonte, a sus espaldas.

Llevaban casi una hora de marcha cuando un temblor casi imperceptible en el aire, o en los raíles, le hizo enderezarse. Volvió a mirar por encima del hombro. ¿Era su imaginación o se veía un ligero resplandor, un gusano de luz, entre ellos y la aurora falsa de la ciudad fantasma en llamas?

Sintió cómo se le tensaba el cuero cabelludo.

—¿Ves algo allá a lo lejos? —preguntó a la muchacha.

Ella volvió la cabeza. Luego, sin responder, disminuyó la velocidad de la vagoneta, para aminorar su ruido.

Se pusieron a escuchar los dos, con atención. Sí, era en los raíles. Una ligera vibración, no mucho mayor que un suspiro en la distancia.

—Es la Bala de Cañón —dijo Tiffany, con acento apagado.

Metió a fondo la palanca del acelerador y la vagoneta se lanzó de nuevo hacia delante.

—¿Cuánto puede alcanzar? —preguntó Bond.

—Quizá unos sesenta.

—¿Cuánto falta para Rhyolite?

—Calculo que unos treinta kilómetros.

Bond hizo números mentalmente, en silencio.

—Va a venirnos muy justo. No se puede saber lo lejos que están aún. ¿No es posible acelerar un poco?

—Ni un metro —dijo ella, sombría—. Aunque mi nombre fuese Casey, en lugar de Tiffany Case.

—Bueno, todo irá bien —le dijo Bond—. Mantenla rodando. Quizá logremos que explote o descarrile.

—¡Oh!, claro —exclamó Tiffany—. O tal vez se les gaste un muelle, incluso puede que se hayan olvidado la llave de arranque en casa, en el bolsillo de los pantalones.

Durante otros quince minutos rodaron sin decir palabra. Bond podía ver ya en la distancia el resplandor del farol piloto de la locomotora, cortando las últimas semipenumbras del amanecer a no más de ocho kilómetros de distancia, y el surtidor de chispas que salía a borbotones del alto sombrero de copa de su chimenea. Los raíles temblaban bajo la vagoneta y lo que antes no era sino un leve suspiro lejano se había convertido ahora en un murmullo profundo, cargado de amenazas.

«Quizá se les acabe la leña», pensó Bond. Y con un impulso repentino le preguntó a la muchacha:

—¿Supongo que tenemos bastante gasolina?

—¡Oh!, seguro —dijo ella—. Le puse una lata entera. No tiene indicador en el depósito, pero estos cacharros pueden funcionar toda una vida con cinco litros de gasolina.

No había acabado de pronunciar estas palabras, cuando la máquina dejó oír, como si quisiera responderle, un pequeño carraspeo entrecortado. *Put, put, put...* hizo el motor. Y luego volvió a su ritmo normal, alegremente.

—¡Cristo! —exclamó Tiffany—. ¿Ha oído eso?

Bond no contestó. Pero se dio cuenta de que se le habían humedecido las palmas de las manos. Y de nuevo: *Put, put, put...* Tiffany apretó suavemente el acelerador.

—¡Oh!, maquinita simpática —dijo, poniendo en la frase toda la ansiedad que sentía—. Maquinita bonita. Por favor, sé buena...

Put, put, put... Hisss. Put... Hisss...

Y de pronto se encontraron avanzando por inercia en medio del silencio. Veinticinco, indicaba el cuentakilómetros. Luego veinte... quince... diez... cinco. Una última presión en el acelerador y una patada salvaje que Tiffany le dio a la máquina, y estaban parados sobre los rieles.

—¡Mierda! —dijo Bond. Y se quedó callado. Luego descendió con sumo trabajo de su asiento y se dirigió cojeando hasta el tanque trasero. Una vez allí sacó su pañuelo manchado de sangre del bolsillo de su pantalón y después de desatornillar el tapón del tanque metió el pañuelo enrollado por el orificio, de modo que llegase hasta el fondo. Lo sacó de nuevo, lo estrujó en su mano y lo olió. Estaba tan seco como un hueso roído.

—Bueno, eso es todo —dijo, volviéndose hacia la muchacha—. Ahora, intentemos pensar un poco.

Miró en torno suyo. A la izquierda no había ningún sitio donde esconderse, y quedaban tres kilómetros hasta la distante carretera. A la derecha estaban las montañas, quizá a medio kilómetro, más o menos. Lo mejor era intentar llegar hasta ellas y buscar un escondrijo. Pero ¿por cuánto tiempo? De todas formas parecía la mejor alternativa. La tierra temblaba ya bajo sus pies. Miró en dirección a los raíles y allí estaba el ojo luminoso, implacable, acercándose cada vez más.

¿A qué distancia aún? ¿Unos tres kilómetros? ¿Vería Spang la vagoneta con tiempo suficiente para frenar? Tal vez descarrile. Estaba alimentando esta última esperanza cuando se acordó de pronto del parachoques que la locomotora llevaba en la parte delantera y que apartaría la vagoneta con la misma facilidad con que una pala para la basura recoge una cucaracha muerta.

—¡Vamos, Tiffany! Tenemos que llegar a las montañas.

Pero la muchacha no estaba a la vista. ¿Dónde se había metido?

Bond dio la vuelta a la vagoneta y la vio llegar corriendo por la vía. Estaba jadeante.

—¡Allí! —exclamó—. Hay una desviación justo enfrente. Si podemos empujar hasta ella este condenado trasto y cambiar las agujas, quizá pase sin vernos.

—¡Dios mío! —exclamó Bond, lentamente. Luego, con sorpresa aún en la voz añadió—: Algo mejor que eso. Vamos, ayúdame. Deprisa.

Se inclinó contra la vagoneta, rechinando los dientes por el dolor que sentía, y empezó a empujarla.

Tras el primer impulso, el artefacto siguió rodando con más facilidad, y sólo tenían que mantenerse tras él, apoyando las manos, para evitar que se parase. Así llegaron hasta la plataforma de las agujas, y Bond la empujó un poco más lejos, hasta que estuvieron a unos veinte metros del cambio de vías.

—¿Qué demonios se propone...? —preguntó Tiffany, sin aliento.

—Ven —dijo Bond, y medio tambaleándose, medio corriendo, volvió hasta donde se alzaban las palancas de las agujas, junto al cruce de los raíles. Parecían estar bastante oxidadas.

—Vamos a meter la Bala de Cañón por el desvío —dijo Bond.

Tiffany le contempló llena de admiración.

—¡Muchacho! —exclamó, con reverencia.

Luego se pusieron a empujar los dos con todas sus fuerzas sobre la palanca, que sin duda no se había utilizado durante los últimos cincuenta años.

Bond sentía que sus músculos doloridos estaban a punto de romperse, pero milímetro a milímetro los raíles se abrieron sobre la tierra reseca y cambiaron de sentido.

Por fin lo consiguieron y Bond se dejó caer al suelo sobre las rodillas, tratando de combatir el mareo que le invadía y que amenazaba con derribarle.

Justo en aquel instante, la tierra se iluminó bajo el foco de luz de la locomotora. Tiffany le cogió por los hombros y le puso en pie de un tirón. Juntos corrieron, tambaleándose, hasta donde estaba la vagoneta, y se ocultaron tras ella mientras el aire retumbaba con el fragor de la máquina y se encendía con las chispas que lanzaba la chimenea. El monstruo avanzaba a toda velocidad sobre los raíles.

—¡Agáchate y no te muevas! —gritó Bond por encima del estruendo de la Bala de Cañón, que avanzaba hacia ellos haciendo repicar su campana. Empujó a tierra a la muchacha, detrás de la vagoneta, y luego volvió cojeando hasta la vía y se plantó allí de lado, con la pistola en alto, como un duelista en espera del momento de hacer fuego sobre su adversario.

El resplandor de los faroles delanteros y el volcán de chispas que brotaba del tubo de la chimenea le deslumbró por un instante, obligándole a entornar los ojos. La locomotora estaba cada vez más cerca.

«¡Dios, qué monstruo!», pensó Bond. ¿Sería capaz de tomar la curva, o descarrilaría con la inercia del impulso y se precipitaría sobre ellos, aplastándolos como dos partículas de pulpa?

Ya estaba allí.

Pss... Fut. Algo se hundió en la tierra, a su lado, al mismo tiempo que un leve fogonazo brotaba de la cabina de la máquina.

¡Boing! Otro fogonazo y esta vez la bala rebotó contra uno de los raíles y se perdió en la noche.

Crack, crack... Ahora podía ya distinguir el ruido de los disparos por encima de la locomotora. Algo pasó silbando junto a su oreja.

Bond aguardaba. Sabía que sólo disponía de cuatro balas y cuándo debía utilizarlas.

A veinte metros de donde él estaba parado, el enorme monstruo metálico se precipitó sobre la curva y tomó el viraje con tal ímpetu que algunos de los leños del tándem volaron por el aire hacia él, mientras las ruedas delanteras rechinaban sobre los raíles y las bielas batían con estrépito. De la chimenea brotó un torrente de llamas y humo, y luego, durante unos segundos, Bond divisó fugazmente una figura vestida con su traje vaquero de negro y plata, desplegada como un águila con las alas abiertas, una mano aferrada al borde de la cabina mientras con la otra trataba de accionar la palanca de la caldera.

Fue entonces cuando el revólver de Bond lanzó sus cuatro disparos, secos y cortantes como cuatro latigazos.

Una cara muy blanca se volvió hacia arriba, hacia el cielo, y como una tromba, el monstruo negro con filigranas doradas pasó de largo y se alejó rugiendo por la vía lateral en dirección al oscuro telón de fondo de las montañas del Espectro.

El haz luminoso de su farol piloto hendió las últimas penumbras del desierto antes del amanecer, mientras el badajo de su campana automática continuaba doblando sobre el paisaje solitario con un repiqueteo insistente y monótono:

Ding dong, ding dong, ding dong… cada vez más lejano.

Bond volvió a meterse su Beretta en la cintura de los pantalones y siguió con la mirada la carroza fúnebre de míster Spang. Una estela de humo pasó por encima de su cabeza, ocultando por unos instantes la luna.

Tiffany Case llegó corriendo hasta él, y allí quedaron los dos, hombro contra hombro, con los ojos fijos en la mole llameante que se alejaba hacia las rocas del fondo. Las montañas devolvían a la llanura los ecos de su estruendo. La muchacha se cogió del brazo de Bond cuando la máquina, doblando inesperadamente una curva, se perdió de vista tras un promontorio de rocas. Siguió un trueno apagado y una larga lengua de fuego se elevó hacia los cielos. Después, un estruendo horrísono de hierros retorcidos, como el que haría un acorazado al estrellarse contra los arrecifes. Tembló la tierra bajo sus pies y, poco a poco, los ecos finales del cataclismo se apagaron lentamente y todo volvió a quedar en silencio. El desierto recobró su calma.

Bond dejó escapar un profundo suspiro, como si estuviera despertándose. Bien, aquél había sido el funeral de uno de los Spang, de uno de aquellos rufianes vanidosos, histriónicos y crueles. Seraffimo Spang había sido, en vida, un gángster de guardarropía, rodeado de decorados teatrales, pero esto no alteraba el hecho de que había intentado matar a Bond.

—Vámonos de aquí —imploró Tiffany Case—. Ya tengo bastante con todo esto.

—Sí —dijo Bond, brevemente.

El dolor volvía a él a medida que se relajaba. Se alegraba de poder alejarse del recuerdo de aquel rostro blanquecino vuelto hacia el cielo, a bordo del monstruo negro, reluciente, lanzado a toda velocidad sobre la llanura. La cabeza le daba vueltas. Se preguntó si sería capaz de seguir.

—Tenemos que llegar a la carretera —dijo—. No va a ser fácil. Vamos.

Les costó más de hora y media cubrir aquellos tres kilómetros y cuando llegaron, por fin, no pudo hacer otra cosa que desplomarse sobre la cuneta. Estaba delirando. Era en realidad la muchacha la que le había traído hasta allí. Solo, no hubiese podido hacerlo nunca. Se habría extraviado entre los cactus, las rocas y las lajas de mica brillante, hasta agotar las fuerzas. El sol ardiente habría acabado con él.

Ahora ella le había puesto la cabeza en su regazo y le estaba limpiando el sudor y el polvo de la cara con la punta de su blusa. De cuando en cuando se interrumpía para echar una ojeada a ambos lados de la carretera desierta que reverberaba con el calor de la montaña.

Una hora más tarde, la muchacha se puso en pie de un brinco, se metió los bordes de la blusa en los pantalones y se plantó en el centro de la carretera agitando los brazos. Un coche negro se acercaba desde la bruma que ocultaba a lo lejos el valle de Las Vegas.

El conductor, al verla, disminuyó la marcha y frenó justo a su altura.

Por la ventanilla asomó un rostro de ave de presa, con una mecha de pelo color paja caída sobre la frente. Unos ojos grises, penetrantes, la observaron de arriba abajo y se volvieron luego a mirar la figura postrada sobre la cuneta. El hombre habló con acento amistoso, lleno de cadencias tejanas:

—Felix Leiter, señora. A sus órdenes. Y ahora dígame, ¿qué es lo que puedo hacer por usted en una mañana tan hermosa como ésta?

21

«Nada acerca tanto como la proximidad»

—... Y cuando llegué a la ciudad llamé a mi amigo Ernie Cureo. James lo conoce. Y me encontré a su mujer histérica y a Ernie en el hospital. Así que voy a verle y me cuenta parte de la historia. Entonces pienso que James seguramente necesita refuerzos. De modo que monto en mi yegua color azabache y galopo toda la noche, y cuando llego cerca de Spectreville veo que el cielo está lleno de resplandores. «Míster Spang debe estar haciéndose una parrillada», me digo. La puerta de la cerca está abierta, de modo que decido unirme a la fiesta. Bueno, pues me crean o no, no había ni un alma en todo el lugar, excepto un tipo con una pierna rota y varias contusiones, arrastrándose por la carretera y tratando de escapar. Y cuando le veo me digo que se parece horrores a un tal Frasso, de Detroit, que es uno de los que atacaron a James, según me cuenta Ernie. Me acerco y el tipo no está en condiciones de negarlo. Así que con lo que me dice me imagino el cuadro, más o menos y pienso que mi próxima parada debe ser Rhyolite. Así que le digo al tipo que pronto va a tener toda la compañía que quiera con los del departamento de incendios y le llevo hasta la puerta y le dejo allí. Y luego sigo adelante, y me encuentro con esta chica parada en medio del desierto, como si la hubiesen disparado allí con un cañón. Y aquí estamos todos. Ahora es usted la que me cuenta el resto.

«De modo que no es un sueño que *estoy* tumbado en el asiento trasero del Studillac y que voy con la cabeza apoyada en el regazo de Tiffany y que ahí delante, conduciendo, está Felix, y que vamos todos por una carretera suave como un guante hacia un lugar seguro con un doctor, un buen baño, algo de comer y de beber y la posibilidad de dormir durante un par de días», pensó Bond.

Se giró levemente sobre un costado y sintió la mano de Tiffany sobre sus cabellos, confirmándole que todo era real y como él deseaba que fuese. De manera que se quedó allí quieto, sin decir nada, reteniendo para sí cada instante, y escuchando las voces de los otros mientras el coche continuaba rodando suavemente.

Cuando Tiffany terminó de contar su parte de la historia, Felix dejó escapar un silbido de admiración.

—¡Jesús, *madame*! —dijo—. No hay duda de que ustedes dos han abierto una buena brecha en la Spangled Mob. ¿Qué diablos es lo que va a suceder ahora? Hay muchos más avispones en ese nido y me apuesto a que no van a quedarse ahí tranquilamente sentados, roncando. No sería su estilo. Seguro que quieren un poco de acción.

—Gana la apuesta —dijo Tiffany—. Spang era uno de los miembros del Sindicato de Las Vegas, y esos tipos se mantienen siempre unidos. Luego está Shady Tree y esos dos asesinos, Wint y Kidd, quienquiera que sean. Cuanto antes crucemos la frontera, mejor para nosotros. Pero luego, ¿qué?

—No nos va tan mal hasta ahora —respondió Leiter—. Estaremos en Beatty dentro de diez minutos y, desde allí, tomaremos la 58 y llegaremos a la frontera en media hora. Después, queda un largo trecho a través del Valle de la Muerte y sobre las montañas, hasta llegar a Olancha para tomar la número 6. Podemos parar allí, de todas formas, para buscar un doctor que vea a James. Y, entretanto, tomar un baño y comer algo. Luego continuaremos por la número 6 hasta llegar a Los Ángeles. Será un largo paseo, pero tenemos que estar allí para la hora del almuerzo, descansar un poco y pensar de nuevo. En mi opinión, habría que sacarles a usted y a James del país lo antes posible. Esos sujetos no van a perder tiempo e intentarán prepararles toda clase de emboscadas. Y una vez que los tengan localizados no doy un níquel por ninguno de los dos. Lo mejor sería que tomasen un avión para Nueva York esta noche y que salieran rumbo a Inglaterra mañana mismo. James puede continuar su trabajo desde allí.

—Supongo que tiene razón —asintió Tiffany—. Pero ¿quién es Bond? ¿A qué se dedica? ¿Es un detective?

—Mejor será que le pregunte todo eso a él, señorita —dijo Leiter, prudentemente—. Pero si yo estuviera en su lugar no me preocuparía demasiado. Estará segura con él, ya lo verá usted.

Bond sonrió para sus adentros, y durante el largo silencio que siguió se quedó dormido, con un sueño inquieto que duró hasta que estaban ya a medio camino de Los Ángeles. Leiter había detenido el coche frente a una valla pintada de blanco sobre la que se leía: «Otis Fairplay. Doctor en Medicina».

Luego vinieron los algodones, las vendas y el mercurocromo, un buen lavado y afeitado, y un excelente desayuno. Cuando volvieron a instalarse en el coche, Tiffany Case se mostraba de nuevo retraída e irónica, encerrada en sí misma; de modo que Bond se dedicó a ser de alguna utilidad vigilando la carretera por si se topaban con algún motorista de la policía, ya que Leiter mantenía el coche a ciento treinta kilómetros por hora sobre la pista deslumbrante, hacia la distante línea de nubes que ocultaba las Altas Sierras.

Luego rodaron suavemente por Sunset Boulevard, entre las palmeras y los jardines color verde esmeralda. El Studillac, lleno de polvo, contrastaba con los inmaculados Corvette y Jaguar con que se cruzaban. Al caer la noche estaban ya todos sentados en la penumbra fresca del bar del hotel Beverly Hills, con maletas nuevas en el vestíbulo y ropa recién comprada en Hollywood. Incluso las magulladuras y los vendajes de Bond podían fácilmente tomarse, en aquel ambiente, por por el disfraz de un actor que acaba de terminar su trabajo en los estudios.

Había un teléfono en la mesita del bar, junto a sus martinis. Felix Leiter dio fin a su cuarta conferencia con Nueva York, desde que se habían sentado a tomar el aperitivo.

—Bueno, esto está arreglado —dijo, colgando el auricular del aparato—. Mis compañeros de oficina os han sacado ya pasajes en el *Queen Elizabeth*. Sale con retraso a causa de una huelga en los muelles. De modo que no partirá hasta mañana a las ocho. Irán a recibiros por la mañana en el aeropuerto de La Guardia, con los billetes, y embarcaréis a la hora que queráis, durante la tarde. Ya han recogido también tus cosas en el Astor, James. Una maleta pequeña y tus famosos palos de golf. Y en Washington se han portado muy bien, preparando un pasaporte para Tiffany. Habrá un agente del Departamento de Estado en el aeropuerto. Los dos tenéis que rellenar algunos impresos. Le encargué a uno de mis antiguos compañeros de la CIA que se ocupase de eso. Los periódicos del mediodía han salido con la historia en grandes titulares: «Ciudad fantasma vuelve al Oeste» y todo el resto. Pero no parece que hayan encontrado todavía a nuestro amigo Spang. Vuestros nombres no figuran tampoco. Mis muchachos dicen que no hay aún ninguna reclamación contra vosotros en la policía, pero uno de nuestros confidentes ha informado que las bandas os están buscando y que han hecho circular ya vuestras descripciones. Con diez de los grandes como recompensa. De modo que cuanto antes os vayáis, mejor. Y también es conveniente que subáis a bordo por separado. Cubríos tanto como podáis, bajad a vuestros camarotes y quedaos allí. Cuando bajen al fondo de la mina y encuentren a Spang y los otros será un bombazo. Tres muertos contra cero; no creo que se queden satisfechos con ese resultado.

—Los Pinkerton parecen estar magníficamente organizados —comentó Bond, con admiración—. Pero me alegraré mucho de que nos marchemos de aquí, los dos. Yo solía pensar que vuestros gánsteres eran un puñado de italianos bolas de sebo, que se atracaban de pizza y de cerveza durante toda la semana y que salían los sábados a reventar un garaje o una tienda de comestibles, para poderse pagar las apuestas en las carreras. Pero no hay duda de que además son matones a sueldo.

Tiffany Case se echó a reír con sarcasmo.

—Tendría que hacerse examinar por un médico. Que le mirase bien la cabeza —dijo, con voz inexpresiva—. Si llegamos a subir al viejo *Lizzie* de una sola pieza, será un milagro. No los conoce aún. Menos mal que hemos escapado una vez, gracias al Capitán Gancho. Pero no ha sido más que una vez, de momento. ¡Bolas de sebo!

Felix Leiter también se echó a reír.

—Vamos, tortolitos —dijo, mirando su reloj—. Tenemos que irnos. Yo tengo que volver a Las Vegas esta noche y empezar a buscar el esqueleto de nuestro difunto amigo *Sonrisa Tímida*. Y vosotros tenéis que coger un avión. Una vez dentro, podéis continuar peleándoos a veinte mil pies de altitud, si os apetece. Tendréis una perspectiva más amplia desde allá arriba. Ya conocéis el proverbio: «Nada acerca tanto como la proximidad». —Hizo un gesto al camarero—. Mi cuenta, por favor.

Luego los acompañó hasta el aeropuerto y se despidió de ellos. Tiffany le dio un abrazo lleno de afecto. Al ver alejarse, cojeando, la figura alta y desgarbada de Felix, Bond sintió un nudo en la garganta.

—Ahí va un amigo de verdad —dijo Tiffany.

Leiter cerró de golpe la portezuela de su Studillac y el coche arrancó con un estampido hacia la carretera que había de llevarle una vez más a través del desierto.

—Sí —dijo Bond, tratando de ocultar su emoción—. Felix es un gran chico.

Aún levantó el brazo hacia ellos antes de tomar la curva, y la luna arrancó un reflejo plateado de su gancho. Luego, se perdió entre una nube de polvo.

Los altavoces del aeropuerto comenzaban a anunciar en aquel momento:

«Transworld Airlines, Vuelo 93. Listo para tomar carga frente a la plataforma número 5. Con destino a Chicago y Nueva York. Todos los pasajeros a bordo, por favor».

Se abrieron paso a través de las grandes puertas de cristal que comunicaban con las pistas y dieron los primeros pasos del largo viaje que había de conducirles, a través de medio mundo, hasta Londres.

El nuevo Constellation Super G sobrevolaba rugiendo el continente oscurecido por la noche. Bond, echado sobre su litera, esperaba el sueño que suspendería durante unas horas los dolores de su cuerpo, y pensaba en Tiffany, dormida en la litera inferior; pensaba también en el desarrollo de su misión.

Miró hacia abajo. La muchacha se había quedado dormida con el rostro apoyado en la palma de una mano. En esta actitud candorosa, su rostro había recobrado todo su encanto, sin aquel rictus sarcástico que adoptaba a veces, haciendo amargas las comisuras de sus labios carnosos y velando el brillo de sus hermosos ojos grises. Bond se dio cuenta de que, realmente, estaba muy cerca de enamorarse de ella. ¿Y en cuanto a Tiffany? ¿Cuál era la verdadera medida de aquel rechazo que parecía sentir por los hombres, como consecuencia de aquella noche en San Francisco, cuando los esbirros de una banda habían irrumpido en su habitación y la habían poseído, uno tras otro, por la fuerza? ¿Sería posible que la niña que aún se albergaba en su interior, aterrorizada por el recuerdo, y la mujer que había llegado a ser, consiguieran liberarse de su miedo y saltar la barrera que ella misma había levantado contra el mundo masculino? Cada año transcurrido había ido endureciendo su propia concha de soledad, en la que se ocultaba por temor subconsciente. ¿Lograría salir de ella algún día? Bond recordó varios de los momentos de las últimas veinticuatro horas en los que la pasión de la muchacha había sustituído a la máscara de dureza y cinismo con que se había revestido todos aquellos años pasados entre las bandas de gánsteres haciendo de contrabandista, de *croupier*, de cómplice de tantas trampas, para terminar ayudándole. Los ojos cálidos de la muchacha se habían dirigido a él en más de una ocasión, como si, en silencio, implorasen: «Cógeme de la mano, abre la puerta de mi cárcel y caminemos juntos hacia la luz del sol. No desconfíes. Yo sabré marchar a tu paso. Siempre he marchado al paso de tu imagen, antes de conocerte, pero tú no venías, y he tenido que pasar mi vida bailando a un son diferente».

Sí, pensó. Todo saldrá bien. Por lo que a ella se refiere, al menos. Pero ¿estaba él mismo preparado para aceptar todas las consecuencias de este paso? Una vez que la tomase consigo tenía que ser para siempre. El papel que le correspondía era el del enfermero, el del analista a quien el paciente se ha confiado con toda su fe y con todo su amor en su convalecencia. No habría crueldad comparable a la de abandonarla a medio camino y soltarle la mano después de habérsela tomado entre las suyas. ¿Estaba él realmente preparado para todo esto, y para lo que podía significar en su vida y en su carrera? Bond se removió en su litera y apartó esta cuestión de su mente, por el momento. Era aún demasiado pronto para saberlo. Iba demasiado de prisa. Tenía que esperar y ver cómo se desarrollaban los días siguientes. Cada cosa a su tiempo. De modo que hizo un esfuerzo y apartó el problema de su imaginación. Sus pensamientos se concentraron ahora en M, su jefe, y en la misión que aún no había concluido del todo. Tenía que rematarla antes de pensar en nada relacionado con su vida personal.

Bien, respecto a su misión, no estaba del todo descontento. Una parte de la serpiente había sido ya aplastada. Pero ¿qué parte? ¿La cabeza o la cola? Era difícil predecirlo; sin embargo, Bond se inclinaba a pensar que Jack Spang y el misterioso ABC eran los verdaderos jefes de la organización que se ocupaba del contrabando, y que el tal Seraffimo había sido solamente receptor. Podía ser reemplazado. También podían arreglarse sin Tiffany. Shady Tree, a quien la muchacha podía implicar con pruebas, tendría que ponerse a cubierto durante algún tiempo, hasta que pasase la tormenta que representaba Bond. Si es que realmente representaba una tormenta para ellos. Pero, a pesar de todo, aún no había nada que acusase directamente a Jack Spang ni a la Casa de los Diamantes. Por otra parte, la única pista que podría conducirle hasta el famoso ABC era su número de teléfono en Londres. Tenía que conseguir de Tiffany ese teléfono lo antes posible. Bond lo anotó mentalmente para no olvidarlo. Porque ese teléfono y la red de contactos que de él dependían eran la clave que podía conducirle hasta el punto de partida de la ruta de los diamantes. Había que contar, sin embargo, con que lo cambiasen tan pronto se enterasen de la fuga de Bond y la traición de Tiffany, posiblemente cuando les telegrafiase desde Nueva York Shady Tree. Bien, reflexionó Bond, todo esto hacía que Jack Spang se convirtiera en su objetivo inmediato, para poder llegar a través de él hasta ABC, la pieza más importante, sin duda, de todo el tablero. En Londres, por lo menos.

Pero incluso para llegar hasta la fuente original en África, la llave más segura era, probablemente, ABC.

Lo primero que tenía que hacer, decidió antes de dejarse invadir por el sueño que ya le cerraba los ojos, era comunicar la situación completa a M lo antes posible, incluso antes de subir al *Queen Elizabeth*, y que Londres empezase a tomar cartas en el asunto.

Bond no tendría mucho que hacer cuando regresase. Escribir un montón de informes. La misma rutina de siempre en la oficina. Y por las noches, Tiffany esperándole en el cuarto de los huéspedes en su piso de Kings Road. Tenía que enviar también un cable a May para que lo tuviese todo a punto en la casa. Vamos a ver... flores, esencia de Floris para el baño, ventilar las sábanas...

Diez horas después de dejar Los Ángeles sobrevolaban el aeropuerto de La Guardia y daban la vuelta sobre el mar para descender en la larga pista de aterrizaje.

Eran las ocho de una mañana del domingo y había muy pocas personas en el aeropuerto. Mientras se dirigían al terminal, desde la escalera del avión, un empleado se acercó a ellos y les condujo hasta una entrada lateral, donde ya había dos hombres esperándoles. Los dos eran jóvenes. Uno pertenecía al Departamento de Estado y el otro era un agente de Pinkerton. Mientras hablaban, comentando el vuelo, les trajeron su equipaje, y los dos jóvenes les acompañaron hasta un elegante Pontiac color oscuro que esperaba frente a las puertas de salida, con el motor ya en marcha y las cortinillas bajadas sobre los asientos posteriores.

Vinieron luego unas cuantas horas vacías, esperando en el piso del hombre de Pinkerton, hasta las cuatro de la tarde, en que embarcaron en el *Queen Elizabeth* por turno, primero Tiffany Case y luego James Bond, con quince minutos de intervalo. Al fin llegaron a sus cabinas del puente M, la puerta cerrada con pestillo como una barrera entre ellos y el mundo exterior, esperando las sirenas que anunciarían la salida.

Pero, mientras estaban subiendo por turno la pasarela, uno de los cargadores de la Anastasia Longshore Union había echado a andar rápidamente hacia una de las cabinas telefónicas que había en el muelle, cerca del pabellón de aduanas.

Y tres horas más tarde, dos hombres de negocios americanos habían descendido de un sedán negro junto al muelle y habían pasado los requisitos de Inmigración y Aduanas con el tiempo justo de subir al barco, cuando ya los altavoces comenzaban a anunciar a los señores visitantes que abandonasen la nave.

Uno de estos hombres de negocios era joven, con una cara de rasgos finos y el pelo prematuramente blanco asomando por debajo del ala de su sombrero Stetson impermeable. Su nombre iba escrito en la maleta que llevaba en la mano: «B. Kitteridge».

Su compañero era un hombre más bien obeso, con una mirada nerviosa en sus ojillos diminutos, ocultos tras unas lentes bifocales. Iba sudando copiosamente y se enjugaba a menudo el rostro con un pañuelo de gran tamaño.

En la etiqueta de su maletín podía leerse: «W. Winter», y debajo, con tinta roja: «Mi grupo sanguíneo es B».

22

Amor y salsa *béarnaise*

Puntualmente a las ocho, la sirena del *Queen Elizabeth* hizo estremecerse los cristales de las ventanas en los rascacielos próximos. Los remolcadores le arrastraron hacia el centro de la corriente y le ayudaron a dar la vuelta. Con la proa hacia la desembocadura del río, el barco empezó su viaje con la marea baja, a una prudente velocidad de cinco nudos.

Al llegar frente al faro de Ambrose hizo una breve pausa para desembarcar al práctico del puerto. Luego, sus cuatro hélices comenzaron a batir el agua levantando grandes remolinos de espuma, y lanzándose hacia delante, como un caballo al iniciar su carrera, el gigante de los mares comenzó su verdadera travesía a través del Atlántico, un arco muy abierto entre los paralelos 45 y 50 hasta Southampton.

Sentado en su camarote, Bond se entretenía escuchando el leve crujido del maderamen y viendo cómo su lápiz rodaba sobre la mesa, entre su cepillo para el pelo y su pasaporte. Recordó los días en que la ruta de la nave era muy diferente, cuando se veía obligada a zigzaguear hasta el Atlántico sur, en ruta hacia una Europa en guerra, jugando al escondite con las manadas de U-boats alemanes que recorrían el océano. La travesía continuaba siendo una aventura, pero ahora el *Queen*, protegido por su radar, su Loran, su sonar, avanzaba con la seguridad de un potentado oriental rodeado de vigías y guardaespaldas. Por lo que a Bond se refería, los únicos riesgos del viaje iban a ser el aburrimiento y la indigestión.

Descolgó el teléfono y pidió que le pusieran con miss Case. Cuando ella escuchó su voz, dejó escapar un quejido teatral.

—Este marinero odia el mar —dijo—. Me estoy sintiendo ya enferma y aún no hemos salido del río.

—No te preocupes —dijo Bond—. Quédate ahí, en el camarote, y aliméntate de dramamina y champaña. No conviene que yo baje durante los dos o tres primeros días. Voy a telefonear al médico de a bordo y al masajista de los baños turcos para que te echen un vistazo. De todas formas no te hará ningún daño permanecer a cubierto durante la mayor parte del viaje. Lo más probable es que nos hayan puesto escolta en Nueva York.

—Bueno, está bien. Si promete llamarme todos los días y me da su palabra de que me llevará al Veranda Grill tan pronto como me encuentre en condiciones de tragar un poco de caviar. *Okey?*

Bond se echó a reír.

—De acuerdo, si tanto insistes —dijo—. Y ahora escúchame. A cambio de eso quiero que trates de recordar todo lo que puedas sobre ABC y la red de Londres. El número de teléfono que utilizabas y todo lo demás. Ya te diré de lo que se trata y por qué me urge tanto el saberlo, pero mientras tanto confía en mí. ¿De acuerdo?

—¡Oh!, desde luego —contestó la muchacha en tono indiferente, como si aquel asunto hubiese ya perdido todo interés para ella.

Durante diez minutos, Bond le estuvo haciendo preguntas, pero con escasos resultados, a excepción de una serie de pequeños detalles sin importancia sobre la rutina de las comunicaciones con ABC.

Cuando colgó el teléfono llamó al camarero y le pidió algo de cena. Luego se sentó a escribir el largo informe que tendría que trasponer en código cifrado, lo más rápidamente posible, para enviarlo aquella misma noche.

El barco entró suavemente en la oscuridad del océano, y su pequeña población flotante de tres mil quinientas almas comenzó a instalarse en lo que iba a ser su vida ordinaria durante los cinco días de travesía en los que podrían darse cualquiera de las situaciones típicas de la vida: amoríos, borracheras, robos, peleas, algunos engaños; tal vez un nacimiento o dos, quizá un suicidio y, con probabilidades de uno contra cien, hasta un asesinato.

Mientras la enorme ciudad de metal avanzaba majestuosamente sobre las olas, acariciada en la cubierta por el viento suave de la noche, la antena de radio comenzó a transmitir un mensaje en morse, que recogería el oído atento del telegrafista de servicio en Portishead.

Lo que el telegrafista del buque le enviaba, exactamente a las diez en punto, era un cable dirigido a: «abc casa de los diamantes hatton garden londres», y decía: «localizados viajeros stop si asunto requiere solución drástica esencial informe precio pagadero en dólares stop winter».

Una hora más tarde el telegrafista dejaba escapar un suspiro ante la perspectiva de tener que enviar otro cable de quinientas palabras dirigido al «director gerente universal export regents park, londres». Simultáneamente, el telegrafista de Portishead le hacía llegar un telegrama muy breve que decía: «deseada rápida conclusión limpia del caso repito caso* stop pagaré veinte grandes stop ocuparé personalmente del otro sujeto llegada londres confirme stop abc».

El telegrafista buscó el nombre de Winter en la lista de pasajeros y una vez que lo hubo encontrado metió el mensaje en un sobre y lo envió a su cabina, que estaba en el puente A, precisamente debajo de los camarotes que ocupaban Bond y la muchacha.

En el camarote del puente A había dos hombres en mangas de camisa jugando al *gin rummy* con los naipes. Mientras el camarero que había traído el mensaje cerraba de nuevo la puerta, oyó que el más gordo le decía al otro, que tenía ya pelo blanco a pesar de su aspecto joven:

* Juego de palabras con «Case» (Tiffany) y «case»: caso. *(N. del T.)*

—Mira esto, ¡qué hermosura! ¡Veinte de los grandes en estos días por un trabajito! ¡Muchacho, muchacho!

No fue hasta el tercer día de navegación cuando Bond y Tiffany concertaron una cita para encontrarse a tomar el cóctel en la Sala de Observación y cenar luego en el Veranda Grill. A mediodía el tiempo estaba totalmente en calma y, después de almorzar en su camarote, Bond había recibido un ultimátum escrito en letra redonda por una mano femenina sobre papel con membrete del *Queen*. El mensaje decía:

«Deme un *rendez-vous* hoy. Sin falta».

Inmediatamente después de leerlo, Bond había descolgado el teléfono para llamar a Tiffany y acordar la hora.

Los dos estaban ansiosos de la compañía del otro, después de tres días de separación, pero Tiffany apareció con su coraza habitual al encontrarse con Bond en la mesita que éste había elegido en un oscuro rincón, a proa, del bar semicircular.

—¿Qué clase de mesa es ésta? —preguntó Tiffany con sarcasmo—. ¿Es que se avergüenza de mí, o algo por el estilo? Aquí estoy yo con los mejores trapos que esos afeminados de Hollywood pueden imaginar y usted me esconde como si fuese Miss Rheingold 1914. Tengo ganas de divertirme un poco en esta canoa y usted me coloca en un rincón como si fuese contagiosa.

—Eso es precisamente —dijo Bond—. Lo único que quieres es hacerle subir la temperatura a los hombres.

—¿Y a qué espera que se dedique una chica a bordo del *Queen Elizabeth*? ¿A pescar?

Bond se echó a reír. Llamó al camarero y le pidió dos martinis con vodka y trozos de cascara de limón.

—Podría sugerir alguna otra alternativa —dijo luego, volviéndose hacia ella.

—«Querida tía —recitó la muchacha—. Estoy pasando una travesía deliciosa con un inglés muy guapo. Lo malo es que él va detrás de mis joyas de familia. ¿Qué debo hacer? Le saluda atentamente *Desconcertada*.»

Luego se inclinó impulsivamente hacia delante y puso una de sus manos sobre la de Bond.

—Escúcheme, ciudadano Bond. Me siento tan feliz como un grillo en la pradera. Me encanta estar aquí. Me encanta estar con usted. Y me encanta esta mesa oscura donde nadie puede ver que le cojo la mano. No haga caso de lo que digo. Lo que pasa es que no puedo aguantar sentirme tan feliz. No tomará a mal mis bromas. ¿Verdad que no?

Llevaba un vestido color negro y crema de *shantung*. Esta combinación de colores neutros resaltaba aún más el delicioso bronceado café con leche de su piel. La única joya que se veía en ella era un pequeño reloj cuadrado de pulsera, de Cartier, con una correa negra muy estrecha. No llevaba pintadas las uñas, y el sol poniente que entraba por uno de los ojos de buey cercanos a su mesa hacía brillar como el oro las largas ondas sueltas de su pelo a la vez que arrancaba destellos de las profundidades de sus pupilas grises, que parecían irisarse bajo la caricia luminosa, como los de un gato. Sus dientes lucían blanquísimos tras los labios rojos, glotones de vida, entreabiertos ahora en espera de la respuesta de Bond.

—No —dijo éste—. No las tomo a mal, Tiffany. Todo lo tuyo me resulta espléndido.

Ella le miró a los ojos y pareció satisfecha. Retiró su mano de la de Bond cuando el camarero llegó con los martinis, pero se quedó mirándole por encima del borde de su copa, con una expresión que parecía llena de interrogantes.

—Cuéntame ahora lo que ibas a contarme —dijo—. Lo primero de todo, ¿qué es lo que haces y para quién trabajas? La primera vez, en Londres, cuando viniste al hotel, pensé que eras un granuja como tantos. Pero tan pronto como cerraste la puerta, algo me dijo que no. Supongo que lo que tenía que haber hecho inmediatamente era advertir a ABC, y nos hubiésemos ahorrado todos una buena cantidad de jaleos. Pero no dije nada. Vamos, James. Ahora te toca a ti. Empieza a desembuchar.

—Trabajo para el Gobierno de mi país —dijo Bond—. Quieren acabar con el contrabando de diamantes.

—¿Una especie de agente secreto?

—Sólo un funcionario público.

—*Okey*. ¿Y qué es lo que vas a hacer conmigo cuando lleguemos a Londres? ¿Encerrarme?

—Sí, en el cuarto de invitados de mi piso.

—Eso está mejor. ¿Me convertiré en súbdito de la reina, como tú? Me gustaría ser súbdito de alguien.

—Eso puede arreglarse.

—¿Estás casado… —hizo una pausa—, o lo que sea?

—No. Sólo algunas aventuras de cuando en cuando.

—De modo que eres uno de esos caballeros al viejo estilo a los que les gusta acostarse con las mujeres. ¿Por qué no te has casado nunca?

—Supongo que porque creo que es más fácil manejar solo una vida como la mía. Además, la mayoría de los matrimonios no son una suma de dos personas. Más bien, en muchos casos, una resta.

Tiffany Case se quedó pensando en esto durante unos instantes.

—Quizá haya mucho de verdad en eso —dijo—. Depende de lo que se quiera obtener de la operación. Si es algo humano, o algo inhumano. No se está completo cuando se está solo.

—¿Qué me dices de ti, entonces?

La muchacha no hubiese querido oír esta pregunta, era obvio.

—Tal vez yo me decidí por lo inhumano —dijo brevemente—. ¿Y con quién demonios iba a haberme casado, de todas formas? ¿Con Shady Tree, tal vez?

—Ha habido, sin duda, muchos otros. Cientos de ellos, estoy seguro.

—Pues no, no los ha habido —contestó ella, enfadada—. Seguramente piensas que no debía haberme mezclado con esa gente. Bueno, supongo que lo que pasa es que empecé con mal pie. —Había desaparecido el enfado de su voz. Ahora le miraba más bien a la defensiva—. Le ocurre a mucha gente, James. Créeme. Y en muchos casos, no es suya la culpa.

Bond alargó su mano para coger la de la muchacha y la oprimió con fuerza.

—Ya lo sé, Tiffany. Felix me contó parte de la historia. Por eso es por lo que no te había hecho ninguna pregunta. No pienses más en ello. Estamos aquí, y ahora. Ya no es ayer. —Luego cambió de tema—: Dime otras cosas que me gustaría saber. Por ejemplo, por qué te llamas Tiffany y a qué sabe trabajar como *croupier* en el Tiara. ¿Cómo demonios llegaste a ser tan buena con los naipes? Era una maravilla el modo como los manejabas. Si eres capaz de hacer eso, eres capaz de hacer cualquier cosa.

—Gracias, compañero —dijo Tiffany, con ironía—. ¿Como qué, por ejemplo? ¿Jugar a los caballitos? Y la razón por la que me llaman Tiffany es porque cuando nací mi querido papá Case se enfadó tanto de que no fuese un chico que le dio a mi madre mil dólares y una polvera de Tiffany's como regalo, y desapareció de escena para siempre. Así que mi madre me llamó Tiffany Case y se puso a ganar el dinero que necesitaba para las dos, como pudo. Empezó con una docena de *call-girls*, y luego le fue aumentando la ambición. ¿Quizá todo esto no te suena demasiado bien?

Se quedó mirándole, todavía a la defensiva, pero con una cierta súplica en el fondo de sus ojos grises.

—No es algo que me preocupe —contestó Bond—. Tú no eras una de las chicas.

Ella se encogió de hombros.

—Luego las bandas reventaron el lugar. —Hizo una pausa para beberse el resto de su martini—. Y yo me fui y empecé por mi cuenta. Los empleos usuales que toma una chica. Al final, me largué a Reno. Allí tienen una Escuela de Naipes, de modo que me inscribí y me puse a aprender como una fiera. Estudié el curso completo, todo lo que enseñaban. Graduada en dados, ruleta y bacarrá. Ésa soy yo. Pero se puede ganar un buen dinero en los casinos. Doscientos por semana y a veces más. A los hombres les gusta que sea una chica la que sirve las cartas, y también las mujeres se sienten más confiadas. Te ven como una de ellas. Como hermanas o algo por el estilo. Los hombres que hacen de banquero las asustan un poco. Pero no pienses que resulta divertido. Es mejor leerlo que vivirlo.

Se calló de nuevo y le miró sonriente.

—Ahora te toca a ti otra vez —dijo—. Págame otro trago y dime qué clase de mujer crees que congeniaría mejor contigo.

Bond dio la orden al camarero. Luego encendió un cigarrillo y se la quedó mirando.

—Alguien que sepa hacer la salsa béarnaise tan bien como el amor —dijo, muy serio.

—¡Santa *Madonna*! ¿Cualquier saco de patatas que sepa cocinar y tumbarse de espaldas?

—¡Oh!, no. En absoluto. Una que tenga todo lo que las mujeres tienen que tener —la examinó minuciosamente—. Pelo rubio. Ojos grises. Una boca de pecado… Una figura perfecta. Y, naturalmente, tiene que saber un montón de chistes divertidos, y cómo vestirse, y cómo jugar a las cartas y todo eso. Las cosas usuales.

—¿Y tú te casarías con una persona así, si la encontrases?

—No necesariamente —dijo Bond—. En realidad estoy ya, lo que podría llamarse, casado. Con mi jefe. Su nombre empieza por M. Y tendría que separarme de él antes de poder casarme con ninguna mujer. No estoy seguro de si quiero hacerlo o no. Ya me veo distribuyendo los canapés a los invitados en el cuarto de estar. Y oyendo un montón de horribles: «Sí, tú lo hiciste... No, yo no lo hice», ese tipo espantoso de discusiones que parecen formar parte del matrimonio. No podría soportarlo. Me entraría claustrofobia y huiría de ella. Pediría que me destinaran a Japón o a cualquier otro sitio parecido.

—¿Y qué hay de los niños?

—Creo que me gustaría tener un par de ellos —contestó Bond, breve—. Pero sólo cuando me retire. No sería justo para los niños, de otra forma. Mi trabajo no es tan seguro después de todo. —Se quedó mirando su copa y la vació de un trago—. ¿Y tú, Tiffany? —dijo, para cambiar de nuevo el tema.

—Supongo que a todas las chicas les gusta encontrar un sombrero sobre la mesita del recibidor cuando vuelven a casa —contestó, pensativa—. Lo malo es que nunca he encontrado nada bueno que creciese bajo ese sombrero. Quizá no he buscado lo bastante, o quizá he buscado en los sitios equivocados. Ya sabes lo que ocurre cuando uno se encuentra en un pozo protegido. Llega a acostumbrarse de tal manera que no se atreve ni siquiera a mirar por encima del bocal. En ese aspecto no puedo quejarme, cuando estaba con los Spang. Siempre sabía de dónde iba a venir la próxima comida. Incluso ahorré algún dinero. Pero es imposible para una chica tener amigos en aquel medio. O una cuelga un letrero que diga: «Se prohíbe la entrada», o se está expuesta a rodar más que una pelota. Sin embargo, me parece que estoy cansada de estar sola. ¿Sabes lo que dicen las coristas de Broadway? «Es una colada muy triste aquella en la que no hay una camisa de hombre.»

Bond se echó a reír. Luego dijo:

—Bueno, ahora ya estás fuera del pozo —se quedó mirándola un instante con aire de duda—. ¿Y qué hay de míster Seraffimo Spang? Esos dos dormitorios en el coche Pullman y la cena con champaña para dos...

Antes de que pudiese terminar la frase los ojos de Tiffany lanzaron un destello, y levantándose de la mesa bruscamente salió del bar a grandes pasos.

Bond maldijo su propia estupidez. Dejó algunas monedas sobre el plato, junto a la cuenta, y se apresuró tras la muchacha. La alcanzó a medio camino del puente.

—Escúchame, Tiffany —empezó a decir. Ella se volvió bruscamente y se le quedó mirando. Tenía las pestañas húmedas de lágrimas.

—¿Cómo puedes ser tan mezquino? ¿Es que tienes que estropearlo todo siempre con frases tan cáusticas como ésa? —Hizo una pausa llena de congoja—. ¡Oh, James...!

Con aire desolado se volvió hacia las ventanas del puente, mientras buscaba su pañuelo en el bolso. Cuando lo encontró se enjugó los ojos.

—Tú no comprendes...

Bond le pasó un brazo por la cintura y la atrajo hacia él.

—Querida mía...

Sabía que sólo el amor físico podía acabar con todos los malentendidos, aunque todavía faltaba tiempo y palabras para ello.

—No quise hacerte daño. Sólo quería estar seguro. Fue una mala noche aquella del tren, y ver la cena sobre la mesa me hizo a mí mucho más daño que todo lo que vino después. Tenía que preguntártelo.

Tiffany levantó hacia él una mirada llena de dudas.

—¿De veras? —dijo buscando sus ojos—. ¿Quieres decir que ya te gustaba?

—No seas boba —contestó Bond, impaciente—. ¿Es que no sabes ver?

Tiffany se apartó de él y se quedó mirando el mar azul, sin límites, y una bandada de gaviotas que todavía acompañaban el barco a la caza de sus desperdicios. Después de un pausa dijo:

—¿Has leído *Alicia en el país de las maravillas*?

—Hace muchos años —contestó Bond, sorprendido—. ¿Por qué?

—Hay un verso que siempre recuerdo —dijo Tiffany—. Aquel que dice: «¡Oh!, ratoncito, ¿sabes por dónde se sale de este valle de lágrimas? Estoy ya muy cansada de nadar aquí, ratoncito». ¿Lo recuerdas? Bueno, pues creía que tú ibas a mostrarme la salida. Y en lugar de eso, vas y me metes la cabeza debajo del agua. Por eso es por lo que me enfadé. —Le miró de nuevo—. Pero supongo que lo hiciste sin querer.

Bond se quedó mirando su boca, y luego la cogió entre sus brazos y la besó largamente en los labios.

Ella no le devolvió el beso, pero al apartarse de él sus ojos brillaban de nuevo. Agarró a Bond del brazo y se dirigió hacia las puertas del ascensor.

—Acompáñame abajo —dijo—. Tengo que arreglarme un poco la cara y de todas formas quiero pasar un largo rato adornando bien la mercancía. —Hizo una pausa y puso sus labios muy cerca de su oído—. En caso de que te interese saberlo, James Bond —dijo en voz baja—, nunca he hecho en mi vida lo que verdaderamente se llama «dormir con un hombre». —Luego tiró de su brazo y añadió con cierta brusquedad—: Ahora vamos. De todas maneras ya era hora de que tomase un «baño casero». Supongo que eso es parte del lenguaje que querrás que vaya aprendiendo, como súbdito. Vosotros los súbditos escribís las cosas más disparatadas en vuestros cuartos de baño.

Bond la acompañó hasta su camarote. Luego pasó al suyo y se dio un baño de «sales calientes» seguido de una «ducha casera» fría. Cuando hubo concluido se echó en la cama y sonrió pensando en algunas de las cosas que ella había dicho. La imaginaba en aquellos momentos metida en la bañera, mirando desconcertada hacia la hilera de grifos y pensando en lo chiflados que estaban los ingleses.

Se oyó un suave golpear de nudillos sobre la puerta y entró el camarero con una bandeja que colocó sobre la mesita del camarote.

—¿Qué demonios es eso? —preguntó Bond.

—Lo envía para usted el cocinero mayor, sir —contestó el hombre.

Luego salió y cerró la puerta.

Bond se deslizó de la cama y fue hasta la mesita para examinar el contenido de la bandeja. Al ver lo que era no pudo contener una sonrisa. Había allí una botella pequeña de Bollinger y un calentador con cuatro trocitos de *bistec* sobre rebanadas de pan tostado. Junto a ellas, una salsera, y una nota escrita a lápiz que decía:

«Esta salsa béarnaise ha sido hecha por miss T. Case sin mi ayuda. Firmado, el Chef».

Bond se llenó la copa de champaña y extendió una buena capa de salsa béarnaise sobre uno de los canapés de carne. Luego masticó lentamente. Sin dejar de sonreír, se dirigió al teléfono.

—¿Tiffany?

A través del hilo le llegó la risa apagada de la muchacha.

—Bien, no hay duda de que, realmente, sabes hacer la salsa béarnaise... —Y colgó el auricular.

23

El trabajo es lo segundo

En una aventura amorosa hay un momento embriagador: cuando en un lugar público, por primera vez, el hombre roza con sus dedos el muslo de la chica y ésta pone su mano sobre la de él para apretarla con pasión. Los dos gestos combinados los dicen ya todo. Es un acuerdo tácito sin necesidad de palabras. Y sigue un largo minuto de silencio durente el cual la sangre hierve.

Eran las once de la noche y sólo quedaban unos pocos comensales esparcidos por los rincones del Veranda Grill. Fuera, se oía el leve murmullo del mar bajo la luna, mientras el gran trasatlántico cortaba el negro del océano, dejando tras de sí una leve estela de espuma sobre las tranquilas olas. Apenas una leve oscilación de doce olas por minuto, que llegaba apagada hasta ellos, sentados muy juntos tras la tenue luz de la pantalla rosa.

Vino el camarero con la cuenta y desenlazaron sus manos. Pero ahora contaban con todo el tiempo del mundo y no había necesidad de más palabras ni de más contactos para reafirmar lo que los dos sabían. Tiffany se echó a reír, feliz, frente a la cara de Bond, cuando el camarero apartó la mesa y caminaron juntos hacia la salida del comedor.

Desde allí, subieron en ascensor hasta el puente.

—¿Y ahora qué, James? —dijo Tiffany—. Me gustaría tomar un poco más de café y un Stinger hecho con *Crème de menthe*, mientras vemos lo que pasa en la sala de subastas. He oído hablar tanto de ella... Creo que se puede hacer una fortuna.

—Está bien —dijo Bond—. Lo que tú quieras.

Y la condujo del brazo a través del gran salón donde todavía estaban jugando al bingo, y al salón inmediato donde los músicos estaban afinando sus instrumentos, en espera de que llegase la hora de comenzar el baile.

—Pero no me hagas comprar un número —dijo Bond—. Es sólo un juego de azar, y el cinco por ciento de lo que se recauda es para obras de caridad. Probabilidades casi tan desfavorables como en Las Vegas. Resulta divertido, de todas formas, cuando hay un buen subastador, y he oído que en este viaje hay montañas de dinero a bordo.

El Salón de Fumadores estaba casi desierto. Eligieron una mesa pequeña, alejada de la tarima donde el mayordomo estaba ocupado en preparar todo el decorado que acompañaba la subasta: la caja para las tarjetas numeradas, el martillo, la jarra de agua.

—Esto es lo que en el teatro se llama «vestir a un santo sin carne» —dijo Tiffany. Se sentaron frente al bosque de sillas y mesas vacías, y Bond dio la orden al camarero.

Un momento después se abrieron las puertas que comunicaban con el salón de cine, y en pocos segundos casi un centenar de personas invadieron la estancia.

El subastador, un hombre de negocios panzudo y jovial, sin duda oriundo de las Midlands inglesas, golpeó con el martillo sobre la mesa, pidiendo silencio. Llevaba un clavel rojo en el ojal de la solapa de su esmoquin. Cuando el clamor se calmó un poco anunció que el capitán estimaba que la singladura del día siguiente iba a oscilar entre los 1.150 y los 1.200 kilómetros, que cualquier distancia por debajo de los 1.150 era «margen bajo» y cualquiera por encima de 1.200, «margen alto».

—Y ahora, señoras y caballeros, vamos a ver si podemos romper el récord de este viaje, que se encuentra, para el que no lo sepa, en la impresionante cifra de 2.400 libras esterlinas en caja —aplausos.

Un camarero ofreció la caja de papeletas dobladas a la mujer de aspecto más adinerado que había en el salón. La mujer sacó un trocito de papel y el camarero lo levantó en alto para entregárselo al hombre de la tarima.

—Bien, señoras y señores, aquí tenemos para comenzar un número excepcionalmente bueno. El 1.199. Justo en el límite alto de la raya y, puesto que veo un gran número de caras nuevas esta noche —risas—, creo que estaremos todos de acuerdo en que el tiempo está también excepcionalmente tranquilo. Señoras y señores. ¿Cuál es la apuesta por el 1.199? ¿Puedo decir 50 libras? ¿No hay nadie que ponga 50 libras a este número de la suerte? ¿20 dice usted, señor? Bien, por algo tenemos que empezar. ¿Algún aumento...? 25, gracias, señora. Y 30.

40 por allí, camarero. Y 45 de mi amigo míster Rothblatt. Gracias, Charlie. ¿Algún aumento sobre las 45 libras para el número 1.199? 50, muy bien. Gracias, señora. Y ya estamos otra vez donde empezamos —risas—. ¿Algún aumento sobre las 50 libras? ¿No hay nadie que se atreva? Es un número alto. El mar está tranquilo. 50 libras. ¿No hay nadie que diga 55? Entonces 50. A la una. A las dos...

Y el martillo levantado bajó sobre la mesa con un golpe.

—Bueno, menos mal que es un buen subastador —dijo Bond—. Ése era un buen número, y barato además si el mar continúa tranquilo y nadie se cae por la borda. El margen alto va a costar un buen paquete esta noche. Cualquiera puede calcular que vamos a hacer más de 1.200 kilómetros con este tiempo.

—¿Qué quieres decir con un paquete? —preguntó Tiffany.

—Doscientas libras. Quizá más. Me imagino que los números ordinarios se van a vender por alrededor de un centenar. El primer número es siempre más barato que los demás. La gente no se ha calentado todavía. Lo más inteligente que se puede hacer en este juego es comprar el primer número. Cualquiera de ellos puede ganar; pero el primero es el más barato.

Mientras Bond estaba terminando de explicarle esto a Tiffany, el número siguiente fue adjudicado por 90 libras a una muchacha rubia que claramente estaba jugando con la cartera de su acompañante, un señor de complexión sonrosada y pelo gris, que parecía una caricatura del personaje del *Squire Magazine*.

—Anda, cómprame un número, James —dijo Tiffany—. Verdaderamente, no sabes tratar a una chica como es debido. Deberías tomar ejemplo de ese caballero que está con la rubia.

—Ya ha pasado la edad de merecer —contestó Bond—. No debe tener menos de sesenta. Hasta los cuarenta, las chicas no cuestan nada. Después, hay que pagar dinero. O contar una historia. Y es generalmente la historia lo que duele más —se quedó mirándola a los ojos—. De todas formas, yo no tengo aún cuarenta.

—No seas presumido —dijo ella, y fijó sus ojos en los labios de Bond—. Dicen que los hombres mayores son los mejores amantes. Pero tú no eres tacaño por lo general. Me apuesto a que es porque el juego es ilegal, o algo por el estilo, en los barcos ingleses.

—Está permitido fuera del límite de tres kilómetros —dijo Bond—. Pero aun así los agentes de la Cunard Lines han tenido sumo cuidado en no envolver en esto a la Compañía. Escucha —dijo cogiendo un tarjeta color naranja que había sobre la mesa—: «Reglamento de las papeletas de subasta referentes a las distancias recorridas por día —leyó—. Con objeto de despejar ciertas dudas creemos conveniente insistir en la posición de la Compañía a este respecto. No es deseo de la Compañía que el mayordomo del Salón de Fumadores o ningún otro miembro del personal de a bordo tome parte en la organización de esta subasta». —Bond levantó la vista—. Ya lo ves. Es un asunto que se toman muy a pecho —luego continuó leyendo—: «La Compañía sugiere que los pasajeros elijan entre ellos un comité que se encarge de formular las reglas y controlar los detalles... El mayordomo del Salón de Fumadores puede, si se le solicita y sus deberes lo permiten, prestar ayuda al comité en la subasta de las papeletas».

»Muy astuto —comentó Bond—. Si ocurre algún problema, el comité es el responsable. Ahora, escucha esto. Aquí es donde está el problema: "La Compañía llama especialmente la atención de los señores pasajeros sobre las previsiones del Reglamento de Finanzas en el Reino Unido sobre la negociabilidad de la libra esterlina en cheques, y las limitaciones establecidas para la importación de billetes de banco al Reino Unido". —Volvió a dejar la tarjeta sobre la mesa.

»Y así continúa —dijo, levantando sus ojos sonrientes hacia Tiffany—: De modo que te compro el número que están subastando en este momento y tú ganas dos mil libras. Eso supone un buen montón de billetes y de cheques. La única manera de poder utilizar todas esas libras y esos cheques, en el supuesto de que sean buenos, es que los pases de contrabando por la aduana, escondidos en el suspensor de tus ligas. Y ya estamos de nuevo donde empezamos; sólo que ahora conmigo del lado del demonio.

La muchacha no pareció impresionada.

—Había un tipo en la banda al que llamaban Abadaba —dijo—. Era un granuja muy inteligente que conocía todas las respuestas. Calculaba las posibilidades en las carreras, establecía los porcentajes en el negocio de los números. Todo el trabajo de un cerebro. Le llamaban «el mago de las apuestas». Lo suprimieron por equivocación cuando la matanza de Dutch Schultz —explicó, como haciendo un paréntesis—. Tú me pareces otro Abadaba, por la manera como evitas gastar dinero en una chica. Bueno —añadió resignadamente, encogiéndose de hombros—. ¿Lo apostarías por lo menos contra otro Stinger?

Bond hizo seña al camarero. Cuando el hombre se hubo ido, se inclinó hacia ella hasta rozarle el pelo con la oreja y le dijo:

—Yo no lo deseo realmente. Te lo tomas tú. Esta noche quiero estar tan sobrio como si fuese domingo.

Ella se enderezó en su asiento.

—Y ahora, ¿qué es lo que pasa? —dijo, impaciente—. Me gustaría ver un poco de acción.

—Ahí la tienes —dijo Bond.

El subastador había levantado la voz y se hizo un silencio entrecortado de bisbiseos.

—Ahora, señoras y caballeros —dijo el hombre con acento imponente—, llegamos a la pregunta capital de la velada. ¿Quién va a pujar 100 libras para elegir entre margen bajo y margen alto? Todos sabemos lo que eso significa: la opción de poder elegir el margen alto, que parece ser el más popular esta noche —risas—, en vista del tiempo realmente espléndido que tenemos fuera. De modo que, ¿quién es quien va a abrir las pujas con una apuesta de 100 libras, para tener derecho a elegir margen alto o margen bajo...? Gracias, señor. Y 110. 120... 130. Gracias, señora.

—Ciento cincuenta—dijo una voz de hombre, no lejos de la mesa ocupada por Bond y Tiffany.

—Ciento sesenta —esta vez era una mujer.

Con acento monótono la voz del hombre que había hablado primero dijo:

—Ciento setenta.

—Ciento ochenta —dijo alguien.

—Doscientas libras.

Algo hizo que Bond se volviese en redondo para mirar al hombre que había hablado.

Era bastante grueso y su rostro tenía el brillo pastoso, escurridizo, de un ojo de buey arrancado. Sus ojos pequeños, negros y fríos, contemplaban inmóviles al subastador a través de sus lentes bifocales. Tenía el cuello muy grueso y el sudor había apelmazado sobre la nuca algunos mechones de su pelo negro, ligeramente ensortijado. El hombre cogió una servilleta de papel de encima de su mesa, se quitó las lentes y se limpió el rostro meticulosamente, con un movimiento circular de la mano, y luego la nuca, de oreja a oreja, para terminar la operación con la gruesa nariz, goteante.

—Doscientas diez —dijo alguien.

La barbilla del hombre gordo tembló un instante sobre su doble papada antes de que abriese la boca para anunciar:

—Doscientas veinte. —Tenía un profundo acento nasal americano.

¿Fue esa voz o era alguna otra cosa lo que despertó un eco remoto, indefinido, en la memoria de

Bond? Se quedó mirando aquel rostro congestionado mientras trataba de recordar alguna pista que le facilitase la tarea. ¿Era la cara? ¿La voz? ¿En Inglaterra? ¿En América?

Se dio por vencido de momento, y concentró su atención en el otro hombre que había en la mesa. De nuevo la misma sensación apremiante de que le conocía. La delicadeza de aquellos rasgos finos bajo la mata de pelo blanco cuidadosamente peinado hacia atrás. Los suaves ojos pardos bajo pestañas muy largas. El aspecto general de «niño bonito» que se desprendía de toda su persona, quedaba estropeado por la nariz excesivamente carnosa sobre una boca ancha, de labios finos, abiertos ahora en una sonrisa inexpresiva como la de un buzón de correos.

—Doscientas cincuenta —dijo su compañero, el gordo, mecánicamente.

Bond se volvió hacia Tiffany.

—Dime, ¿has visto a esos dos en alguna parte, en alguna otra ocasión? —le preguntó.

Tiffany se dio cuenta de la línea vertical que se había formado de pronto en el entrecejo de Bond. La muchacha observó a los dos hombres durante un momento, atentamente. Luego dijo con resolución:

—No. No los he visto nunca. Yo diría que son de Brooklyn. O un par de cortadores del distrito de ropas hechas. ¿Por qué me lo preguntas? ¿Les conoces tú?

Bond volvió a mirarlos una vez más.

—No. Creo que no —dijo. Pero no estaba muy seguro.

Hubo un estallido de aplausos en la sala y el subastador golpeó con su martillo sobre la mesa. Tenía el rostro resplandeciente.

—Señoras y caballeros —anunció con acento triunfal—. Esto es realmente magnífico. Trescientas libras es la puja de aquella encantadora señora que está allí con su hermoso traje de noche color rosa. —Las cabezas se volvieron y los cuellos se alargaron hacia atrás mientras se oían susurros de «¿quién es?»—. Y ahora, señor —continuó el subastador dirigiéndose al hombre gordo que estaba sentado en la mesa cercana a la de Bond—. ¿Podemos decir 325 libras?

—Trescientas cincuenta —dijo el hombre gordo.

—Cuatrocientas —sonó la voz aguda de la señora del traje color rosa.

—Quinientas —la voz del hombre era opaca, indiferente.

La mujer del traje rosa habló con su acompañante en voz baja, airada. El hombre parecía totalmente aburrido. Con la vista llamó la atención del subastador mientras denegaba con la cabeza.

—¿Algún aumento sobre las quinientas? —preguntó el hombre de la tarima levantando su martillo. Sabía que había exprimido ya todo lo que se podía esperar de la sala—. ¡A la una! A las dos. ¡Bang! —hizo el martillo—. Adjudicado a aquel caballero que vemos allí, y creo que realmente merece un aplauso.

Lo inició él mismo, batiendo palmas, y la asamblea le siguió obedientemente aunque sin duda hubiesen preferido que ganase la señora del traje rosa.

El hombre gordo se levantó unos centímetros de su asiento y volvió a sentarse de nuevo. A pesar de su gesto, su rostro sudoroso no mostró ningún signo de reconocer el aplauso. Sus ojos seguían clavados en el subastador.

—Ahora —dijo éste—, pasaremos por la formalidad de preguntar a este caballero qué margen prefiere —risas—. Señor, ¿elige usted el margen bajo o el margen alto?

Había un deje de ironía en su voz. La pregunta parecía completamente superflua.

—El margen bajo —dijo el hombre gordo.

Se produjo un silencio prolongado en la abarrotada sala, seguido inmediatamente por un rumor de murmullos. Era verdaderamente absurdo. Todo el mundo esperaba que el hombre iba a elegir el margen alto. El mar estaba tranquilo y el tiempo no podía ser mejor. Debían ir por lo menos a treinta nudos. ¿Es que el hombre sabía algo? ¿O tal vez había conseguido sobornar a alguien en el puente, para enterarse? ¿Se avecinaría acaso una tormenta? ¿O se habría recalentado algún cilindro en las máquinas?

El hombre de la tarima dio unos golpes sobre la mesa con su martillo para imponer silencio.

—Perdón, caballero. ¿Dijo usted bien, el margen bajo? —le preguntó.

—Sí —contestó el otro.

El subastador golpeó de nuevo con su maza.

—En ese caso, señoras y caballeros, vamos a proceder a continuación a la subasta del margen alto. Señora —añadió volviéndose hacia la mujer del traje rosa que había estado pujando antes—. ¿Le gustaría ser usted quien abra las apuestas?

Bond volvió la cabeza hacia Tiffany.

—Esto sí que ha sido extraño —dijo—. Sorprendente de veras. El mar está tan tranquilo como un lago. —Se encogió de hombros—. La única explicación que puede haber es que sabe algo.

La cosa no tenía mucho interés, de todas formas. «Alguien», sin duda, les había dicho «algo». Bond se volvió a mirar despreocupadamente al hombre gordo y a su compañero de mesa, pero en seguida apartó la vista para dejarla vagar por la sala.

—Parece como si esos dos estuviesen muy interesados en nosotros —le dijo a Tiffany en voz baja.

La muchacha miró también, disimuladamente.

—Ahora no se ocupan ya de nosotros —dijo—. Me imagino que son, sencillamente, un par de drogados. El del pelo blanco parece bastante estúpido, y el otro, el gordo, está entusiasmado chupándose el pulgar. Son un par de chiflados. Me pregunto si saben siquiera lo que han adquirido. Estoy segura de que no saben lo que hacen.

—¿Chupándose el pulgar...? —exclamó Bond, y se pasó la mano distraídamente por el pelo, en busca de algún recuerdo que parecía estar escondido en alguna parte de su mente, pero que no llegaba a concretarse.

Tal vez si la muchacha no hubiese interrumpido el hilo de sus pensamientos, hubiera recordado. Pero en lugar de esto, lo que ella hizo fue poner una mano encima de la suya al mismo tiempo que se inclinaba sobre él hasta rozarle el rostro con las ondas de su melena.

—Olvídalo, James —dijo—. Y no pienses tanto en esos dos idiotas.

Tenía las pupilas ardientes, rebosantes de demandas no expresadas.

—Ya me he cansado de esto. Llévame a algún otro sitio.

Sin decir ninguna otra palabra, se levantaron de la mesa y, atravesando por entre el bullicio de conversaciones, abandonaron la sala. Mientras bajaban las escaleras que conducían al puente inferior, Bond le pasó el brazo por la cintura. Tiffany dejó caer la cabeza sobre su hombro.

Así llegaron a la puerta de la cabina de la muchacha. Pero ella, en lugar de detenerse, le empujó para que continuasen por el corredor. La madera del piso crujían suavemente bajo sus pisadas.

—Quiero estar en tu casa, James —dijo ella en un susurro.

Bond no dijo nada hasta que estuvieron dentro de su camarote y hubo cerrado la puerta tras ellos con un empujón del pie, y tuvo a la muchacha en sus brazos, los dos cuerpos fuertemente entrelazados en la intimidad de aquel cuartito anónimo, bajo la luz suave de la lámpara.

Entonces separó el rostro para mirarla y le dijo en voz baja:

—Querida mía —mientras le cogía el pelo con una mano para poder mantenerle la cabeza de manera que pudiera besarla largamente.

Después de un rato, su otra mano buscó la cremallera del traje de noche en la espalda y empezó a bajarla lentamente. Sin apartarse de él, ella dejó que el traje resbalase hasta el suelo. Luego, jadeando entre dos besos, le susurró en el oído:

—Lo quiero todo, James. Todo lo que hayas hecho en otras ocasiones con otras chicas. Ahora. Ya... Deprisa.

Bond se inclinó sobre ella, y pasándole un brazo por debajo de los muslos la levantó en vilo y la depositó con delicadeza sobre el suelo de la cabina.

24

Sólo la muerte es eterna

La última cosa que Bond recordaba, cuando le despertó el teléfono, era la imagen de Tiffany inclinándose sobre él con un beso para decirle:

—No debes dormir sobre el lado izquierdo, tesoro mío. No es bueno para el corazón. Puede parársete. Date la vuelta.

Bond se dio la vuelta, obediente y oyó el *click* de la puerta al cerrarse. Luego se quedó dormido otra vez, acunado por el murmullo del océano y el eco de la voz de la muchacha aún en sus oídos.

De pronto, oyó un repiqueteo insistente hasta que, lanzando una maldición, Bond extendió la mano y descolgó el auricular. Una voz dijo al otro extremo:

—Lamento mucho molestarle, señor. Aquí el radiotelegrafista. Acaba de llegar un cable cifrado para usted con un prefijo *en clair* que dice: «Muy urgente». ¿Quiere que se lo lea o prefiere que se lo mande a la cabina?

—Envíemelo, ¿quiere? —dijo Bond—. Y gracias.

¿Qué demonios ocurría ahora? Apartó rápidamente de sí todo el calor y la belleza que aún quedaban en su cuerpo tras haber hecho el amor apasionadamente, y encendió la luz. Sacudiendo la cabeza para despejarse un poco, saltó de la cama y se dirigió a la ducha.

Durante un minuto dejó que el agua resbalase sobre su piel, luego se dio una buena fricción y se puso los pantalones y la camisa que todavía estaban en el suelo.

El camarero llamó a la puerta y le entregó el cable. Bond se sentó junto al escritorio, encendió un cigarrillo y se sumergió en el trabajo de descifrarlo. Mientras los grupos de signos se iban transformando en palabras, arrugó el entrecejo y sintió un escalofrío en la espina dorsal.

El cable había sido enviado por el jefe de Estado Mayor, y decía:

> «Primero, registro clandestino oficina Saye reveló cable enviado desde *Queen Elizabeth* dirigido ABC firmado Winter informando presencia usted y Case a bordo pidiendo instrucciones. Stop. Respuesta dirigida Winter firmada ABC ordena eliminación Case como precio veinte mil dólares. Stop. Segundo, consideramos Rufus B. Saye es ABC iniciales corresponden en parte en francés así A guión B guión SE. Stop. Tercero, posiblemente inquieto por síntomas registro Saye voló París ayer y está ahora Dakar según informa Interpol. Stop. Esto confirma nuestra sospecha diamantes proceden minas Sierra Leona de allí pasados contrabando por frontera Guinea Francesa. Stop. Sospechamos

fuertemente miembro instituto dental Sierra Leona que está siendo vigilado. Stop. Cuarto, avión *Camberra* RAF le espera Boscombe Down listo para inmediato vuelo Sierra Leona, mañana noche. Firmado, *COS*».

Bond se quedó petrificado en su silla durante unos instantes. De pronto centelleó en su mente el verso más siniestro y menos deseado de toda la poesía que recordaba: «Los que piensan dejarme atrás, yerran. Cuando ellos vuelan yo soy sus alas».

De manera que alguien de la Spangled Mob estaba a bordo viajando con ellos. Pero ¿quién y dónde?

Sus manos se precipitaron sobre el teléfono.

—Póngame con miss Case, por favor.

Oyó cómo sonaba el timbre al otro extremo. Un primer timbrazo. Luego el segundo. El tercero... Uno más aún. Colgó el auricular con un golpe seco y salió corriendo del cuarto hacia la cabina de Tiffany, que estaba en el mismo corredor. Nada. El camarote estaba vacío. La cama aún sin deshacer. Las luces encendidas. Pero el bolso de Tiffany estaba caído junto a la puerta abierta y su contenido esparcido por el suelo. La muchacha había vuelto allí. El hombre debía estar esperando detrás de la puerta. Tal vez con una porra en la mano. ¿Y después?

Los ojos de buey del camarote estaban cerradas. Miró en la ducha. Nada tampoco.

Se quedó parado en medio de la cabina con el cerebro helado. Luego trató de pensar. ¿Qué es lo que habría hecho él mismo, Bond, antes de matarla? La hubiese interrogado, para averiguar todo lo que sabía y quién era ese hombre, Bond. Para hacerlo más tranquilamente la habría llevado a su propio camarote, donde nadie iba a molestarle. Si se tropezaba con alguien en el corredor, durante el trayecto, no tenía más que hacer un guiño y menear un poco la cabeza: «Demasiado champaña esta noche. No, gracias, puedo arreglarme solo».

Pero, ¿en qué cabina? Y ¿de cuánto tiempo disponía aún?

Bond miró su reloj mientras retrocedía corriendo por el pasillo. Eran las tres. Ella debía haberle dejado un poco después de las dos. ¿Debía advertir al puente? ¿Dar la alarma? Inútil. Dar la alarma representaba un largo tiempo perdido en explicaciones, sospechas, retrasos. Le parecía estar oyendo al oficial de guardia: «Mi querido señor, eso es imposible». Sus tentativas de calmarle: «Naturalmente, señor, haremos todo lo que esté en nuestra mano». La mirada cortés del contramaestre, que pensaría inmediatamente que estaba borracho o había discutido con Tiffany. Quizá incluso alguien tratando de detener el barco, con el solo objeto de ganar el margen bajo en las papeletas de la subasta...

¡El margen bajo! ¡Pasajero al agua! Naturalmente. Bond cerró la puerta de su camarote con un portazo y echó a correr hacia el tablón donde estaba fijada la lista de pasajeros. Winter. Aquí estaba. Camarote A 49. Justo en el puente debajo del suyo. La mente de Bond trabajaba como una computadora, a toda presión. Winter. Winter y Kidd. Los dos asesinos. Los encapuchados. De nuevo a la lista de pasajeros. Kitteridge. En el A 49 también. El hombre del pelo blanco y el hombre gordo en el avión de la BOAC, que les trajo desde Londres. «Mi grupo sanguíneo es B.» La escolta secreta que habían preparado para Tiffany. Y la descripción de Leiter: «Le llaman Windy. Odia los viajes». «Un día esa maldita verruga que tiene en el pulgar va a delatarle.» La verruga rojiza en el dedo de la mano que había levantado el gatillo del revólver sobre Tingaling Bell, en su ataúd de barro. Y Tiffany exclamando en el Salón de las Subastas: «¡Son un par de chiflados! ¡El más gordo se chupa el pulgar!», mientras los dos granujas habían estado preparándose una buena ganancia a costa de la muerte que ya tenían concertada. La pasajera que caía por la borda. La alarma que alguien haría sonar anónimamente, en caso de que el vigía de popa no la viese en el agua. El barco que se detenía y viraba para comenzar la busca. Y tres mil libras de bonificación para los asesinos, además de su premio.

Wint y Kidd. Los dos asesinos de Detroit.

Toda esta secuencia de imágenes cruzó la mente de Bond como un relámpago. Y, mientras las analizaba, había abierto ya su maletín de cuero y sacado de su compartimento secreto el silenciador para su pistola. Automáticamente, cogió la Beretta de entre el montón de camisas en que la había ocultado en el fondo de un cajón de la cómoda, comprobó que el cargador estaba lleno y ajustó la pieza achatada del silenciador al cañón del arma.

Su mente calculaba los pros y los contras de cada posible movimiento. Buscó el plano general del barco que le habían entregado en la Compañía junto con su billete, y lo desplegó en el suelo mientras se ponía los calcetines. El camarote A 49 quedaba justo debajo del suyo. ¿Había alguna posibilidad de hacer saltar la cerradura de un primer balazo y continuar disparando desde dentro contra los dos hombres, antes de que ellos tuviesen tiempo de disparar sobre él? Prácticamente ninguna. Seguro que habían echado el cerrojo a la puerta, después de cerrarla con llave. ¿Tal vez hacer que le acompañasen algunos miembros del personal del buque, si lograba persuadirles del peligro que corría Tiffany? Mientras les daba explicaciones y ellos las digerían y llamaban a la cabina: «Disculpen, señores», los dos que estaban dentro tenían tiempo más que suficiente de desembarazarse de su carga por el ojo de buey del camarote. Cuando entrasen, iban a encontrarlos probablemente leyendo un libro o jugando a las cartas. «Pero, ¿qué significa todo este jaleo?», serían sin duda las primeras palabras, llenas de inocencia, con que iban a recibirlos.

Se metió el revólver en la cintura del pantalón y abrió de par en par uno de los ojos de buey de su camarote. Luego intentó meter los hombros por el hueco y vio con satisfacción que había espacio suficiente. Aún le sobraba un centímetro por cada lado. Se inclinó hacia abajo. En paralelo, dos círculos débilmente iluminados. ¿A qué distancia? Calculó que unos tres metros. El mar estaba en calma y Bond se encontraba en la parte sombreada del buque. La luna estaba al otro lado. ¿Le verían desde el puente superior? ¿Tendrían ellos abierto alguno de sus ojos de buey?

Bond se dejó caer de nuevo en el interior del camarote y arrancó las dos sábanas de la cama. Un nudo marinero. Sería lo más seguro. Tuvo que cortar las sábanas por la mitad para obtener la longitud suficiente. Si conseguía llevar a cabo su proyecto con éxito, tenía que acordarse de recuperar un par de sábanas del A 49 y dejar que el camarero se devanase los sesos tratando de aclarar el enigma. Si fracasaba, la cuestión de las sábanas no tendría importancia.

Cuando las hubo cortado y anudado, tiró de ellas con todas sus fuerzas. Resistían. Mientras ataba uno de los extremos a la argolla del ojo de buey miró su reloj. Sólo habían transcurrido doce minutos desde que leyó el cable. ¿Demasiado tiempo? Apretó los dientes y lanzó las sábanas al exterior, sobre el costado del barco.

Se encaramó al ojo de buey y empezó a pasar la cabeza. Luego el cuerpo.

«No pienses ahora. No mires hacia abajo. Ni hacia arriba. No te preocupes por los nudos. Despacio, seguro. Una mano después de la otra.»

La brisa de la noche le balanceó suavemente y le hizo chocar una o dos veces contra los remaches negros de hierro. De las profundidades oscuras llegaba hasta él el sonido de las olas, contra el casco. En lo alto, el viento silbaba entre los cordajes y los cables del puente y, más arriba aún, las estrellas parecían oscilar lentamente entre las verticales de los dos mástiles.

¿Aguantarían aquellas condenadas... benditas sábanas? ¿Iba a apoderarse de él el vértigo? ¿Le soportarían sus brazos durante todo el descenso? «No pienses en ello. No pienses en el enorme barco, ni en el mar hambriento, ni en las cuatro hélices que esperan para cortarte en rebanadas si caes al agua. Piensa que eres un niño que está bajando por el tronco de un manzano. Es tan fácil y tan sencillo hacer esto en el huerto, con el mullido colchón de hierba esperando abajo para recibirte.»

Bond dejó de lado todo pensamiento y se concentró en sus manos, que empezaban a dolerle, y en sus nudillos, que empezaban a sangrar como consecuencia del roce contra las planchas del buque. Con las puntas de los pies, tan sensibles ahora como las puntas de una antena, tanteaba para encontrar el primer reborde del ojo de buey, debajo de él.

Ahora. Acababa de tocarlo con los dedos de su pie derecho. Tenía que detenerse en su descenso. Tener paciencia y explorar un poco más. El cristal estaba completamente abierto, según le indicó el contacto de tela contra su calcetín: estaban echadas las cortinas. Ahora podía continuar. Estaba ya casi al final.

Una mano, la otra. Su rostro quedó a la altura de la abertura. Con una mano se agarró al reborde metálico, con lo cual aligeró de peso la tensa sábana y descansó al mismo tiempo los músculos de su brazo, que bien lo necesitaban. Repitió la operación con el otro brazo, preparándose para impulsarse y atravesar el ojo de buey hacia el interior del camarote, mientras su mano derecha buscaba la pistola para tenerla a punto en cuanto cayese dentro.

Escuchó primero, vigilando la cortina oscilante, tratando de olvidar que estaba colgado como una mosca a media altura del costado del *Queen Elizabeth*, y tratando de no escuchar los latidos del océano a sus pies. Mientras lo hacía, procuró recobrar el aliento y normalizar el martilleo de su corazón.

Se oía un murmullo dentro del cuarto. Eran unas pocas palabras dichas por una voz masculina. Y luego la voz de la muchacha, que gritaba:

—¡No!

Un momento de silencio, seguido de una bofetada que resonó como el disparo de un arma de fuego y que fue el resorte que hizo a Bond flexionar sus brazos, contraer sus piernas y lanzarse dentro del camarote como si lo hubiesen arrojado con una ballesta. Mientras iba todavía por el aire, se preguntaba dónde iría a caer, e instintivamente se protegió la cabeza con su brazo izquierdo mientras con el derecho sacaba la pistola.

Cayó sobre una maleta que había cerca del ojo de buey, pero el impulso adquirido le obligó a dar un salto que le llevó casi hasta medio cuarto. En un instante estaba de pie, agachado, retrocediendo hacia el muro, con la pistola en la mano y los nudillos casi blancos por la tensión con que empuñaba el arma. Con los labios apretados y los párpados entornados, como los de un animal de presa preparándose para el asalto, hizo girar sus frías pupilas grises de un lado a otro de la estancia. El cañón de su Beretta apuntaba justo a medio camino entre los dos hombres.

—Está bien —dijo Bond enderezándose.

Era sencillamente una afirmación. Él controlaba la situación y allí estaba su pistola para probarlo.

—¿Quién le ha llamado? —preguntó el hombre gordo—. Usted no está en el programa.

Su voz mantenía una cierta reserva, pero no había en ella ningún signo de pánico. Ni tan siquiera de sorpresa.

—¿Quiere entrar a nuestra ronda de póquer?

Estaba sentado de lado sobre la mesita tocador, en mangas de camisa. Los ojillos porcinos brillaban en su cara grasienta y sudorosa. Frente a él, con la espalda vuelta a Bond, estaba Tiffany, sentada en un taburete tapizado y completamente desnuda excepto por las braguitas color carne, con las rodillas aprisionadas entre los gruesos muslos del hombre. Su rostro, con una gran marca roja sobre la pálida piel, estaba vuelto hacia Bond, mirándole con una incredulidad que sobrepasaba el terror de animal acosado que podía leerse en ellos.

El hombre del pelo blanco estaba tendido cómodamente de lado sobre una de las camas. Ahora se había incorporado ligeramente sobre un codo y su otra mano estaba a media altura sobre la pechera de su camisa blanca, sin decidirse a completar su camino hacia la pistolera que le colgaba de la axila. Miraba a Bond sin curiosidad alguna y su boca tenía aquella inexpresiva mueca de buzón de correos que parecía ser característica en él, con un palillo apuntando entre los dientes apretados, como si fuese la lengua de una víbora.

La pistola de Bond apuntaba entre los dos hombres, para poder elegir campo rápidamente, si era necesario. Cuando habló, lo hizo con voz seca y dura:

—Tiffany —dijo lenta pero claramente—. Agáchate y ponte de rodillas. Apártate de ese hombre. Manten la cabeza baja y ven hasta el centro del cuarto.

No la miraba al decirlo. Sus ojos iban intermitentemente de uno a otro hombre.

Ella le obedeció, y cuando lo hubo hecho quedó fuera del campo de tiro.

—Estoy aquí, James —dijo. Su voz sonaba excitada y llena de esperanza.

—Levántate y ve en línea recta al cuarto de baño. Cuando estés allí, cierra la puerta. Métete en la bañera y túmbate lo más bajo que puedas.

La miró un segundo para estar seguro de que le obedecía. Ella estaba de cara hacia él. Luego se dio la vuelta para seguir sus instrucciones, y Bond escuchó el sonido de la puerta del cuarto de baño al cerrarse.

Ahora ya estaba a salvo de los disparos. Y no tendría que presenciar, además, lo que iba a ocurrir.

Cinco metros de distancia separaban a los dos hombres que tenía enfrente, uno sentado sobre la mesita tocador y el otro echado en la cama. Bond calculó que, si eran capaces de desenfundar con suficiente rapidez, le tenían en el cepo. Con tipos como ellos contaba hasta la décima de segundo. Aunque matara a uno, el otro, entretanto, habría sacado su revólver y disparado contra él.

Mientras continuase sin encañonar a uno en concreto, la suerte estaba en suspenso. Ninguno de los dos sabía a quién le tocaba primero. Pero con el primer disparo, el otro quedaba fuera de peligro durante una centésima de segundo. Lo suficiente.

—46 65 86.

Era el hombre gordo quien había hablado, como si escupiese los números. Se trataba de una de las numerosas combinaciones del fútbol americano, que sin duda los dos asesinos habían utilizado muchas veces como clave. Al mismo tiempo que pronunciaba estos números, el hombre gordo se arrojó al suelo, boca abajo, y su mano derecha partió como un rayo hacia la cintura de sus pantalones.

Con un movimiento sincronizado al de su compañero, el hombre del pelo blanco giró sobre su eje en la cama, y quedó allí tumbado frente a Bond, de tal forma que sólo presentaba su cabeza como diana. Al mismo tiempo que lo hacía, su mano voló hacia la pistolera que colgaba de su sobaco.

Un ruido sordo.

Era la Beretta de Bond. Un solo gruñido seco que abrió un pequeño orificio de bordes azulados en la frente del hombre que estaba en la cama, justo por debajo del nacimiento del pelo. En la contracción de la agonía, su índice apretó el gatillo, y un último disparo inútil salío de su revólver. La bala fue a enterrarse en la cama, debajo de su cadáver.

El hombre gordo, desde el suelo, dejó escapar un grito. El ojo negro de la Beretta le miraba fijamente, sin otro interés en toda su persona que elegir el centímetro cuadrado de su cuerpo más conveniente para meterle una bala. Por su parte, el hombre gordo sólo había conseguido levantar el revólver hasta la altura de las rodillas de Bond y apuntaba inútilmente entre sus piernas abiertas hacia el trozo de pared blanca que quedaba tras ellas.

—¡Suéltalo! —gritó Bond.

Se oyó el ruido que hizo el revólver al caer sobre la alfombra del camarote.

—Levántate.

El hombre gordo se puso en pie como pudo y se quedó mirando a los ojos de Bond, con la expresión con la que un tuberculoso mira su pañuelo, en busca de la señal de su condena.

—¡Siéntate!

¿Había un ligero destello de esperanza en los ojos porcinos del hombre? Los de Bond continuaban tensos como los de un gato al acecho.

El hombre gordo se volvió lentamente y levantó las manos por encima de la cabeza sin que nadie se lo hubiese pedido. Retrocedió dos o tres pasos hacia una silla que había en un ángulo y se dio la vuelta lentamente, como si fuera a sentarse. Sin apartar los ojos de Bond, dejó caer los brazos a sus costados de la manera más natural. Y sus manos, con un movimiento también natural, oscilaron hacia atrás, la derecha un poco más que la izquierda. Pero al final de su balanceo, la mano derecha se tensó de pronto y el destello de una hoja de metal apareció en ella, mientras la levantaba rápidamente. La hoja del cuchillo brotó desde sus dedos hacia delante como una llama blanca.

Un ruido sordo.

La pistola de Bond también había lanzado un destello. Bala y cuchillo se cruzaron en el aire a medio camino de sus blancos respectivos, y los ojos de los dos hombres parpadearon al unísono al alcanzarse mutuamente.

Pero el parpadeo de los ojos del hombre gordo se transformó en la imagen de dos córneas blancas, mientras las pupilas giraban hacia arriba y se desplomaba pesadamente sobre la alfombra, tratando de buscar apoyo en la silla mientras se llevaba las manos al corazón. En cambio, los ojos de Bond tan sólo bajaron un poco para mirar sin excesiva curiosidad la mancha de sangre que iba extendiéndose por su camisa y el mango del cuchillo que colgaba fláccido entre los pliegues de la tela.

El hombre gordo arrastró la silla en su caída, haciéndola crujir bajo la mole de su peso inerte. Un último estertor y todo quedó quieto.

Bond le miró una sola vez y luego se volvió hacia el abierto ojo de buey.

Durante un momento se quedó así plantado, con la espalda vuelta a la habitación, mirando cómo oscilaban las cortinas bajo el impulso de la brisa. Aspiró con ansia el aire que llegaba del exterior, mientras escuchaba el murmullo de las olas como si fuese una maravillosa sinfonía que aún les pertenecía a él y a Tiffany, pero no a los otros dos. Lentamente, dejó que se relajasen su cuerpo y sus nervios, tensos hasta entonces como cuerdas de violín.

Al cabo de un momento arrancó el cuchillo que colgaba de su camisa. Sin mirarlo siquiera, apartó las cortinillas del ojo de buey y lo arrojó al océano. Luego, contemplando aún la oscuridad exterior, puso el seguro a su Beretta y con una mano, que de pronto le pareció tan pesada como el plomo, volvió a meter el arma en la cintura de sus pantalones.

Se dio la vuelta con desgana y se quedó mirando la destrozada cabina, con gesto pensativo. Casi inconscientemente se limpió las palmas de las manos en los laterales del pantalón. Luego, se dirigió hacia el cuarto de baño y llamó con los nudillos.

—Soy yo, Tiffany —dijo con voz cansada antes de abrir la puerta.

Ella no le había oído. Estaba echada boca abajo, en la bañera vacía, con las manos sobre los oídos. Cuando él la sacó de allí y la tomó en sus brazos, la muchacha no podía creerlo todavía, pero se apretó contra él y empezó a palparle el rostro y el pecho, como si quisiese convencerse de que era verdad.

Bond se contrajo, sin poder evitarlo, cuando las manos de la muchacha llegaron a su herida, allí donde el cuchillo había chocado contra una costilla. Tiffany se separó de él, miró su rostro y la mancha roja en su camisa y, luego, sus propias manos, llenas de sangre.

—¡Oh, Dios! Estás herido —dijo, sin entonación en la voz. Y el verlo le hizo olvidarse de sus propias pesadillas. Le quitó la camisa y se puso a lavarle la herida con agua y jabón y a vendarla luego con tiras de toalla que cortó con una de las hojas de afeitar que habían pertenecido a alguno de los dos hombres muertos.

Ni siquiera le preguntó nada cuando Bond recogió sus ropas del suelo del camarote y se las dio, con la recomendación de que no saliese hasta que él hubiera terminado de arreglar todo aquello. Asimismo, debía limpiar bien con una toalla todos los objetos que hubiera tocado, con el fin de que no quedasen huellas digitales.

Por toda respuesta ella se limitó a mirarle con ojos brillantes, y cuando Bond la cogió suavemente por los hombros para darle un beso, tampoco dijo nada. Bond la miró sonriendo antes de salir del cuarto de baño y cerrar la puerta tras de sí. Luego empezó a poner orden en la cabina, ejecutando con gran cuidado cada uno de sus movimientos y deteniéndose de vez en cuando en el centro de la cabina para tratar de observarla con los ojos de los policías que vendrían a bordo en Southampton.

Lo primero que hizo fue enrollar su camisa y atarla por las mangas después de meterle dentro un cenicero como lastre. Con ella en la mano se dirigió al ojo de buey del camarote y la arrojó a la oscuridad de la noche, tan lejos como pudo. De las perchas que había detrás de la puerta colgaban los trajes de esmoquin de los dos hombres muertos. Les sacó los pañuelos del bolsillo del pecho junto a la solapa, se envolvió en ellos las manos y empezó a buscar por los cajones hasta encontrar las camisas que, por su talla, debieron pertenecer al hombre del pelo blanco. Eligió una entre el montón y se la puso. Durante unos instantes permaneció en el centro del cuarto, pensando. Luego apretó las mandíbulas y levantó al hombre gordo hasta dejarle sentado. Le quitó la camisa y se dirigió con ella hacia el ojo de buey. Apuntando hacia fuera, hacia la noche, apoyó la boca del cañón de su Beretta sobre el orificio que había hecho la primera bala, a la altura del corazón, y disparó de nuevo. Los bordes del orificio quedaron ahora ennegrecidos por partículas bien visibles de pólvora y humo. Podía pasar por un suicidio.

Le puso de nuevo su camisa al muerto, con gran trabajo, limpió su Beretta cuidadosamente, cogió los dedos del cadáver y los presionó sobre varias partes del arma. Luego se la puso en la mano, con el dedo índice metido en el gatillo.

Después de otra pausa en el centro del cuarto descolgó de su percha el esmoquin de Kidd, vistió con él el cadáver de su propietario, le arrastró por la alfombra hasta el ojo de buey y, sudando por el esfuerzo, le levantó en brazos y le arrojó por el hueco.

Limpió cuidadosamente el borde, para que no quedasen huellas digitales y se detuvo de nuevo para recobrar el aliento, mientras echaba una mirada general de inspección a la pieza. Luego se dirigió hacia la mesita de naipes, que había quedado junto a la pared con un montón de cartas encima, señal de un juego que nunca llegó a terminarse, y la volcó sobre la alfombra, de modo que los naipes quedaron desparramados por el suelo. Pensando en un último detalle, volvió hacia el cadáver del hombre gordo, sacó un montón de billetes del bolsillo trasero de sus pantalones y los esparció también sobre la alfombra, entre las cartas.

El decorado era verosímil. Quedaba todavía el misterio de la bala en el colchón, la que había disparado Kidd en su agonía, pero podía tomarse como parte de la pelea entre los dos hombres. Había tres disparos de la Beretta y tres cápsulas vacías en el suelo. Dos de las balas podían estar en el cuerpo de Kidd, que yacía ahora en el Atlántico. Quedaba por arreglar el detalle de las dos sábanas que tendría que quitar de la segunda cama. Esta desaparición quedaría sin explicar. Podía pensarse que Wint había envuelto en ellas el cuerpo de Kidd antes de arrojarlo al océano. Encajaba bien con el remordimiento de Wint y su suicidio después de la pelea a balazos provocada por una disputa en el juego, en la que había acabado matando a su compañero.

De todas formas, era una historia verosímil, por lo menos hasta que subiese la policía en el muelle, y para entonces él y Tiffany estarían ya fuera y lejos del barco. El único resto que quedaría de su paso por la cabina era la Beretta de Bond que, como todas las armas pertenecientes al Servicio Secreto, no tenía marca ni numeración alguna.

Dejó escapar un suspiro y se encogió de hombros. Sólo le faltaba recoger las sábanas y llevar a Tiffany a su camarote sin que los vieran, cortar la escala de tela que aún colgaba del ojo de buey de su cabina y arrojarla al mar con los restantes cargadores de la Beretta y la funda de sobaquera. Luego, años de sueño con el delicioso cuerpo de la muchacha enroscado junto al suyo para siempre.

¿Para siempre?

Mientras cruzaba el camarote en dirección al cuarto de baño su vista tropezó con los ojos del cadáver que había en el suelo.

Y aquellos ojos vidriosos, del hombre cuyo grupo sanguíneo había sido B, parecían decirle sin palabras: «Míster. No hay nada que sea para siempre. Sólo la muerte es eterna. Nada dura, excepto lo que usted me ha hecho a mí».

25

Se cierra la ruta de los diamantes

No había ahora ningún escorpión escondido entre las raíces del arbusto espinoso que crecía justo en el punto de intersección de los tres estados africanos. El contrabandista venido de las minas no tenía nada en qué matar el tiempo, excepto la contemplación de una columna sin fin de hormigas guerreras, negras, avanzando por el estrecho camino de tres centímetros de ancho que los soldados de la fila habían abierto en la tierra. A los lados del caminito, dos minúsculos terraplenes, levantados con el polvo que iban sacando con las patas, a medida que avanzaban en su trazado.

Hacía un terrible calor pegajoso y el hombre escondido tras el arbusto se encontraba incómodo y lleno de impaciencia. Era la última vez que acudiría al *rendez-vous*. Esto lo había decidido ya. Tendrían que buscarse algún otro. Desde luego, sería sincero con ellos. Les diría que se iba y también la razón: el nuevo ayudante que le habían enviado al consultorio, y que no parecía saber mucho de cirugía dental. Este hombre era, sin duda, un espía. No había más que ver sus ojos siempre atentos al menor detalle, su bigote rojizo, la pipa que usaba, sus uñas siempre limpias. ¿Habrían cogido a alguno de los muchachos y le habrían hecho cantar?

El contrabandista cambió de postura. ¿Dónde diablos estaba el maldito helicóptero? Cogió un puñado de tierra y lo arrojó al centro de la columna de hormigas. Los animalitos vacilaron un momento y luego se salieron por los terraplenes, empujados por la retaguardia que se agolpaba sobre ellas, creando una gran confusión. Frenéticamente los soldados de la columna empezaron a cavar de nuevo, y en pocos minutos la vía estaba libre.

El hombre se quitó un zapato y golpeó con él en medio de la columna. Hubo otro breve momento de pánico. Luego, las hormigas se abalanzaron sobre los cuerpos de sus compañeras aplastadas, los devoraron rápidamente y el camino quedó libre de nuevo. La cinta negra continuó su avance.

El hombre lanzó un breve juramento en afrikáans* y volvió a ponerse el zapato. Negras bastardas, ahora les enseñaría él. Se agachó, protegiéndose con un brazo de las ramas llenas de pinchos del arbusto, salió a la luz de la luna, y avanzó, pisando fuerte sobre la columna. Esto les serviría de lección.

Luego se olvidó del odio que sentía por todo lo que era negro, al percibir un ligerísimo zumbido que llegaba del norte. Alargó el cuello y se quedó escuchando. ¡Gracias a Dios! ¡Allí estaba ya! Vol-

* Dialecto de África del Sur, mezcla de holandés, inglés y aborigen. *(N. del T.)*

vió detrás del arbusto y recogió de su caja de instrumental las linternas y el paquete que contenía los diamantes. Kilómetro y medio más allá de donde él estaba, la gran oreja metálica del detector de sonido montado sobre un camión del ejército había localizado también al helicóptero y el operador, que había estado dando la distancia y la posición en voz baja al grupo de tres hombres que había junto al vehículo, les dijo ahora:

—Cincuenta kilómetros. Velocidad ciento veinte. Altitud, novecientos.

Bond miró su reloj.

—Parece que el *rendez-vous* era a la medianoche, con luna llena —dijo—. Va a llegar con diez minutos de retraso.

—Eso parece, señor —dijo el oficial del destacamento de Freetown que estaba a su lado.

Luego se volvió hacia el tercer hombre del grupo:

—Cabo. Compruebe que no se vea nada de metal a través de la red de camuflaje. Esta luna es capaz de delatar cualquier cosa.

El camión estaba parado a la sombra de un grupo de arbustos bajos, en la carretera sin asfaltar que cruzaba la llanura en dirección al poblado de Telebadou, en la Guinea Francesa. Aquella noche habían partido de las colinas tan pronto como el detector de sonido recogió la vibración de la motocicleta por el camino polvoriento que corría paralelo a la carretera. Habían rodado sin luces, para detenerse en el momento en que se paró el otro, con el fin de evitar que el ruido de su motor les delatase. Una vez parados, habían tendido una red de camuflaje por encima del camión, de tal forma que cubriese el aparato detector de sonido y las dos ametralladoras Bofors montadas junto a él. Luego, se habían puesto a esperar, sin saber exactamente qué es lo que esperaban del *rendez-vous* del dentista: tal vez otra motocicleta, un jinete a caballo, un *jeep* o una avioneta.

Ahora, escuchando el traqueteo que llegaba del cielo, ya sabían a qué atenerse. Bond había dejado escapar una breve risa.

—Helicóptero —dijo—. No hay otro chisme que haga un ruido tan endemoniado como ése. Estén preparados para bajar la red en cuanto aterrice. Quizá tengamos que darle un disparo de aviso. ¿Está ya conectado el altavoz?

—Sí, señor —dijo el cabo que estaba a cargo del detector—. Y llega bastante de prisa. Podrá verlo dentro de un minuto. ¿Ve usted esas luces en el suelo, señor? Deben ser para marcar el terreno de aterrizaje.

Bond dirigió la vista hacia los cuatro haces delgados de luz que brotaban de la tierra, un poco más lejos, y luego volvió los ojos hacia el cielo inmenso de África.

Aquí llegaba el último de ellos, el último de la banda y, sin embargo, el primero en categoría. El hombre que había visto brevemente en Hatton Garden, el jefe de la Spangled Mob, la banda a la que daban tanta importancia en Washington. El único de la banda, dejando a un lado al inofensivo y más bien agradable Shady Tree, que Bond no había tenido aún que matar o herir, pensó recordando la pelea en la taberna de la Liga Rosa. No es que hubiese venido con intención de matarlos realmente. La misión que M le había encomendado era la de descubrir la estructura de sus negocios. Pero, uno tras otro, ellos habían intentado matarle a él, o a sus amigos. La violencia había sido su primer recurso, siempre. La violencia y la crueldad eran sus únicas armas. Los dos hombres en el Chevrolet de Las Vegas, que habían disparado contra él y herido a Ernie Cureo. Luego, los dos hombres en el Jaguar, que habían golpeado a Ernie, ya herido, y habían sido los primeros en sacar los revólveres, cuando llegó el momento de la confrontación. Seraffimo Spang, que había dado la orden de que le torturasen casi hasta la muerte, y que luego, en la vía férrea, había tratado de aplastarlos o de matarlos a balazos, a él y a Tiffany. Wint y Kidd que habían dado a Tingaling Bell el horrible tratamiento del barro hirviendo, y que luego habían ido a por Bond y después a por Tiffany. De los siete, ya había matado a cinco, no porque le gustase, sino porque alguien tenía que hacerlo. Le había acompañado la suerte y había contado para ello con tres buenos amigos: Felix, Ernie y Tiffany. Y los malos habían muerto.

Ahora llegaba aquí el último de ellos, el hombre que había decretado su muerte y la de Tiffany, el hombre que, según M, había llegado a montar el tráfico ilegal de diamantes más importante del mundo, organizado la ruta y dirigido el asunto entero, durante años, con mano eficiente e implacable.

Cuando habló por teléfono con su jefe desde Boscombe Down, M le había informado brevemente, con voz incisiva, de lo que quedaba por hacer. Había logrado comunicar con Bond, a través de la línea directa del Ministerio, apenas pocos minutos antes de que el *Camberra* despegase en dirección a Freetown. Bond le contestó desde la oficina del comandante del aeropuerto, con el horrible ruido de un *jet* probando sus motores como telón de fondo.

—Me alegro de que haya vuelto sin percance —había dicho M, a modo de saludo.

—Gracias, señor.

—¿Qué es esto que leo en los periódicos de la noche sobre un doble asesinato en el *Queen Elizabeth*? —en el acento de M había algo más que sospecha.

—Eran los dos asesinos de la banda, señor. Viajaban bajo los nombres de Winter y Kitteridge. El camarero de mi cabina me contó que seguramente habían tenido una pelea a balazos, por algún problema de juego.

—¿Cree que el camarero estaba en lo cierto?

—Posiblemente haya sido así, señor.

Siguió una breve pausa.

—¿Lo cree la policía también?

—No he visto a ninguno de ellos, señor.

—Hablaré con Vallace personalmente.

—Sí, señor —dijo Bond. Sabía perfectamente que ésta era la manera de decirle que si Bond había matado a esos hombres, su jefe iba a encargarse de que ni Bond ni el Servicio Secreto fuesen mencionados en el informe.

—De todas formas —continuó diciendo M—, eran gente de poca monta. Lo importante es ese hombre, Jack Spang, o Rufus B. Saye, o ABC, o como quiera que se haga llamar. Quiero que se ocupe de él. Por los informes confidenciales que tengo, va a ir personalmente al lugar donde se inicia la ruta. Para cerrarla. Y posiblemente dejará algunos muertos a su paso. Allí se encontrará con el dentista. Procure hacerse con los dos. Tengo ya a 2.804 trabajando al lado del dentista desde hace poco más que una semana, y en Freetown parecen tener una idea bastante completa del asunto. Pero quiero que liquide esta misión cuanto antes y que vuelva a su verdadero trabajo. Ha sido una historia muy poco agradable. No me gustó nada desde el principio. Se debe más a la suerte que a una buena dirección, el que hayamos llegado tan lejos como lo hemos hecho.

—Sí, señor —contestó Bond.

—¿Y qué es lo que hay de esa chica, Case? —dijo M—. He hablado de ella con Vallace. No tiene intención de procesarla, a menos que usted insista.

¿No era excesivamente indiferente el tono de M al pronunciar esta última frase?

Bond procuró no dar a su respuesta un tono demasiado alegre:

—La muchacha ha sido una gran ayuda para mí, señor —dijo, con tanta soltura como pudo; por lo menos así esperaba que fuese—. Tal vez podamos decidir más tarde, cuando entregue mi último informe.

—¿Dónde está ella ahora?

El auricular se estaba resbalando de la mano de Bond.

—Camino de Londres en un Daimler de alquiler, señor. Se alojará en mi piso. En el cuarto de los huéspedes, claro. Tengo un ama de llaves muy eficiente. Se ocupará de ella hasta mi regreso. Estoy seguro de que no habrá ningún problema, señor.

Bond sacó el pañuelo del bolsillo y se enjugó el rostro.

—Estoy seguro que no —dijo M. Y esta vez no había ironía alguna en su voz—. De acuerdo, entonces. Que tenga suerte. —Siguió una pausa breve—. Tenga cuidado... —la voz, al otro extremo del cable, se hizo súbitamente dura—, y no piense que no estoy satisfecho con la manera como ha marchado todo hasta ahora. Ha ido un poco lejos, desde luego, pero me parece que ha sabido hacerles frente muy bien a esos tipos. Adiós, James.

—Adiós, señor.

Colgó el auricular y se quedó mirando al cielo estrellado. Pensaba en M y en Tiffany, y esperaba que éste iba a ser realmente el final del asunto y que todo terminaría bien y pronto para poder volver a casa cuanto antes.

El contrabandista de las minas se puso en pie con la cuarta linterna eléctrica en la mano. Allí estaba ya el helicóptero. Cruzando por delante de la luna en aquel momento. ¡Qué ruido infernal hacía siempre! Éste era otro de los riesgos que se alegraba de dejar atrás.

El aparato fue descendiendo poco a poco. Ahora estaba ya sólo a veinte pies por encima de su cabeza.

Una mano salió del aparato con una linterna que marcó, en código morse, a la letra «A». El hombre que estaba en tierra respondió con «B» y luego «C». Las hélices dejaron de girar y el enorme insecto se posó sobre la llanura, levantando un remolino de polvo, que se desvaneció lentamente.

El contrabandista retiró la mano que se había llevado a los ojos para protegerse del polvo y se quedó mirando al piloto mientras éste descendía de la cabina por una escalerilla plegable. Tenía el rostro oculto por el casco y las gafas de vuelo. Eso no era usual. También parecía más corpulento que el alemán. El contrabandista sintió un escalofrío en la nuca. ¿Quién era este piloto? Avanzó lentamente a su encuentro.

—¿Tiene la mercancía? —preguntó el otro. Por encima de las gafas que protegían sus ojos aparecían unas cejas espesas, negras. Sus pupilas estaban fijas en el hombre que había estado esperando. Por un instante la luna se reflejó en el cristal de las gafas, y los ojos quedaron ocultos tras el resplandor blanco de aquellos dos círculos plateados en medio del cuero negro del casco. Se hubiese dicho que era una máscara terrorífica.

—Sí —dijo, nervioso, el hombre de las minas—. Pero, ¿dónde está el alemán?

—No vendrá ya más —contestó el otro. Los dos círculos brillantes de las gafas estaban enfocados sobre el contrabandista—. Yo soy ABC. Y vengo a cerrar la ruta de los diamantes.

Era una voz con acento americano, dura, seca, definitiva.

—¡Oh! —dijo el otro. Y con un gesto automático llevó la mano al interior de su camisa. Sacó el paquete, húmedo aún por el sudor de su cuerpo, y lo tendió hacia el piloto como si se tratase de una oferta de paz. Como el escorpión, un mes atrás, era él quien sentía ahora, de una manera vaga, la piedra levantada sobre su cabeza.

—Ayúdeme con la gasolina.

El tono era el del capataz que da órdenes a un peón, pero el contrabandista se apresuró a obedecer. Dio un paso hacia delante y subió al aparato.

Los dos hombres trabajaron en silencio. Cuando todo estuvo listo saltaron a tierra de nuevo. Mientras estaban arriba, el contrabandista había estado pensando rápidamente. Era un intento sin esperanza, pero reunió fuerzas hasta lograr un tono de voz semejante al del piloto, quien, sin duda controlaba la situación. Mirando hacia la sombra sobre la que el piloto estaba parado con una mano ya en la escalerilla, dijo:

—He estado pensando sobre todo ello y me temo que…

Se detuvo a mitad de la frase, enseñando los dientes en una mueca, y una serie de sonidos entrecortados, mitad grito y mitad lamento, brotaron de su garganta, antes de desplomarse.

La pistola del piloto había hablado tres veces. El contrabandista lanzó un último «¡oh!…» casi reverente y dio una vuelta sobre el polvo. Un estertor final, y quedó inmóvil.

—¡No se mueva!

La voz llegaba resonando desde la llanura, magnificada por el eco del amplificador.

—¡Le estamos apuntando!

Luego se oyó el ruido de un motor al ponerse en marcha.

El piloto no se detuvo a hacer averiguaciones. Trepó por la escala, cerró de golpe la puerta de la cabina y tiró de la puesta en marcha automática. Rugió el motor mientras las aspas se enderezaban y comenzaban a girar cada vez con mayor rapidez, hasta que no fueron más que dos torbellinos plateados bajo la luz de la luna. Luego, con un brinco, el helicóptero se levantó en el aire y se elevó en vertical hacia el cielo.

El camión frenó en seco entre los arbustos y Bond saltó hacia el asiento de hierro de las Bosfors.

—¡Arriba, cabo! —gritó al hombre que se encontraba junto a las palancas. Luego pegó los ojos a la mirilla del visor mientras los dos cañones gemelos se levantaban hacia la luna. Su mano soltó el seguro y puso el indicador de fuego allí donde decía: «Tiro aislado».

¡Diez a la izquierda!

—Yo le iré cargando las trazadoras —dijo el oficial, que había venido a situarse junto a Bond con dos cartuchos completos de proyectiles pintados de amarillo en las manos.

Bond colocó los pies sobre los pedales de acción de fuego y comprobó que ahora tenía el helicóptero en el centro justo del retículo de la mirilla.

—¡Mantenlo donde está! —le dijo al cabo por encima del hombro. Su voz era tranquila.

«¡Boompa!»

La trazadora dejó una estela de estrellas en el cielo, que avanzaron casi a la velocidad del sonido.

Izquierda y bajo.

El cabo corrigió con cuidado sus palancas.

«¡Boompa!»

La estela de la bala trazadora pasó esta vez describiendo un arco por encima del helicóptero, que continuaba elevándose casi en vertical.

Bond se inclinó hacia delante y puso el indicador de tiro en «fuego automático». No lo hizo de buen grado pues significaba, con certeza, la muerte del piloto. Pero el otro no había querido obedecer. Una vez más, no le quedaba otro remedio.

«¡Boompa... boompa... boompa... boompa... boompa!» Las explosiones rojas surcaron el cielo. El helicóptero continuaba elevándose, como si quisiera alcanzar la luna, y de pronto viró hacia el norte.

En aquel momento surgió un fogonazo de luz amarillenta junto a su hélice de cola, y se oyó el trueno sordo de una explosión.

—¡Le ha dado! —dijo el oficial situado junto a Bond. Se llevó a los ojos unos prismáticos de visión nocturna—. Ya no tiene timón. —Y luego, muy excitado añadió—: ¡Diablos! Parece como si la cabina fuese una peonza alrededor del rotor principal. ¡El piloto debe de estar pasando un infierno!

—¿Seguimos? —preguntó Bond, sin perder el aparato de la cruz de su mirilla.

—No, señor —dijo el oficial—. Nos gustaría cogerle vivo si es posible. Pero parece como si... Ya ha perdido el control por completo. Se viene abajo dando tumbos. Algo debe haber pasado con el juego de hélices principales. ¡Allá va!

Bond apartó los ojos de la mirilla y se puso la mano como pantalla para protegerlos del resplandor de la luna.

Sí. Allí venía. Ya sólo estaba a unos mil pies, con el motor rugiendo inútilmente y las grandes aspas dando vueltas sobre la masa de metal desgarrado que se precipitaba desde el cielo dando bandazos, como una hoja muerta.

Jack Spang, el hombre que había ordenado la muerte de Bond. Que había ordenado la muerte de Tiffany. El hombre al que sólo había visto unos instantes en el vestíbulo excesivamente caldeado del Hatton Garden. Míster Rufus B. Saye, de la Casa de los Diamantes. Vicepresidente para Europa. El hombre que jugaba al golf en Sunningdale y visitaba París una vez al mes. De «ciudadano modelo» le había calificado M. Bien, ahí estaba, míster Spang de la Spangled Mob, que acababa de matar a un hombre... uno más en la larga lista de ¿cuántos otros?

Bond podía imaginarse la escena en la estrecha cabina del helicóptero: el hombre sujetándose a alguna parte con una mano, mientras trataba inútilmente de dominar los controles con la otra. Los ojos inyectados de rojo fijos en la aguja del altímetro, disminuyendo a cada segundo los centenares de pies que aún le quedaban. El sentimiento de terror impotente. El paquetito de diamantes en su bolsillo, por valor de cien mil libras, no era ya sino un peso inútil, y la pistola que hasta entonces había sido una especie de prolongación de su mano implacable, desde los días de su juventud, un juguete inservible.

—¡Va a caer en los matorrales de espinos! —gritó el cabo por encima del estruendo que bajaba del cielo.

—Está perdido —dijo el capitán, como si hablase para sí mismo.

Contemplaron inmóviles cómo los restos del aparato ejecutaban sus últimos bandazos en picado, y luego contuvieron el aliento cuando, con las aspas en remolino, hundió la cabeza y se precipitó contra los arbustos, como si éstos fueran sus enemigos. Antes de caer sobre el lecho de espinas el motor despidió una llamarada.

Luego se oyó una explosión sorda, y una bola de llamas rojinegras brotó envuelta en humo del corazón de los matorrales. La luna quedó oculta por un momento y la llanura se iluminó con un resplandor anaranjado.

El capitán fue el primero en hablar:

—¡Uf! —dijo, con sentimiento. Luego bajó los prismáticos nocturnos de campaña y se volvió hacia Bond—. Bien, señor. Se acabó. Me temo que tendremos que esperar a que se haga de día, antes de que podamos acercarnos —añadió, con resignación—. Incluso entonces no va a ser tarea fácil sacarlo de ahí. Esto traerá al galope a la patrulla montada francesa que se ocupa de la línea fronteriza. Afortunadamente, estamos en bastantes buenas relaciones con ellos, pero el gobernador va a pasar un mal rato para explicar el asunto en Dakar.

El oficial imaginaba fácilmente una buena montaña de informes en perspectiva. Y pensar en ello le hizo sentirse aún más cansado de lo que ya estaba. Él era un hombre práctico. Ya tenía bastante por un día.

—¿Le importa a usted si me echo y cierro los ojos un rato, señor?

—En absoluto —dijo Bond. Miró su reloj—. Será mejor que se acueste debajo del camión. El sol saldrá dentro de cuatro horas. Personalmente, no me siento cansado. De modo que me mantendré atento, por si el fuego corre el peligro de extenderse.

El oficial contempló con curiosidad a ese inglés tranquilo y enigmático que había llegado de pronto al destacamento rodeado de un verdadero derroche de avisos de «prioridad absoluta». Si verdaderamente había un hombre que necesitaba dormir... En todo caso nada de eso tenía que ver directamente con Freetown. Era asunto de Londres.

—Gracias, señor —dijo, y saltó del camión dispuesto a dormir una breve siesta.

Bond retiró los pies de los pedales de fuego, lentamente, y se reclinó contra el respaldo metálico del asiento. Con gesto automático, buscó su paquete de cigarrillos y su Ronson en los bolsillos de su guerrera caqui, un tanto gastada, que le había prestado para la expedición el oficial del destacamento. Sin apartar los ojos de las llamas en los arbustos, sacó un cigarrillo y lo encendió. Luego, volvió a guardarse el Ronson y la cajetilla en el bolsillo.

Bien, éste era el final de la ruta de los diamantes. Y la última página de su informe. Aspiró una larga bocanada de humo y lo dejó escapar luego despacio, entre los dientes, con una larga expiración. Seis cadáveres para recordar. El juego estaba terminado. Punto final.

Se pasó la mano por la frente húmeda, echando hacia atrás la mecha rebelde de pelo negro que le caía sobre la ceja derecha. El resplandor lejano de las llamas iluminó su cara angulosa y arrancó un destello de sus ojos cansados.

El fuego en el que se consumía el helicóptero terminaba con la historia de Spangled Mob y su fabuloso tráfico de diamantes. Pero no con las piedras, que en aquellos momentos estaban tostándose en el centro de la hoguera. Sobrevivirían al fuego y se distribuirían por el mundo, un poco descoloridas, quizá, un poco menos brillantes, pero indestructibles y perennes como la misma muerte.

Bond se acordó de los ojos del hombre que en vida tenía grupo sanguíneo B. El silencioso mensaje que pareció enviarle desde el más allá no era cierto: la muerte es eterna. Pero también lo son los diamantes.

Saltó del camión y echó a andar despacio hacia la hoguera donde estaba acabando de consumirse el helicóptero, entre los espinos. Sin poderlo evitar, sonrió para sí mismo. Todo este asunto de los diamantes y de la muerte era demasiado solemne. Para él no representaba sino el final de otra aventura. Una aventura más cuyo epitafio mejor podía ser la misma frase que Tiffany le había dicho una vez. Vio su boca, carnosa y apasionada, repitiéndola ahora, allí bajo la luna de África, aunque fuese sólo en su imaginación:

«Es mejor leerlo que vivirlo».

Índice

1. La ruta de los diamantes 7
2. Piedras preciosas de calidad 19
3. Hielo candente 30
4. ¿Qué es lo que sucede? 43
5. Las hojas muertas 50
6. En camino 63
7. «Shady Tree» 78
8. El ojo que nunca duerme 91
9. Champaña amargo 105
10. «Studillac» a Saratoga 117
11. *Sonrisa Tímida* 130
12. Las Perpetuidades 145
13. Sulfuro y barro de la montaña 156
14. «No nos gustan los errores» 174
15. Calle de la P (por Paga) 192
16. El Tiara 203
17. Gracias por la función 213
18. La noche cae sobre el pozo de las pasiones 224
19. Spectreville 238
20. Llamas hacia el cielo 256

21. «Nada acerca tanto
como la proximidad» 273
22. Amor y salsa *béarnaise* 285
23. El trabajo es lo segundo 300
24. Sólo la muerte es eterna 314
25. Se cierra la ruta de los diamantes 332